ダニエル・ヤーギン
Daniel Yergin
ジョゼフ・スタニスロー
Joseph Stanislaw
山岡洋一［訳］

市場対国家 ㊦

世界を作り変える
歴史的攻防

The Commanding Heights

The Battle Between Government and the Marketplace That is Remaking the Modern World

日本経済新聞社

THE COMMANDING HEIGHTS

The Battle Between Government
and the Marketplace That Is
Remaking the Modern World
by Daniel A. Yergin and Joseph Stanislaw

31

1965年、シンガポールとマレーシアの同盟の破棄を伝えるシンガポールのリー・クアンユー首相。この後の四半世紀、首相はめざましい経済開発を指揮した。

32

台湾ではじめて直接選挙によって総統に選ばれた国民党の李登輝主席。本省人だ。

33

コメの輸入と、アメリカからの貿易障壁の削減要求に抗議する日本の農民。1990年代後半、日本は不況の長期化で、規制緩和への圧力が高まっている。

34

1969年、マレーシアで華人に対する暴動が発生。その結果、経済成長を加速し、富をマレー人に再配分する政策が導入された。

35

名札をつけたマレーシアのモハマド・マハティール首相は、国際投機筋がアジアの通貨危機を招いたと非難した。

36

マレーシアの首都、クアラルンプール市内に立つ世界一高いビル、ペトロナス・タワー。世界経済での地位を高めようというアジアの意気込みを象徴している。

37

1967年の選挙でのインディラ・ガンディーのポスター。インディラ・ガンディーは、20年近くインド政界に君臨した。

38

1991年、P.V.ナラシマ・ラオ（左）が、インドの首相に就任した。内閣は、「古いボトルに入った古いワイン」だと攻撃されたが、ラオ首相は、ネルー・ガンディー王朝の遺産と訣別し、全面的な経済改革に着手した。

1970年代、多国籍企業はインドから追放されたが、90年代になると、コカ・コーラなどが、10億人近い消費者を抱える市場に嬉々として戻ってきた。

39

40

1952年、独裁者、ホアン・ペロン大統領とカリスマ的な人気のあった妻、エバ・ペロン。ポピュリズムとナショナリズムをつなぎ合わせた政策で、アルゼンチンを世界経済から切り離し、世界でもとくに豊かな国といわれたアルゼンチンの没落を早めた。

41

アルゼンチン経済が崩壊の危機に瀕した1989年、カルロス・メネム大統領（右）は、ドミンゴ・カバロ（左）を経済相に任命した。「ホウキ屋の息子」のカバロは、中南米諸国でももっとも急進的な改革を断行し、数十年にわたる国有経済を一掃した。

42

1980年代、ボリビアは、ハイパーインフレーションに見舞われた。札束を数える中央銀行の行員。国民は、ちょっとした買い物にも、多額の現金を持って行かなくてはならなかった。

43

「ショック療法」のシナリオを書いたボリビアのゴンサロ・サンチェス・デ・ロサダ（左）とハーバード大学のジェフリー・サックス教授（右）。「一夜にして市場経済を作り出した」

44

ブラジルのフェルナンド・エンリケ・カルドゾは、慢性的なインフレを撃退するため、新通貨、レアルを導入した。1998年の大統領選挙で再選を果たした。

45

1990年、ペルーの大統領選に出馬してトラクターで遊説するアウトサイダー、アルベルト・フジモリ候補。作家、マリオ・バルガス・ジョサとの激しい戦いを制して大統領に就任すると、大胆な経済改革「フジショック」を断行した。

46

1980年代初め、ポーランドの「連帯」は、東ヨーロッパの共産主義政権の解体に先鞭をつけた。

47

グダニスクの造船所で殺された労働者の追悼集会に参加したレフ・ワレサ（右から２人目）。1991年、ポーランドの大統領に選出された。

1989年11月11日、東ドイツの国境警備隊が茫然と見守るなか、ベルリンの壁が壊された。冷戦の終結と中央計画経済の崩壊を象徴する出来事となった。

48

1990年６月、東西ドイツの通貨が、１対１の比率で統合された。これが多大な負担となる。

49

50

1996年、大きな転換点となった大統領選の模様を伝えるロシアのテレビ放送。大きく出遅れていたボリス・エリツィン（左）は、改革の堅持を訴え、共産党のジュガーノフ候補を破った。

52

ガイダル経済財政相は、1991年、破綻の危機に瀕したロシア経済を託された。ジェット機に乗ってコックピットに行ってみたら、「だれも操縦していなかったような」状態だったと語っている。

51

ロシアのビクトール・チェルノムイルジン首相（中央右）は、ロシア経済の安定化に乗り出した。1998年に解任された後、ロシアは危機に逆戻りし、その努力は無に帰した。

53

ケインズに批判的なフレデリック・フォン・ハイエクは、「考え方は、一般に考えられているより影響力が強い」というケインズの主張の正しさを証明した。1974年、ノーベル経済学賞を受賞。

54

ダウニング街10番地のマーガレット・サッチャー首相をたずねた後、自著を持って帰路につくミルトン・フリードマン。1976年、ノーベル経済学賞を受賞。

55

シカゴ大学の経済学者は、自由市場を唱道した。ミルトン・フリードマンによれば、当初、「変わり者で、ごく小さな孤立した少数派」とみられていたが、多大な影響力をもつようになった。

56

政府による規制を批判したジョージ・スティグラー。1982年、ノーベル経済学賞を受賞。

57

「人的資本」という概念を展開したゲーリー・ベッカー。1992年、ノーベル経済学賞を受賞。

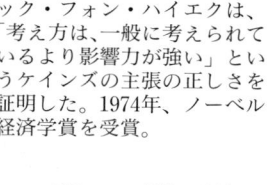

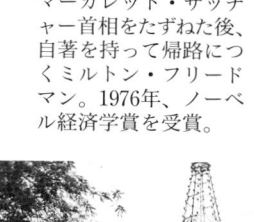

58

ロナルド・レーガン大統領と、「インフレという龍の退治」に乗り出したポール・ボルカー連邦準備制度理事会議長。

59

1993年、ビル・クリントン大統領は、医療改革案を提案したが頓挫した。
94年、キャピトル・ヒルの前で発表された共和党の「アメリカとの契約」は、政府部門の大胆な削減をうたった内容だった。
95年冬、クリントン政権と共和党議会の衝突で、連邦政府の窓口が閉鎖された。

60

The White House
Visitor Center
is closed due to
government shutdown.
All White House tours
are cancelled.

61

62

1978年、ブリュッセルの首脳会議でのフランスのジスカール・デスタン大統領と西ドイツのヘルムート・シュミット首相。この会議で、ヨーロッパの経済統合へ大きく近づく欧州通貨制度（EMS）の発足が決まった。

63

アルティエロ・スピネリは、第二次大戦中、ムッソリーニによって投獄されていたころからの夢、ヨーロッパ統合への動きを1980年代半ば、「ふたたび開始した」。

64

1981年の大統領選に勝利し、社会党のシンボルのバラを高々と掲げるフランソワ・ミッテラン大統領。この2年後、フランスは、市場改革に向かう「偉大なるUターン政策」をとらざるをえなくなる。

65

1992年、フランスの国民投票で、欧州統合に向けたマーストリヒト条約の批准を呼びかけるジャック・ドロール欧州委員会委員長。僅差で承認された。

66

1996年、ストラスブールの欧州議会で演説するドイツのヘルムート・コール首相。東西ドイツの統一後、首相の関心は通貨統合に移ったが、ユーロが導入される直前の総選挙に敗北し、退陣した。

67

「首相、シャツはこれしか残っていない」。1997年、経済状況の悪化に抗議するドイツの炭鉱労働者。

68

新しい労働党（ニュー・レーバー）のトニー・ブレア首相は、税金を「無駄にしない」と公約した。新しい民主党（ニュー・デモクラッツ）のビル・クリントン大統領は、「大きな政府」の時代は終わったと宣言した。

市場対国家＊下巻

目次

（上巻＊目次）

第8章

許認可支配の後に

インドの覚醒

chapter 8

AFTER THE PERMIT RAJ:

India's Awakening

一九九一年六月二十一日、マンモハン・シンは、ニューデリーの友人宅での昼食会に招かれていた。しかし、その朝、妻が友人に電話をかけ、出席できなくなったとわびた。夫に「急な仕事」が入ったからだ。その日の朝八時過ぎ、シンは思いがけない人物からの電話を受けている。首相に就任したばかりのP・V・ナラシマ・ラオからだ。こうして、シンは友人宅で昼食会を楽しむ代わりに、インドの経済危機がきわめて深刻な時期に大蔵大臣として宣誓を行なったのである。しかし、周りの人間の多くは、すぐに暇になって昼食会に出席できるようになると考えていた。ラオ政権の基盤は脆弱で、短命に終わるとみられていたからだ。ところが、ラオ政権は五年の任期を全うし、その間に、国家主導の経済路線を根本から転換した。この結果、インドが二十一世紀の世界経済でとくに活力のある国のひとつになる可能性が生まれた[1]。

ラオ首相はこの路線転換によって、独立以来、インドを導いてきた考え方、さらにいうなら一九三〇年代以降、国民会議派で主流となってきた考え方と訣別した。首相には、歴代の著名な首相のような劇的な要素はなく、才能もなかった。革命家ではなく実務家であり、王朝をまとめてきた考え方を覆すのではなく、王朝の最後に名を連ねるタイプの人物だ。

それまでの数十年、インドはまさに王朝に支配されているかのようだった。一九四七年にインドを独立に導いたネルーは、六三年に亡くなるまで首相をつとめた。その娘、インディラ・ガンディーは、六七年から八四年までの間に十五年間、首相をつとめ、八四年に暗殺されている。さらにインディラの息子、ラジブ・ガンディーが八四年から八九年まで首相をつとめ、九一年、再起をかけた選挙戦のさなか、やはり暗殺されている。

こうした苦難のなかでも、インドは民主国家でありつづけた。インドがあくまで民主主義を貫いたことは、二十世紀後半の偉業のひとつである。自由選挙、司法権の独立、報道の自由、言論の自由が保障されてきた点は、開発途上国の大半が長い間、独裁政権や民族紛争、政治の分裂に苦しんできたなかで、際立っている。世界の人口のおよそ二〇パーセントを抱え、複雑な多民族で構成されるこの国の大きさを考えれば、その偉業は特筆すべきである。民主制度は、宗教対立や民族対立、汚職、政治的野心の試練に何度もさらされてきたが、驚くべき抵抗力をみせてきた。

しかし、経済面の実績では話は別である。インドは当初、理想とイデオロギーに心を奪われて経済計画を掲げてきたが、その結果、極度の貧困を改善する道になる経済開発が抑制されてきた。そして、急速に成長する世界経済から取り残されてしまった。一九二〇年代にマハトマ・ガンディーを動機づけ、ラエ・バレリ地方の泥道を車で旅したジャワーハルラール・ネルーをとらえたのは、貧困の撲滅という崇高な理想だった。問題は理想にではなく、手段にあった。国民会議派の指導者は、フェビアン協会流の社会主義や共産主義の中央計画経済の影響を受けており、市場に不信感をもっていた。競争は悪であり、「価格機構を軽蔑」していた。中央計画、強力な国家による管理、政府の知識を信奉し、数千万人、数億人の決定に任せるよりも、政府の知識を活用した方が、投資の配分や産出量の決定がうまくいくと考えていた。官僚が一方的に決める方が、市場での価格機構によって決まるより望ましいと考えていたのだ。

こうした政策を支える経済分析が数多く行なわれた。きわめて説得力があり、理論的に洗練され、見事な議論だった。著名なインド人経済学者が苦々しく語ったように、「インドの不幸は、優れた経済学者がいたことだという皮肉な見方は、まったくの間違いというわけではない。経済が好調な東アジアの諸国にはなかった悩みだ」。しかし、その背景には切迫感があった。インドは、天然資源も経済資源もきわめて乏しい。資源の配分を指示しなければならない。そうしなければ、ある政府高官がかつて説明したように、口紅のようなつまらない製品の製造に資源が無駄に使われることになりかねない。こうしたリスクをおかすには、インドが直面する問題はあまりに切迫しており、国民の苦悩はあまりに大きかった。インド政府は、ソ連型の中央計画経済にならって重工業に資源を集中させようとした。決定的に誤っていたのは、投資の生産性や製品の質や価値ではなく、投資そのものを重視した点である[2]。

「マルクスの山へ」

この結果できあがった経済体制には、自滅をもたらす三つの特徴があった。第一の特徴は、「許認可による支配」であり、生産、投資、貿易のすべての段階を、複雑で非合理的、ほとんど不可解といえるほどの管理と認可で支配する制度である。この管理制度は、第二次大戦中に緊急措置としてはじまったものだが、独立後も力を増し、拡大を続けた。経済上の国益を熟知し、配分を決め、バランスをとるはずだった人たちが、実際には、どこまでも気まぐれに権限を行使する官僚にすぎなくなった。あらゆることに認可と証印が必要だった。製造品目をプラスチック製のスコップからバケツに変更する場合にも、生産量を増やす場合にも承認が必要だった。売上高二千万ドル以上の企業はすべて、取締役の人選など主要な決定事項を政府に提出し、承認を得なければならない。どんなささいなことを決めるにも、証印が必要だった。このため企業の経営幹部が、官庁にたえずたむろして大勢の官僚の機嫌をとるようになった。しかし、許認可と証印さえあれば、必要な承認を得られない企業との競争から守られるという慰めにはなった。この結果、「汚職で利益を得る政治家、職権を濫用する官僚、保護された市場と既得権を好む企業経営者と労働者」の利権がはびこり、経済成長が妨げられた。

第二の特徴は、企業の国有を強力に志向した点である。その背景には、フェビアン協会の「計算され、ゆっくりとしたペースでのマルクスの山への登頂」といわれる考えがあった。一九六〇年にはGDPの八パーセントだった公共セクターは、九一年には二六パーセントを占めるまでになった。中央政府は、鉄道や電力、水道など、公営事業の形をとるのが一般的な産業以外に、約二百四十の企業を所有していた。その重要性は、規模をみればあきらかだ。一九八〇年代末には、経済の大規模な「組織化された」セクターのうち七〇パーセントの雇用を、公企業が担っていた。特筆すべきは、二百四十の企業の半数が、事実上、破産状態にあるとみられていたことである。政府は「病める」企業を破綻させるのではなく、経営を肩代わりした。従業員にとって給料とは、雇われているだけで保障される「報酬」であり、残業代がほんとうの賃金だった。事業が閉鎖された後も、残業代が支払われるものと思っていたのである。たいていの場合、公企業は完全に保護された市場で事業を行なっており、競争による規律がなかった。その結果、公企業では、効率化を進めるインセンティブがはたらかず、顧客のニーズに対応することもなく、赤字を垂れ流すことになった(3)。

こうした公企業の典型ともいえるのが、ヒンドスタン肥料である。一九九一年、インドが経済危機に陥ったとき、千二百人の従業員は、創業以来十年以上そうしているように、毎日、勤務表をつけていた。唯一の問題は、販売できる肥料を一度も製造していないことだった。このプラントは、一九七一年から七九年にかけて建設されたものであり、かなりの額の公的資金を投入して、ドイツ、チェコスロバキア、ポーランドなど数か国から機械を購入した。基本的な決定をくだした官僚にとって、設備はかなりの買い得に思えた。輸出信用で資金を調達できたからだ。ところが、機器の組み合わせが悪く、操業することができなかった。関係者全員が、ただ操業のふりをしていたのである。(4)

自滅をもたらす第三の特徴は、貿易を拒否したことである。政策決定者は、いわゆる「輸出悲観主義」に陥っていた。インドは、一九五〇年代から六〇年代に開発途上国で流行した自給自足の内向きの政策をとった。貿易と外国からの投資を拒んだことで、インドは世界経済から退出した。きわめて優秀な科学者や技術者を輩出したが、ソ連とおなじように、市場で新たな技術を活用するには大きな障害があった。外国企業の投資を敵視し、貿易を厳しく制限し、競争を抑制したために、技術革新が国内に流入する道が閉ざされていたのだ。こうして、インドは技術面で後れをとるようになった。一九五〇年代か六〇年代の水準で技術の進歩が止まっていた分野も少なくない。

王朝

インディラ・ガンディーは、父、ネルーがしいた経済政策路線をほとんど変えようとしなかった。*

インディラは、幼いころから権力について学んでいた。十八歳のときに母が亡くなってからは、父の相談相手、妻代わり、公式訪問の同伴者となった。首相に就任後は、政治手腕を発揮し堂々としていたが、先見の明がない欠点を露呈した。傲慢だがカリスマ性があり、パキスタンとの戦争に勝利し、一九七四年に、核実験に成功して、個人的な権威を高めた。国内では、権力を自分の周囲に集中し、民主制を制限した。州の権限を弱め、連邦政府（「中央」政府）の権限を強化した。国民会議派内の反対派を無視したため、離党して新党を結成する者が多数にのぼっている。一九七五年、裁判所が地元選挙区でのささいな選挙違反でガンディー首相に有罪判決を下したとき、怒った首相は、全土に非常事態宣言を発令し、国民の自由を制限し、検閲を実施した。インドで唯一、独裁制が実施された時期である。しかし、高まる国民の抗議に、七七年、統制を緩和せざるをえなくなった。そして総選挙を実施したが、敗北を喫することになる。しかし、後を引き継いだ連立政権は、モザイクのように脆く、発足当初から足並みが乱れていた。経済政策には一貫性がなく、国有化を恐れた多国籍企業の多くが、この時期にインドからの撤退を決めている。連立政権内では論争が絶えなかった。一九八〇年当時、ガンディーの名誉は地に堕ちていたが、カリスマ性は健在だった。「ミセス・ガンディー」が権力の座に返り咲いた。

しかし、政治は変化していた。国民会議派は、もはや無敵でも磐石でもなくなり、地域政党の進出で、各州での基盤を失っていた。インディラ・ガンディー首相の強硬で妥協を許さない姿勢によ

＊――ネルーのひとり娘、インディラ・ガンディーは、フェローゼ・ガンディーと短い結婚生活を送った。マハトマ・ガンディーとの姻戚関係はない。

って、緊張が高まる一方になり、各地で分離独立運動が活発化した。なかでも北西部パンジャブ州のシーク教徒の例はよく知られている。一九八四年六月、首相は、シーク教のもっとも神聖な寺院で、過激派が立てこもる黄金寺院を襲撃するよう軍に命じた。これが命取りになった。その年の十月、シーク教徒の警護隊員が報復にでた。首相官邸内を散歩していた首相を射殺したのである。

インディラ・ガンディーが、下の息子で良き相談相手のサンジャイを後継者に望んでいたのはあきらかだった。サンジャイは、戒厳令がしかれていた数年間に、村人を集めて、トランジスター・ラジオと引き換えに、不妊手術を強制したことで評判を落としていたのだが。しかし、サンジャイは一九八〇年、飛行機の操縦を誤り、不慮の死を遂げている。そのため上の息子、ラジブに期待をかけた。ラジブは、まずはサンジャイの地位を引き継ぎ、母の死後は、後継者として国民会議派の指導者となった。そして、国民の同情が高まったなか、首相に就任した。ラジブは、物静かで控えめな性格だった。イタリア人の妻がおり、政治よりも飛行機の操縦に情熱を注いでいた。インド航空のパイロットになって、国内線の定期便を操縦し、機内アナウンスでは、ラジブ機長とだけ名乗っていた。

ラジブが首相に就任するころには、公企業の赤字が累積して、財政赤字が増えつづけていた。公的債務の急増に対し、政府は国内外から資金を借り入れてしのごうとした。ラジブ首相は、許認可支配の改革を公約した。首相と「コンピューターの申し子」と呼ばれた若手の側近たちは、技術革新と自由市場の重要性を説いた。首相は、変化の必要性を直感的に感じてもいた。フェビアン主義者の孫が、どうして改革の必要を感じていたのだろうか。それは、「政界以外でまともにはたらいたことがある最初の首相であり、自分や友人の経験で、制度の欠陥を感じとり、変化を求めていた」からだといわれている。

しかし、改革に対して幅広い支持が得られたわけではない。さまざまな改革手段を提案したが、嘲りの対象になり、「一般国民に不利」だと攻撃された。そして、当初は改革への並々ならぬ熱意をみせた首相自身が、確信を失っていくようにみえた。とくに、政権がスウェーデン製の兵器の購入をめぐる疑惑に巻き込まれてからは、いっそう確信がもてなくなったようだ。改革への熱意は消え去り、ラジブは八九年の総選挙で首相の座を追われた。しかし、ラジブ政権は、その後の改革に直接影響を与えるふたつの結果を生みだした。ひとつは良い結果で、もうひとつはきわめて悪い結果である。良い結果とは、緩やかなものではあるが、改革のいくつものアイデアが取り上げられ、議論されたことである。悪い結果とは、それより重要な点として、財政赤字が急増し、借り入れに依存するようになったことである。これがインド経済の危機につながった。一九八〇年代末になると、財政赤字が累積し、利払いが難しくなっていた。また、債務の負担が膨らんだため、投資を削減せざるをえなくなった。インフラ整備の財源が削減され、いっそう経済成長が抑えられた[5]。

その後の政権は、宗教やカースト制度をめぐる政治的対立によって、国をまとめることができなかった。そこでラジブは、再選を目指して選挙活動を開始したが、一九九一年五月、運動で立ち寄った村で、爆弾を身にまとったタミール人によって暗殺された。インドがスリランカの民族紛争に介入したことへの報復だった。

国民会議派のなかには、ネルー・ガンディー王朝の一族に期待をかけるしかないと考える者もいなかったわけではない。しかし、ラジブとサンジャイはすでに他界している。ラジブの子供たちはまだ幼く、イタリア人の妻、ソニアはインド国籍を取得していたが、後継総裁への就任を辞退した。そのため、長老のP・V・ナラシマ・ラオが、暗殺の衝撃にうちひしがれた国民会議派の総裁に選ばれた。

危機

ラオは、どうみても暫定総裁にすぎなかった。長年、ネルー・ガンディー王朝の忠実な執事をつとめてきた。国民会議派の事務方で、ときには首相の演説原稿を書き、外務大臣や内相など、数々の主要なポストを歴任している。そして、つねに忠実に仕事をしている。子どもたちがアメリカに住んでいたときにも、インディラ・ガンディー首相に命じられた通り、型通りにアメリカを攻撃した。ラオは如才ない政治家というだけでなく、教養あふれる人物で、十数か国語を操り、翻訳したり詩も書いていた。アンドーラ・プラデーシュ州の小さなブラフマンのカースト出身だが、このカースト出身者は、生活力と知的教養で知られており、アメリカにわたった者も少なくない。

ラジブ・ガンディーが暗殺された当時、ラオは七十歳で引退の準備を進めていた。政治生活のすべてを、王朝の陰で過ごしてきたため、複雑な思いを抱いていた。おそらく、自分が正当に評価されていないと感じていたのだろう。苦い思いがあるとすれば、インディラ・ガンディー首相に向けられたものだった。インディラは、周囲の人間のほとんどにそうしていたように、ラオを酷使し、見下した。これに対してラジブはラオを敬い、礼をつくした。ラオの私邸の壁には、ラジブのくつろいだ写真が飾られていたが、インディラの写真はなかった。

ラジブが暗殺され、ラオは引退を延期した。議員に選ばれたことはなかったが、国民会議派の総裁に選ばれた。勇敢でカリスマ性のある指導者だったからではない。ラオには、そうした面はない。調停役であり、バランス感覚の持ち主、妥協の人物で、党内の他の有力者の害になるとは思われなかったからだ。ラオが新首相に任命され、閣僚を発表したとき、「古いボトルに入った古いワイン」だと切り捨てられた。ラオ政権は長くは続かないだろうといわれた。少数派政権なので、こうした予想も当然だと思われた。しかし、実際には五年の任期を全うすることになる。最初の百日間、ラオ首相は、国が管理する経済を全面的に攻撃した。長期戦となった戦いの最初の一撃だった(6)。

インドの置かれた状況が追い風となった。ラオ首相らには、悠長に議論したり無為に過ごす時間はなかった。インド経済が瀬戸際に追い込まれていたからだ。一九九〇年八月二日、イラクがクウェートに侵攻した。原油価格の急騰で、すでに悪化していたインドの国際収支が打撃を受けた。湾岸諸国ではたらくインド人からの送金が途絶えて、国際収支はさらに悪化した。インドは財政危機の瀬戸際に瀕し、事実上の破産状態にあった。

インドの混乱は、湾岸危機が引き金になったことはたしかだが、根本的な問題は国内にあった。許認可制度が足かせになって、経済の潜在力を発揮できなくなっていたからだ。

「わたしは数字に弱い」

一九九一年夏の数週間、少人数のグループが路線転換をはかって危機に対応しようとしていた。ラオ首相がくだしたもっとも重要な決断は、閣僚人事だった。全員が古いワインだったわけではないのだ。閣僚の大部分はたしかに変わりばえがしなかったが、過去と訣別できそうな人物も慎重に選んでいた。政策決定の中心のひとりは、国民会議派の長老で、策略家のラオ首相自身だ。ラオ首相は、サッチャー流の首相になるつもりはなかったし、リー・クアンユー流の首相になるつもりもなかった。自分は社会民主主義者だと考えていた。「わたしは浸透理論《トリクル・ダウン》を信じない」と強調している。性急に結果を求めるタイプの政治家ではない。慎重で注意深く、周囲の人間をイライラさせるほど徹底的に検討するタイプだ。国民会議派がそれまで何年かにいかに弱体化し、分裂してきたかに気づいていた。国民会議派を「さまざまな人間が好きなときに行き来する鉄道のプラットホーム」になぞらえたことがある。首相に就任した当時、弱々しく疲れているようにみえたが（実際、ヒューストンで心臓手術を受けていた）、予想以上に若々しく、精力的に職務をこなした。権力《パワー》という名のもっとも効き目のあるビタミンPを摂取したからだと、側近のひとりが皮肉ったほどだ。

第二の人物は、マンモハン・シン蔵相である。シーク教徒のシンは、現在はパキスタン領になっているパンジャブ地方の旱魃が多い農村で貧しい家に生まれた。天賦の才能に恵まれたシンは、奨学金を得て大きく羽ばたいた。インドの優秀な経済学者はみなそうだが、ケンブリッジ大学で経済学を学び、オックスフォード大学で博士号を取得している。その後、インドに戻り、経済官僚としてめざましい活躍をした。とりわけ重要な計画委員会で要職についている。経済に関する鋭さはだれもが認めていたが（ケンブリッジ大学でアダム・スミス賞を受賞したほどだからだ）、控えめで口数は少なかった。質問を避けたいときには、「わたしは数字に弱いから」と信じがたい言葉を小声でつぶやいた。(7)

第三の人物は、Ｐ・チダンバラム商業担当相である。マドラスを代表する実業家の家に生まれ、ハーバード大学で経営学修士号（ＭＢＡ）を取得した。シン蔵相がマクロ経済政策を担当する一方で、チダンバラム商業担当相は産業政策の核心、許認可と承認のカフカの小説のような世界で戦った。仕事のやり方は控えめで地味であり、やるべきことを自覚していた。官僚支配を破壊するのだ。改革への思い入れはシンよりも強かった。十五年間、行政法を扱う立場にあり、日々、制度と格闘してきたからだ。「公共部門も民間部門も、保護された環境のなかで、弱々しくなっているとみていた。製品とサービスの質はあきらかに低かった。政府は過剰に介入して、経済活動を抑制し、非効率になっていた。起業家精神の芽をつみ、アイデアをつぶしていたが、その代わりになにも生みだしていなかった」

三人は、経済危機に直面して、四十年にわたる政策決定が、インドを誤った方向に導いてきたことに気づいた。しかし、こうした考えをもっていたのは少数派だった。与党の国民会議派内部で、変化への幅広い支持は依然として得られなかった。しかし、旧来の政治を批判し、新たな政治を導く考え方は明確になっていた。そして、改革派が過去の経済実績を分析してみると、インド経済は成長していない。生産性は低く、政府支出には歯止めがきかず、崇高な理想に基づいていたはずの計画は、管理のための管理に堕落していた。これらの原因をたどると、すべて政府の過剰な介入に行き着く。経済学者で官僚のビジェイ・ケルカールはこう語る。「左派では市場の失敗という考えが主流だった。しかし、政府の失敗の証拠が、長年の間に積み重なっていた。過去のデータをすべて検討していくことができる。われわれは、この現実に基づいて行動したのだ(8)」

覚醒

再考を迫る事実は国外にもあった。ソ連の共産主義の崩壊が、路線転換を促す決定的な衝撃になった。中央計画経済は、一見、合理的にみえることから、長年、知識人や官僚の想像力をかきたててきた。独立以前にすら、ネルーは「共産主義者と社会主義者は、自信をもって社会主義の道を目指している」と書いた。「科学と論理の裏付けがある」からだという。インドは独立後、ソ連の経済システムを取り入れようとした（ロシア人がインドをおとずれた際に、買い物の時間を要求した事実は無視された）。インドのニュー・テクノクラートのひとり、ジャイラム・ラメッシュはこう語る。「われわれは欧米の議会制度が根づくインド社会に、ソ連の経済体制を移植しようとした。悪酔いするカクテルだった」。二日酔いもひどかった。ソ連の経済モデルの失敗によって、政府が経済を管理する能力に対する信頼が打ち砕かれてしまったのだ。ソ連が栄光の座から滑り落ち、崩壊したことで、インドは最大の貿易相手国を失ったうえ、中央計画制度に対する信頼が損なわれた。インドのエリートは、国の将来を間違ったスターに託したことに、ようやく気づきはじめた。

さらに悪いことに、東アジアや東南アジア諸国の状況にも気づくようになった。何十年もの間、インドは、最初は日本で起こり、その後、虎と呼ばれるようになったアジア諸国で起こった「経済の奇跡」を無視してきた。インドにくらべてはるかに小さい国ばかりで、アメリカと同盟関係にある国が多い。「これらのアジア諸国はアメリカ帝国主義の手先だと蔑む傾向があった。そして、経済の実績や、わずか三十年で成し遂げた偉業から目をそむけてきた」とある経済学者は語る。

一九八〇年代末には、現実は否定しようもなくなっていた。これらのアジア諸国の経済成長が、つねにインドを上回っていたのだ。「インド流の成長率」は低いのだと自嘲気味に語られるほどである。毎年の成長率の差が積み重なって、大きな格差が生まれた。マンモハン・シンは東アジアを訪問した際に、その事実をまざまざと見せつけられた。シンは社会主義者として十分な実績があり、一九九一年に国民会議派政権の大蔵大臣として受け入れられたのはこのためだ（それ以前には、国連南委員会の事務局長をつとめている。南委員会は、政府による介入を信奉する第三世界の国の組織だった。委員長のジュリウス・ニエレレは、博愛主義的な社会主義によって、みずからが独立に導いたタンザニアの経済を破滅状態に陥れている）。しかし、一九八七年、シンは東アジアを訪問し、衝撃を受けている。自国と比較すると絶望的になった。一九六〇年には、韓国とインドの経済水準は同程度だったが、いまや一人当たりの国民所得でみると、韓国はインドの十倍になっていた。そして、ＯＥＣＤへの加盟を申請している。

シンは、この違いを生んだ原因を探ろうと躍起になった。許認可支配を飾りたてる管理や認可が、経済活動を妨げてきたのはあきらかだ。しかし、とくに気づいた点がふたつあった。東アジアでは、政府が産業界を支援する「促進活動」を積極的に行なっているのに対し、インドでは、政府が産業界を規制することに重点が置かれていた。なによりも違いが際立っていたのは、東アジア諸国が貿易を志向し、利益を得ているのに対し、インドが内向きの経済に固執してきたことだ。統計をみればあきらかだった。一九九〇年、ＯＥＣＤ諸国がインドから輸入した工業製品はわずか九十億ドルにすぎないが、人口がインドの二十分の一の韓国からの輸入額は、四百十億ドルに達していた。インドに影響を与えた国は、東アジア諸国ばかりではなかった。チダムバラムは言う。「サッチャー政権の動きには仰天し、目を開かされた。インドは、イギリスからフェビアン流の社会主義を取り入れてきたのだから」

経済政策の誤りを確信させる事実がもうひとつあった。一九六〇年から七〇年代にかけて、北米や西ヨーロッパに移住したインド人が少なくない。もともとは貧しさから移住したのだが、懸命に働き、一代あるいは二代目で、移住先の国で実業家や専門家として成功を収めている。アメリカの低料金モーテルの四六パーセントはインド人の経営であり、イギリスの小売業のかなりの部分もインド人が占めている。また、海外で製造業や商業の大企業を設立していた。印僑と呼ばれるようになったこれらの海外移住者が、親族をたずね、みずからのルーツ探しにインドを訪問するようになった。その影響は大きく、社会学者なら飛びつきたくなるような疑問がつぎつぎと湧いた。インド人は、なぜ海外でこれほどの成功を収めているのか。飲み水が違うからではないのはたしかだ。印僑が成功を収めた国の経済制度に関係があるはずだ。海外でのインド人の成功が、国内での許認可

支配の破綻を示す根拠になったのである。(9)

「機能不全の資本主義」

一九九一年六月二十一日、ラオは、首相の宣誓式を行なった。翌日、マンモハン・シン新蔵相が、インド経済の実状を、いくつもの数字をあげながら説明した。中央政府の赤字は、対国内総生産（GDP）比八パーセントで、国内の公的債務は同五五パーセントに達していた。国内債務の利払いだけでGDPの四パーセントが消え、対外債務の利払いは二三パーセントに達していた。気が重くなるような説明を聞いて、ラオ首相は最後にこう言った。「状況は悪いと思っていたが、ここまで悪いとは思っていなかった」。外貨準備高は数億ドルで、二週間分の輸入代金を支払えるにすぎなかった。海外のインド人が慌てて預金を引き出している。東京や北京のインド大使館を売却して、当座しのぎの資金を調達するという破れかぶれの案まで登場した。ラオ首相とシン蔵相は、国際通貨基金（IMF）に融資を要請するしかないと考えていた。しかし、IMFの融資条件は、経済改革の大枠を押しつけられるものにはならなかった。ラオ政権がみずから取り組んだ改革を強化するものになったのだ。最終的には、インドはIMFの条件を上回る改革を実行することになる。

経済危機によって、シン蔵相やチダンバラム商業担当相らには、過剰な規制と管理、競争の欠如というインド経済の病を根本的に治療する改革を推し進める機会がおとずれた。シン蔵相はこう語っていた。インドは「機能不全の資本主義」と呼べる状態に陥っている。つまり、「技術の進歩や品質の向上、コストの削減を気にせずに、金儲けができるようになっている」。変化とは、なによりも考え方の変化を意味していた。シン蔵相は就任直後にこう語っている。「インドはさまざまな分野で考え方を改める必要がある。旧来の考え方で行き詰まったのだ」。そして、こうつけ加えた。「考え方の力を侮ってはいけない」

シン蔵相とチダンバラム商業担当相は、自分たちの意見に耳を傾ける人物がひとりいることを知っていた。それはラオ首相である。慎重な首相を納得させ、できるだけ早急に改革を進めなければならない。ラオ首相は、自分の経済に関する知識が百科事典に書かれているほどにも達せず、その価値観が国民会議派のなかだけで形作られてきたことを認めていた。国民会議派は、長年にわたって公共セクターの優位性を説いてきた。チダンバラム商業担当相は、なにと戦うべきかを自覚していた。ラオ首相にこう説いた。「二十年か三十年にわたって、管理や規制のなかで育ち、それが正しいと信じていたのに、突然、管理や認可の撤廃が必要だと言い出すのは、さぞ辛いことでしょう」

ラオ首相はこう答えた。「そのとおり。難しいと感じる人間は少なくない。正しいと信じてきたものを断ち切るのは、容易なことではないからだ」

ラオ首相は、改革を進めている間も、たえず疑問を抱いていた。シン蔵相が、農民にとってきわめて重要な燃料である灯油価格の据え置きを決めて、反対の声が起こったとき、頭を抱え、苦悩の声をあげた。「このテクノクラートをどうすればいいのか」。しかし、最終的には過去を断ち切った。ラジオの全国放送で、ラオ政権は「急速な工業化を進めるうえでの障害の除去」に全力を挙げると宣言したのだ(10)。

改革の決定をくだしたのは一部の高官であり、これらの高官は一日二十四時間はたらいているように思えた。一九九一年七月後半、シン蔵相は緊急予算案を国会に提出する準備を進めていたが、妻が長時間の勤務を不満に思っていることに気づかないわけにいかなかった。「一国の蔵相が、一家の蔵相と良好な関係が築けなければ、経済の健全な運営に支障をきたすということは、議会も同意してくれるだろう」と語っている。そして、台所用品に対する税率の引き下げを提案した。

シン蔵相の予算演説は、新経済政策の中身を知るうえでも、インド経済が悪化した要因を深く掘り下げて痛烈に批判している点でも、貴重な証言である。その主旨は、インド経済が迷路に迷い込んでおり、大規模な改革に望みをかけるしかないという点だった。インドは、「危機に瀕している。一刻の猶予も許されない。……その場をしのぐ余地や、資金を借りる余裕、時間をかせぐ余地は残されていない」。そして、インド経済が理想や期待にほど遠いことを繰り返し述べている。インドの科学者・技術者の数は、世界で三番目に多いが、科学技術の水準が高いわけでない。シン蔵相は、一九八七年に東アジア諸国で受けた衝撃に触れた。インドは「国際競争力のある経済」に変わらなければならない。ネルー、インディラ、ラジブと連なる王朝の英雄を讃えて、改革への努力を呼びかけた。しかし、危機をとらえて、過去と訣別しようとしていたのはあきらかだ。

官僚も国民会議派も、改革推進派はあまりに性急で、党の根幹にある伝統や考え方を否定することになると警告した。シン蔵相は、官僚の一部にこう言っている。「われわれは変化を起こす仕事に携わっている。納得できない者は、その理由をはっきり主張すべきだ」。ネルーの遺産を軽視していると非難されたとき、マハトマ・ガンディーのスワデーシ（独立独行）の理想をもちだしてこう応酬した。「軽視しているわけではない。独立独行の考え方だ。独立独行とは、援助ではなく、貿易を意味している」

何週間かのうちに、ラオ政権は、インド経済の路線転換に成功した。通貨ルピーは切り下げられた。国内製品と輸出品に対する補助金を削減した。関税を引き下げ、貿易障壁を撤廃し、八割の産業で許認可制を廃止した。大企業が規模を拡大したり、事業を多角化する際の事前の認可も廃止した。さらに、外国資本に門戸を開放した。そして、「投資売却」もはじめている。政府が保有する企業の株式の一部を売却する政策である。

四十年にわたる政府の経済政策と対立する改革を矢継ぎ早に実施したため、激しい反発が起こっても不思議ではなかった。しかし、インド経済が危機に瀕していたうえ、改革派の主張が明快だったことから、反発が抑えられた。危機によって、改革派には政策を実行する余地が生まれた。反対の声がもっとも強かったのは、肥料への補助金引き下げに対するものだった。改革派が起こした動きは勢いを増し、驚くほど長びくことになる。[11]

「大きく異なる役割」

ふたりのインド人学者によれば、「一九九一年半ば以降の経済改革は、インド経済のなかで、政府がこれまでとは大きく異なる役割を果たすことを示していた」。しかし、それ以降、数々の混乱や論争が起こっている。九六年、国民会議派が選挙で敗北し、カルナータカ州のゴウダ前知事が率いる少数派の連立政権が誕生した。当初、国民会議派はこの連立政権を支持したが、わずか一年後の九七年五月には支持を取り下げた。政治危機が深刻化し、ベテラン外交官のインデル・クマール・グジュラルが新首相に任命された。政権は内部分裂し、明確な計画もなかったために、九か月後には、国民会議派がまたもや協力を取り下げた。その後に行なわれた総選挙で国民は、連立政権にも、国民会議派の破壊的な戦術にも拒否を表明した。与党に選ばれたのは、勢力を伸ばしつつあった第三の党、インド人民党（ＢＪＰ）だ。人民党は、いわゆるヒンドゥー至上主義で知られ、多数派のヒンドゥー教を信奉し、少数派からの特権の剝奪を主張する復古主義者だ。人民党の経済政策に疑念を抱き、後戻りしていると感じている国民は多い。人民党は、長い間、スワデーシ（独立独行）を掲げ、さまざまな面で、外資への不信を訴えてきた。

しかし、人民党が政権を握ってから数か月で、論争が巻き起こった。問題になったのは、宗教面でも経済面でもなく、だれもまともには信じてはいなかった選挙公約を実行に移したことだ。一九九八年五月、新政府は、核兵器の開発計画を復活し、一連の地下核実験を実施した。これに対抗し、パキスタンも核実験を行なった。国際社会は重大な懸念を表明し、経済制裁措置を決めたが、広く支持されたわけではない。インド国内では、核実験で愛国心が高まり、一時的に政府の支持率が高まった。

このような大きな混乱があったものの、インドは、ゆっくりではあるが着実に改革を進めている。経済政策を担う中心人物も引き続き政権にとどまっている。ゴウダ政権とグジュラル政権の大蔵大臣は、だれあろうチダンバラムであり、ラオ政権の商業担当相として最初の改革のリーダーとなった人物だ。そして、人民党政権は、カリフォルニア大学バークレー校で教育を受けたエコノミストで、政治的に微妙な問題である石油製品価格を自由化したビジェイ・ケルカールを、大蔵省の文民職のトップに据えている。しかし、なによりも、インドが改革を粘り強く続けている点は、国民の考え方が大きく変化したことを示している。

変化が積み重なると、かなり大きなものになった。官僚支配による許認可制度は大部分が廃止された。貿易が自由化された。海外からの投資も受け入れるようになった。電力、港湾、通信などインフラストラクチャーの整備に、国内外の民間企業の投資を認める「革命的な政策」もとられた。こうした投資は、少なくとも旧来の経済制度では、管制高地そのものに挑むものだと思われただろう。しかし、たとえば、日常化していた停電や電圧の低下を防いで、経済成長を支える電力を十分に供給することは焦眉の急だった。さらに、インフラ整備には多額の資金が必要なので、少なくともその一部は海外から調達しなければならず、そうでなければ計画に遅れが生じ、成長率の低下というコストを負担しなければならない。この点は十分に認識されていた。(12)

海外からの直接投資が、いくつかの激しい論争の火種となったのはまちがいない。カルナータカ州のケンタッキー・フライドチキンの店舗は、宗教上の摂食問題から出店に反対するグループなどに取り囲まれた。さらに重要なのは、ボンベイのあるマハーラーシュトラ州で、アメリカの電力・ガス会社のエンロン社を主体とするコンソーシアムと州政府の間の二十億ドルの発電所の建設契約を、同州の政権を握ったヒンドゥー教至上主義者が破棄させようとしたことだ。二十五を超える訴訟が起こされたが、インドの裁判所は契約を認めた。若干の再交渉の末、投資計画は続行された。

エンロン社の最高経営責任者（CEO）のケネス・レイはこう語る。「この裁判を通じて、インドには、契約を支持するしっかりした司法制度があることがあきらかになった。インド経済は、今後もかなりの率で成長を続け、自由化が進むと確信している。当社は長期間にわたってインドで事業を進めるつもりだ」。このような声がある一方、複数の連邦・州政府機関が関与するきわめて複雑で不可解な許認可制度と、訴訟の頻発について、不満を口にしない外資系企業を電力部門で探すのはきわめて難しい。全体として、インドの対内直接投資は伸びているものの、経済規模からみて依然としてきわめて難しい。一九九六年のインドへの直接投資額は五十六億ドルだったが、この年、中国への投資額は四百二十億ドルにのぼっている。

インド人民党は国政を担うようになると、エンロン社との抗争の中心になった過激派には主導権を握らせず、少なくとも主要なエネルギー、インフラストラクチャー、鉱工業部門では、対外開放政策を継続するとのシグナルを送った。そして、異論の多い国有企業の改革問題についても、これまでもっとも大胆な主張を行なった。タブーを破り、「民営化」という言葉さえ使っている。これまでの政権は、「投資売却」政策を好んできた。持ち株の一部を売却するが、大部分は政府が管理する意図であった。政策がどれほど大胆でも、数千万人の従業員を抱え、複雑で非効率で赤字の国有企業を改革するには、ひとつの単純な処方箋だけでは足りないことは言うまでもない。

産業の大部分は依然として政府の所有あるいは管理下におかれているが、民間セクターもかなり大きい。よく知られているのは、植民地時代に著名な起業家が創立し、一族によって受け継がれてきた強大な財閥企業である。ターターやビルラーなどの一族は、ネルー首相が既存の民間企業を国有化することなく、公企業を新たに設立したため、現在まで資産を維持してきた。インドの実業家は当初、許認可制度によって競争から守られた。しかし、すぐに、制度に憤りを感じ、反対するようになった。この制度によって活力がそがれるからだ。制限が撤廃されると、財閥は経済活動をふたたび活発に行なうようになった。事業範囲がきわめて広いので（ターター財閥は、鉄鋼、電機、重機械、さらには紅茶のプランテーション、印刷事業で、国内大手の地位を維持している）、競争や新規の投資によっても、その地位を追われるとは思えない。

歴史のある財閥企業だけでなく、新興の民間企業も成長している。とくに、一九五〇年代のネルー首相の計画委員会では想像もできなかった技術やサービスの分野で、民間企業が台頭している。新旧をとわず、これらの民間企業はすべて、公企業と日常的に取引し、契約を結んでいる。公共セクターは非効率で過剰な従業員を抱えているが、なかには円滑に機能し、めざましい成果をあげる企業もある。インドの公企業は、工業化が進んだ複雑な経済の一員として、国内外の企業との競争にさらされるようになっており、改革と無縁ではいられない。

下からの変化

変化の兆しはいくつもみられる。インドに投資したり、インドと貿易をはじめる印僑や多国籍企業が少なくない。インド南部の都市、バンガロールは第二のシリコン・バレーとなり、世界の最先端の情報産業が集積している。情報産業の巨大企業、オラクルのラリー・エリソン会長兼最高経営責任者（CEO）は、こう語る。「バンガロールでは、プログラミングにかかる費用はアメリカの半分だ。当社はバンガロールに大規模な研究センターをもっている。仕事の質は素晴らしい。バンガロールを選び、事業の規模を拡大する理由は、コストを大幅に削減できる点だけではない。質が非常に高いからだ」。一方、インドの政治家や官僚は、公企業に対する赤字補塡ではなく、医療や教育の分野に政府支出を振り向けることの重要性を説いている。貧困を解決する前提として、経済成長の必要性を訴えている。これは、アメリカの全人口よりも多く、インドの貧困層は数え切れないが、中産階級も三億人を超えると推定されている。西ヨーロッパとほぼおなじ規模である。消費市場という点でも、生産拠点という点でも、きわめて大規模だ。しかし、欧米の消費財メーカーが気づいているように、インドの中産階級には、欧米の中産階級ほどの所得も購買力もない。

記憶されるかぎりではじめて、変化が下から起こっている。「中心」のニューデリーからだけではなく、各州都から起こっているのだ。中央政府が統制を緩めたことで、地方への経済力の移転が進んでいる。同時に、インディラ・ガンディー首相の中央集権化に対抗する形で登場した地方の政党が成熟し、権力を握るようになった州が少なくない。地方政党は、地元に限定された支持者のために、改革で最大限有利な条件を引き出そうとしている。当初、地方の指導者は、カリスマ性に依存し、腐敗していた。元映画俳優も少なくなく、一〇パーセントの賄賂を要求することから、マダム・テン・パーセントと呼ばれる者もいた。しかし、有権者からの突き上げで、次第に目覚め、投資を呼び込むにはなにが必要かを考えるようになった。長い間、絶望的に遅れた地域だと思われていたオリッサ州では、自由化が急激に進み、電力事業の再編が行なわれている。一九七七年以来、左派共産党が政権を握ってきた西ベンガル州では、外資系企業の投資を誘致している。技術を重視するアンドーラ・プラデーシュ州知事は、九七年、包括的な経済改革を実施するため、州としてはじめて世界銀行から直接融資を受けた。下からの活力をもっともよく示しているのはおそらく、連邦の政治で地方政党が果たすようになった役割だろう。一九九六年に誕生した連立政権に参加したのは、ほとんどが地方政党だった。地方政治を基盤にし、地域開発の目標によって政策を考える政治家が台頭している背景には、州レベルの実験やその結果を重視しようというインド政府の大きな変化がある。経済開発の利益は一歩、国民に近づいている。

インドの独立以来、奇妙に思えることのひとつは、政府による厳しい統制と、インド国民が受け継ぐ強力な商業の伝統がかみ合っていないことだ。ビジェイ・ケルカールはこう語る。「起業家精神の泉は、インドの深いところに脈打っている。この点で問題はない。問題は政策の誤りだ」。しかし、その政策は変わりつつある。障害が取り除かれ、世界経済への統合が強まるにつれ、インドは高度成長国としての片鱗を見せるようになった。龍や虎になるとは思われていない。ぴったりの動物、象にたとえる人もいる。目を覚まし、行動するまでに時間がかかるが、動き出せば、茂みや藪をものともせず、迅速に着実に進むのだ。

チダンバラムはこう言う。「われわれの使命はとても単純だ。七パーセント成長を持続し、八パーセント成長を容認し、二〇二〇年までに現在の貧困を撲滅することだ。市場を機能させなくてはならない。とはいっても、政府が衰えてしまうわけではない。教育や医療の分野で、貧困層を支援する断固とした役割を果たさなくてはならないし、あきらかに重要な分野には、国の力を発動して介入しなくてはならない。しかし、政府は製品やサービスの生産から撤退すべきだ。政府の役割を変えるという点では、十段階でいうとわれわれはほとんどゼロから出発した。現状では、二か三までできている。いずれ十に到達できるだろう。最大のリスクは、市場の驚異に目がくらみ、貧困者の基本的なニーズに十分な目配りができなくなる点だ。貧困者のニーズを満たせなければ、反発が起こるだろう」

世界最大の民主国家、インドでは、政治が複雑であり、もう少しゆっくり進むべきだともいえる。地方が勢力を増すにつれ、衝突やにらみ合いの危険が増す。宗教の原理主義運動も増加している。そして、カースト制度を中心に築かれた社会構造は、機会の平等をめぐる対立を生んでいる。しかし、これまでの変化をみるなら、インドは世界経済にとって、市場としても競争相手としても、将来、重要性が高まるといえよう。チダンバラムはこう語る。「考え方はすでに変化している。国民に受け入れられている。難しいのはつねに、変化を阻止しようとするロビイストや利益集団に、どう対処するかである。いまは、息切れしたり、方向を見失ったりしないように注意すべきだ」。一呼吸おいて、こう続けた。「改革の最後の一歩が、もっとも難しいのだ」

改革がはじまった一九九一年の危機の際、マンモハン・シンは、ビクトル・ユーゴーの言葉を引用した。「地球上のいかなる力も、機が熟した思想を止めることはできない」。そしてこう語った。「インドが経済大国として台頭するというのが、そうした思想かもしれない」。一九九一年の陰鬱な日々には、この言葉は、言葉の遊びか夢だとさえ聞こえたかもしれないが、九〇年代末には、現実的な見通しになっている。[13]

第9章

ルールにのっとったゲーム

中南米の新しい潮流

chapter 9

PLAYING BY THE RULES:

The New Game in Latin America

一九九三年から九七年までボリビアの大統領をつとめたゴンサロ・サンチェス・デロサダ（愛称、ゴニ）は、アメリカの銀行強盗、ブッチ・キャシディとサンダンス・キッドをこよなく愛している。ゴニはボリビア生まれだが、軍事クーデターが起きて父が亡命したため、アメリカで育ったことと関係があるのかもしれない。ボリビアではクーデターは日常茶飯事で、独立後百七十二年の間に百八十九回ものクーデターが起きている。アメリカで亡命生活を送っていたサンチェス一家は、毎年大晦日になると、「来年こそ状況が良くなり、祖国に帰れますように」と祈りをこめて乾杯したが、そんなときは永遠に来ないように思えた。しかし、ボリビアの政治状況が大きく変わり、一九五二年、ゴニは帰国することになる。シカゴ大学で哲学を修めた後だった。

ボリビアでの生活は楽ではなかった。身体を慣らすのにさえ苦労した。事実上の首都のラパスは、高度三千三百メートルを超えるアンデス山中にあり、石の敷き詰められた急な斜面を、一区画か二区画登るだけでも、ひどく息が切れた。ゴニは映画プロデューサーになろうとしたが、ボリビアのような小国では、奇抜すぎる試みだった。有望な油田を見つけようとする石油掘削会社のために航空写真を撮って生計を立て、後にジャングルの掘削基地向けに資材を供給する事業に乗り出した。

それでも西部の無法者、ブッチ・キャシディとサンダンス・キッドの波乱に満ちた物語は、ゴニをとらえて離さなかった。二人は、捕まる寸前にボリビアに高飛びし、追われつづけて死んでいる。ゴニはこの事件を調べて、映画のシナリオを書いた。MGMが数千ドルで映画化権を買ってくれたが、映画にはならなかった。ずっと後になって、ロバート・レッドフォードとポール・ニューマンを主役に、別のシナリオで映画化されると（邦題『明日に向かって撃て』）、映画会社を盗作で訴えようと考えたが、訴訟費用がかかりすぎると弁護士に説得された。落胆したゴニはシナリオ・ライターをあきらめ（いずれにしても本業ではなかったが）、鉱山会社を設立して成功を収め、民主主義を掲げて政治活動を続けた。一九五九年のミス・ボリビアと結婚している。

ショック療法——政令二一〇六〇号

三十年近く後の一九八〇年代半ばになって、ゴニは別のシナリオを書くことになる。いわゆる「ショック療法」のシナリオである。ただし映画のためではない。国家主導型経済から市場経済への大規模で急激な（ほとんど一夜といえるほどの）移行計画のシナリオである。ショック療法は、いまでは世界各国で実施されてきたが、その発祥の地は中南米であり、ゴニは原作者と呼ぶにふさわしい。しかも、きわめて短期間のうちに書いている。締め切りを課したのは映画会社ではない。迫り来る危機だった。

一九八〇年代半ば、ボリビア経済は、ハイパーインフレーションに陥って混迷を深め、危機的な状況にあった。当時、上院議員だったゴニは、八五年に誕生した新政権で企画調整相に就任した。それまでのボリビアは、典型的な中南米型経済の国だった。開発、ナショナリズム、反米の旗印のもとに、政府が経済のかなりの部分を所有し、それ以外の部分も厳しく規制していた。しかし、理想はどうであれ、政府には経済運営の能力がなかった。政府機関は能力がなく非効率で、汚職や縁故が露骨なほど幅を利かせていた。政府支出は垂れ流しだった。労働者のご機嫌をとるために賃金を大幅に引き上げるものの、中南米経済に特有のインフレの昂進で給料が紙屑同然になってしまう。税金はほとんど徴収されなかった。歳入に占める税収の割合は三パーセントにすぎず、残りは中央銀行からの借入で賄われた。そして国は、対外債務の負担に喘いでいた。貧困と不平等も広がっていた。一九八二年にはじまった債務危機の打撃が重なって、インフレ率は二万四〇〇〇パーセントにも達しており、すぐに一〇〇万パーセントに達するのではないかと懸念されていた。対策のための時間は、ほとんど残されていなかった。

しかし、どのような対策を講じるべきかについては、なにも合意が形成されていなかった。経済の基本的な機構を大幅に変革することなど、たいていの人間には思いもよらないことだった。ゴニの考えは違った。こう説明する。「ハイパーインフレは恐ろしいほどだった。ハイパーインフレと債務危機が起こって、想像もできないと思われていたことが、想像できるようになった。このふたつがなければ、理論的な根拠をいくら示しても、政府や国民は納得しなかっただろう。しかし、わたしにとっては、実業家としての経験の方が大きかった。システムの内側にいたので、それが機能しないことがわかっていたからだ。民間セクターは公共セクターの事業から利益を得ようとするが、公共セクターは民間セクターをむしばんでいた。さらに、長年、民主主義の実現に向けて戦うなかで、旧来の制度ではもはや立ちゆかないと確信した」

しかし、それまでの制度に代わるどんな選択肢があるというのか。ゴニは自分自身を「中道左派」だと考えていた。「自分は貧しい国に生きており、貧困の解決策を見い出さねばならないと、つねに考えてきた」と語る。そして、ドイツのルードビッヒ・エアハルトのようになりたいとも考えていた。ゴニはエコノミスト誌を定期購読しており、イギリスのサッチャー革命や、アジア経済の奇跡など、世界各国の状況を学んでいた。とくに影響を受けた出来事がふたつあった。「一番目はニュージーランドだ。国を成長させるために、労働党政権は、数十年前に保守政権が作り出した指令統制型経済を放棄せざるをえなかった。二番目は中国だ。毛沢東主席が時代の最先端だといわれるなかで、鄧小平が権力を握り、改革をはじめたことに感銘を受けた。とくに感心したのは、鼠を取りさえすれば、白い猫でも黒い猫でもかまわないという発言だ」

ゴニは鄧小平の猫の逸話を好んで引用するようになった。こうした実例を学んで、ボリビア経済を健全化するには、劇的な手段をとって、国家統制主義をやめるしかないという確信をますます強めた。そして、一九八五年八月、ショック療法の最初のシナリオ、政令二一〇六〇号を起草した。その内容は、価格統制を廃止し、財政支出を大幅に削減し、関税を引き下げて価格決定に競争原理を導入し、公共セクターを大胆に再編し、予算を削減する、というものだ。これらの改革を実現するにあたって、ゴニらの改革派はきわめて大きなリスクをおかしていた。中央銀行にはわずか百五十万ドルしかなかったのだ。金庫はほとんど空だった。このようなリスクをおかしたのは、情報がまったくといっていいほど伝わらなかったからだ。ゴニは言う。「百五十万ドルしかないとは知らなかったのだ」

ゴニらは、八月以降数か月をかけて、ショック療法の他の計画を実行に移していった。助言を必要としていたが、当時の世界銀行にはそうした機能はなかった。その数か月前、マサチューセッツ州ケンブリッジのハーバード大学でジェフリー・サックス教授が、ボリビア経済に関するセミナーの招待状を受け取っていた。教授は、ボリビアのすさまじいハイパーインフレに強い関心をもっていた。なにしろそれまで四十年、世界のどの国でも起こらなかった現象なのだ。軽い気持ちで会議に出席した教授は、すっかり引き込まれた。経済学部から出席した学者はサックスひとりだったので、議論への参加を求められ、いかにも教授らしく、ひとりで講義するハメになった。しばらくすると、後ろの方の出席者から、よくある質問の一種が浴びせられた。「それほどなんでもご存じなら、なぜボリビアに行って問題を解決してみようと思わないのですか」。教授はボリビアに向かった。

ラパスのカクテル・パーティーでサックス教授はゴニと会っている。ゴニは教授こそが、探し求めていた人物だと気がついた。教授はゴニらが必要としていた分析と専門的な助言をいくつも提供した。目標は明確だった。インフレを速やかに終息させることである。ボリビアには、四百五十種類もの税があるが、そのほとんどが徴収されていなかった。サックスの助言で、徴収しやすい七つの税に減らした。教授はまた、中央銀行の管理と金融政策の方法を伝授した。そして、ゴニらの考え方を支持して、勇気づけた。

一九八五年から八七年にかけてのボリビアでの動きで、国内は安定した。インフレ率は、二万四〇〇〇パーセントから九パーセントに低下した。政府支出、補助金は削減され、価格と貿易は自由化された。税制が改革され、税金が徴収されるようになった。緊急時の安全網として、社会保障制度も導入された。八七年、IMFの支援のもとで、最初の債務削減計画を実施できるまでになった。こうしてボリビアは、中南米諸国で考えられなかったことを成し遂げたのである。ゴニはこう語る。「われわれは、一夜で市場経済を作り出したのだ。ショック療法でいくのか漸進主義をとるのかが問題だった。しかし、漸進主義では解決策にならない。制度全体が崩壊しており、時間はほとんどなかった。その結果、不可能だと思われていたことが可能になったのだ」

ゴニはボリビアの経済危機を解決しただけでなく、中南米に特有の政府と市場の関係を大胆に変革する動きをもたらした。数十年にわたって、中南米各国の政府は、国の経済全体を統制してきた。国によって当然ながら状況に違いがあったが、中南米諸国は、軍国主義、マルクス主義、反マルクス主義、ポピュリズム、反米主義がさまざまな形で入り交じるという共通の特徴で結ばれていた。軍人の独裁者がファシストまがいの制服に身を包み闊歩する国もあれば、社会主義のスローガンを掲げる国もあった。外見はどうであれ、どの国も、国有化、権威主義、保護によって経済を管理した。政府は、経済成長の原動力だと思われていた。

一九九〇年代後半、こうしたモデルは崩壊しつつある。代わりとなるシステムが確立したとはいえ、基本的な方向は明白になっている。市場を自由化し、政府の役割を縮小して見直す。民営化によって生産から撤退し、政府支出を削減してインフレを抑制し、関税を引き下げ、政府はこれまでの活動を手放す。この過程で、かつては軍事独裁が当たり前だと思われていたこの地域の大部分の国で、民主化がめざましく進展している。(1)

従属理論の支配

中南米諸国に広まっていた国家統制主義政策は、「ディペンデンシア」、すなわち従属理論から多大な影響を受けている。従属理論は、輸入障壁の構築、閉鎖経済、市場の軽視など、国による支配を根拠づける理論である。一九四〇年代末から八〇年代まで、この従属理論が中南米の常識となっていた。この理論は、一次産品価格が暴落して、輸出主導型の中南米経済が壊滅的な打撃を受けた二〇年代末から三〇年代、そして大恐慌の時代に遡る。おなじ時期、「安全保障」を根拠に、国際的な投資家のニーズではなく国のニーズを満たすために、政府が経済の「戦略的なセクター」を接収すべきだとの考え方が潮流になった。こうした流れによって、とくによく知られた例としては、国有石油会社を設立した国が少なくない。第二次大戦後、西側諸国で福祉国家とケインズ流の介入が生まれる一方、ソ連とマルクス主義の権威が高まり、国を信頼する傾向がますます強まった。中南米の経済学者と各国政府を動機づけたものが、もうひとつあった。反米感情、つまり、北の大国に対する恐怖と、中南米で搾取しているとみられていたアメリカ企業への嫌悪感である。

従属理論の信奉者は、世界貿易がもたらす便益を認めなかった。一九四〇年代末には、従属理論の主要な論点が広く提唱されていた。国連中南米経済委員会(ECLA)、なかでも一九四八年から六二年まで同委員会の委員長をつとめたアルゼンチンの経済学者、ラウル・プレビッシュの功績がよく知られている。本人によれば、プレビッシュはもともと「新古典派理論の熱心な信奉者」だったが、「大恐慌という、資本主義がはじめて直面した最大の危機で、この理論に深刻な疑問を抱くようになった」。プレビッシュらのECLAの理論家は、階級闘争は避けられないとの見方を国際的な枠組みで主張した。世界経済は、米国や西ヨーロッパ諸国などの工業化が進んだ「中枢」と、一次産品を生産する「周辺」に分かれているとみていた。中枢が周辺を絶えず搾取するという意味で、貿易は、つねに周辺に不利にはたらく。豊かな国はさらに豊かになり、貧しい国はいっそう貧しくなる。この枠組みでは、国際貿易は、生活水準を向上させる手段ではなく、先進工業国と多国籍企業による搾取と略奪の一形態であり、犠牲になるのは途上国の国民だとされた。こうした考え方が、中南米各地の大学で常識として教えられていた。

そこで、途上国は独自の道を歩むべきだということになる。一次産品を輸出して最終財を輸入するのではなく、いわゆる「輸入代替」工業化をできるだけ速やかに進めるのである。高率の関税など、さまざまな形の保護主義政策で世界貿易との連関を切ることによって、この目標が達成できる。当初は幼稚産業に適用されたこの論理が、あらゆる産業の論理になった。自国通貨は割高な水準に固定され、工業化に必要な資本財を割安な価格で輸入できるようにした。他のすべての品目の輸入は、許認可により厳格に数量が割り当てられた。自国通貨高によって、農産物などの一次産品の価格が上昇して競争力が低下するので、輸出が抑制された。国内価格は管理・統制され、補助金がばらまかれた。国有化された産業や企業も少なくない。こうして、管理と規制の迷路が、経済全体に広がっていった。市場を開拓し、市場のニーズにこたえるのではなく、管理や官僚制度の迷路をうまく進むことが、金儲けの道となった。全体として、経済を導いていたのは、市場からの信号や反応ではなく、官僚や政治による決定だったといえる。

一九七〇年代まで、このやり方はうまくいっているようにみえた。五〇年から七〇年の間に、国民一人当たりの実質所得は、ほぼ二倍になっている。おなじ時期に、政府の役割と国有企業は拡大を続けた。関税などの貿易障壁は強化された。当時の最大の批判は、政府が十分な役割を担っていないというものであり、ソ連と東ヨーロッパの中央計画経済モデルにもっと近づくべきだ、というものだった。この制度の基本的な弱さのほとんどは、一九八〇年代初めまで隠されていた。[2]

失われた十年

深刻な債務危機が中南米諸国を襲った。それ以前に、債務残高が桁はずれに膨らんでいた。長期債務残高は、一九七五年から八二年の間に、四百五十二億ドルから一千七百六十四億ドルへ約四倍に膨らんでいた。短期債務とＩＭＦ信用供与を加えた八二年の債務の合計は、三千三百三十億ドルになっていた。しかし、八二年八月、メキシコが債務不履行の危機に瀕するまで、債務がここまで増加したことの危険に気をとめる者はだれもいなかった。その後に起こったのは、金融と思想の両面での破綻である。中南米諸国の経済制度を形成してきた考え方や概念が破綻したのだ。もはや、経済制度の存続に必要な資金を調達できなくなった。従属理論が中南米諸国を破綻に導いたのだ。中南米諸国が経済の立て直しに苦闘したその後の年月は、「失われた十年」と呼ばれるようになった。そう呼ばれるだけの理由がある。十年目にあたる一九九〇年の一人当たり所得は、八〇年代はじめの水準を下回っていたのだ。

その十年間、旧来の制度のコストの全容が認識されるようになった。企業は民間、国有を問わず、保護主義で守られ、競争がなく、技術革新から取り残され、非効率になっていた。品質やサービスの向上をほとんど重視しない企業が大部分だった。農業部門は深刻な打撃を受け、財政赤字は拡大した。インフレが広範囲に根づき、貯蓄が紙屑同然になって、年金生活も送れなくなった。財政赤字と金融緩和政策で、インフレ率は驚くべき水準に達した。国内経済は、貿易による便益を受けられず、社会の根本的な不平等は、なんら改善されていない[3]。

新たな合意――「われわれは多くを求めすぎた」

債務危機の当初の二、三年は、中南米諸国を破綻から救い、経済を安定させることが喫緊の課題だった。国際収支の均衡を回復させなければならないが、その大部分は、国際通貨基金（ＩＭＦ）の支援と厳しい「条件」のもとで達成された。緊急融資、信用供与、債務の繰り延べが、ＩＭＦ主導で実施された。各国は支援を受ける条件として、債務の増加を抑制し、財政赤字を削減し、インフレ率を低下させ、為替レートを実勢に近づけなければならなかった。

しかし、一九八〇年代後半から九〇年代にかけて、もっと根本的な変化が各国で広がっていた。経済における政府の役割に関する基本原理が、大胆に見直されるようになったのだ。経済のなかで、資源を配分する役割は基本的に、政府から市場へシフトした。この新しい考え方で主導的な役割を果たした研究者は、これを「市場を非難し、抑制し、歪めるのではなく、市場を開発し、利用する」動きにほかならないと評している。政府の後退によって、大規模な民営化と全般的な管理の縮小が起きた。また、債務危機で枯渇した借入に代わるものとして、貿易と対内投資の障壁が低められた。政府は政策目標を、赤字の削減、インフレ率の低下、税体系の改革に絞った。政府支出は可能なかぎり、政治的な必要ではなく、経済的に見合うかどうかで決められた。為替レートは競争力を反映し、予測可能なものになった。財産権が強化された。経済全体で、独占と管理に代わり、競争が促進された。

おそらく、旧制度のなかで育った者だけが、変化の度合いを完全に理解できるのだろう。長年、ECLAでラウル・プレビッシュとともに仕事をし、現在、米州開発銀行の総裁をつとめるエンリケ・イグレシアスはこう語っている。「これほどの変化は予想していなかった。大恐慌と第二次大戦の後の四十年間、われわれは政府に経済復興の役割を期待した。政府に財を供給するよう要請した。あまりに長い間、政府に多くを求めすぎたのだ。われわれは選択しなければならなかった。いまは、急激に市場経済に戻っている。四十年前には想像もできなかったことだ」

一九九〇年代の中南米経済は、ほぼ、この新しい考え方に基づいて形成されている。新しい考え方ができると名前がつけられるものだが、この考え方にもワシントン・コンセンサスという名がつけられた。そう命名した経済学者のジョン・ウィリアムソンは、ずっと後悔している。ウィリアムソンは、「中南米諸国で政策の改革」を進めるうえで、「これ以上、外交辞令からほど遠い名前は考えにくい」と語る。この名称で、昔の感情に火がつき、ヤンキー支配の妖怪が呼び起こされた。ワシントン・コンセンサスに批判的な人物が、古き時代を思い出させる口調でこう語っている。この言葉は、「二十世紀後半にだれが政策を立てているかを、あきらかにしている。各国政府ではなく、ワシントンなのだ。『ワシントン』には……IMFや世界銀行があるが、それだけでなく、影のというには目立ちすぎる権力者、アメリカ政府があり、さらにその背後に影の権力者、アメリカの経済界と西側諸国の企業の利害がある」

　陰謀説や映画のシナリオとしては、よくできている。しかし、こうした批判は、まったく皮肉な現象を見逃している。ワシントン・コンセンサスは、中南米の内外で起こった状況に対応して、中南米諸国で、中南米の人びとによってつくられたものなのだ。市場の失敗ではなく、政府の失敗が、いまや国民の目にあきらかになっていた。旧来の制度では、経済成長をもたらすことはできない。国民は、ハイパーインフレと、基本サービスの恐ろしいほどの不足に苦しみながら暮らしていたのだ。

　外的な要因も大きかった。世界の多くの地域でそうだったように、中南米諸国でも、共産主義の崩壊によって、社会主義と中央計画経済への信認が損なわれた。カストロ首相のキューバは、もはや革命の前衛とは思えなくなり、なんの未来を示すものとも思えなくなった。ソ連から巨額の援助を受けて、なんとか破綻を免れている古代遺跡のような存在となった。中南米の経済学者は、ソ連型モデルの失敗が完全にあきらかになってはじめて、アジア経済の成功に注目しはじめている。それまで、ほとんどアジアを無視していたため、まさに発見の連続だった。アジアは、中南米諸国にくらべて、規制が少なく、インフレ率は低く、為替レートは現実的で、不安定ではなかった。中南米諸国と違って、債務危機からも短期間に回復している。アジア諸国はみずから世界貿易に参加した点で、貿易を非難する従属理論とは正反対の姿勢をとっている。一九八〇年代後半には、かつて従属理論の急先鋒だったＥＣＬＡは、考え方を百八十度転換し、「外部志向型」経済の必要性と、政府の支配からの脱皮を説くようになった。(4)

こうした概念の見直しが可能になったのは、中南米全域で市場重視の経済学者が台頭したためである。北米に留学し、ハーバード、ＭＩＴ、イェール、スタンフォード、シカゴなどの大学で博士号を取得した者が少なくない。各大学の年輩の教授にとっては、大恐慌時の市場の失敗がかなりの程度、出発点になっていた。しかし、当時、中南米の留学生や学部の若手教授にとって問題だったのは、政府の失敗である。一九七〇年代半ば、ＭＩＴでは、後にメキシコの蔵相になるペドロ・アスペが博士課程に在籍しており、チリで後に蔵相になるアレハンドゥロ・フォックスレイが客員教授をつとめていた。ハーバードでは、アルゼンチンの経済財政相になるドミンゴ・カバロが博士論文を書いていた。三人は議論やジョギングを共にし、当時、ハーバードの博士課程の大学院生で、現在、アメリカ財務省の副長官をつとめるローレンス・サマーズや後に教授となったジェフリー・サックスと友だちになった。また、ＭＩＴのロジャー・ドーンブッシュ教授、現在、ＩＭＦの副専務理事をつとめるスタンリー・フィッシャー教授、ハーバードの財政政策の権威、ベンジャミン・フリードマン教授や、高い税率が事業意欲を削ぐと論じたマーチン・フェルドシュタイン教授と交流をもった。

こうした中南米諸国の経済学者には、母国に帰った後、教鞭をとるだけでなく、みずから研究機関を設立し、政権に入り、新たなコンセンサスを実行に移そうとする者が少なくなかった。こうした人たちは、かつての「テクノクラート」に対して「テクノポール」と呼ばれるようになった。政府を円滑に機能させる機関をつくるだけでなく、成功を収めるには、よい政治家になる必要があった。経済の仕組みの大変革を目指しており、これには多数の機関や利害が絡んでいるため、政治的な手腕がなければ達成できないからである。

フォックスレイはこう語る。「経済専門家として経済運営で成功を収めるには、政治家にならねばならない。自分のビジョンを国民に伝え、反対する者を説得し、周囲の人間に不人気な政策を実施させる能力がなければ、まったくの失敗に終わるだろう」。そして、こうも語っている。「経済学者はみずからの経済モデルだけでなく、政治、利害、対立、情熱を理解しなければならない」。フォックスレイの言葉には、重みがある。しっかり教育を受けた経済学者であり、チリでピノチェト政権の独裁制に対する批判の先頭に立ち、その後に誕生した民主政権で、蔵相として手腕を発揮した人物だからだ[5]。

チリ――疑わしい模範

チリは、第二次大戦以降、中南米諸国が実践してきたものと対極をなす政策の実験場になった。この政策は、抑圧や独裁のもとで遂行されたため、素直には評価できないものであった。うさんくさいとされ、頭から否定すらされた。しかし、年数がたつにつれて、中南米諸国の模範となった。

一九七〇年、社会主義を掲げるサルバドール・アジェンデが政権の座につき、価格管理に加え、大規模な国有化と接収に着手した。東欧型経済を誕生させようとしているように思えた。その結果、チリ経済は混乱した。アジェンデ政権はクーデターで倒れ、それを指導したアウグスト・ピノチェト将軍が独裁政権を樹立し、国民を抑圧した。共産主義など国内のあらゆる敵への脅迫観念にとりつかれたピノチェト将軍は、労働組合指導者、ジャーナリスト、学生などの反体制派を破壊分子とみなし、弾圧する圧制をしいた。

ピノチェトらの軍人には、経済に関する知識がほとんどなかった。「安全保障」の確立と左派の弾圧以外に、なんの政策もなかった。しかし、なんらかの対策を講じなければならない。アジェンデ政権のものとは正反対の政策が、「エル・ラドリージョ」（レンガ）と題した分厚い報告書に書かれていた。この報告書はもともと、七〇年の大統領戦でキリスト教民主党候補のために、チリ・カトリック大学の経済学部が準備したもので、市場の自由化を強く訴えている。執筆の中心になった学者のひとりは後にこう語っている。「レンガ」は、「苛立ちのはけ口として書いたもので、一種の気休めだった。……陽の目をみるとは思っていなかった」

しかし、「レンガ」こそ、ピノチェト政権が採用した政策だった。それに伴って、「シカゴ・ボーイ」と呼ばれる市場寄りの経済学者も台頭した。カトリック大学の交換留学制度で、シカゴ大学に学んだ者が少なくなかったため、この名がつけられた。知識の面で後ろ盾となったのは、シカゴ大学のミルトン・フリードマン教授とアーノルド・ハーバーガー教授で、とくにハーバーガー教授から大きな影響を受けている。シカゴ・ボーイは「レンガ」政策を実行しようとした。しかし、独裁政権のもとですら、それは容易ではなかった。ある経済閣僚は、九〇パーセントの時間は「将軍や国民に、自由市場とはなにかを説明するのに費やした。まったく新しい試みだったので、強い抵抗があった」と語っている。ある日、長時間にわたる経済学の講義に辟易したピノチェト将軍は、チリという「鍋の柄《え》」を握っているのは自分だと言い放ち、議論を打ち切ろうとした。シカゴ・ボーイの有力者のひとりが、経済混乱が続くようなら、将軍は「ただの柄を握っているだけ」になると応酬した。将軍は激怒した。自分に対して、そんな口をきける人間などいないはずだ。にもかかわらず、講義は続けられた(6)。

シカゴ・ボーイは、抜本的な改革を矢継ぎ早に実施した。価格と貿易を自由化し、金融セクターの規制を緩和した。大規模な民営化を進め、国有企業の数を、一九七三年の五百社から、八〇年には二十五社にまで減らしている。可能なかぎり早急に政策を実施しようとした。その目的は、一九二〇年代末以降、チリ経済を動かしてきた体制、つまり多数の強力な利益団体の利害を調整してきた「開発国家」を解体することだった。なんとも皮肉なのは、国の役割を最小限にまで縮小すべきだとする経済理論に基づく政策を遂行するのに、軍事独裁政権の力を使ったことである。

一連の改革で成果があがった。ピノチェト政権が国際社会の孤児であることに変わりはなかったが、その功績は認めざるをえなかった。しかし、一九八二年、債務危機が起こり、為替政策に失敗し、監督が不適切だったために金融機関が醜聞や破綻に揺れる事態が重なって、チリ経済は厳しい不況に陥った。シカゴ・ボーイの政策全体が信頼を失ったようにみえた。軍事政権は方向を見失い、軌道を修正しようとしたが、成功したとはいいがたい。多数の金融機関が接収され、「シカゴ流の社会主義への道」と揶揄されるようになった。一九八五年、改革派の第二世代が経済政策を担うようになる。第一世代のシカゴ・ボーイほど純粋培養ではなく、シカゴ大学よりもハーバード大学の出身者が多く、緊縮政策も緩和した。政策の誤りの多くを是正するのにも成功した。そして、その後数年で、チリは、中南米諸国を代表する市場改革の成功例となった。経済成長率は高まり、インフレ率は低下し、輸出が伸び、輸出先も広がった。高品質のチリ産ワインが、世界中のワイン・セラーに並ぶことになった。

一九八〇年代末、任期延長の是非を問う国民投票に敗れた軍事政権は、ついにその座を降りた。八九年の大統領選は、民政に復帰したことに加え、それまでの独裁政治に真っ向から反対した二人も含めて、三人の候補者がいずれも改革を公約に掲げた点で画期的だった。新政権の蔵相に就任したのは、アレハンドゥロ・フォックスレイである。フォックスレイがカトリック大学に設立した研究所はそれまで、経済用語で真意を隠しながら、軍事政権を非難する急先鋒となっていた。八〇年代初めにはまだ、フォックスレイは、政府が「勝者を選ぶ」という点を中心に、経済で大きな役割を果たすべきだと主張していた。後にこう語っている。「正直に言えば、自由市場よりも政府を信頼していた」。十年後に蔵相に就任したとき、フォックスレイは、それまで放置されてきた貧困や不平等などの社会問題を解決しようと考えていた。しかし、基本的な目標は、市場経済への合意を強固なものにし、新制度が円滑に機能するようにし、改革を強化し、継続することだ。与党となった民主派が、独裁政権時代のあらゆる政策を破棄しようとしたため、フォックスレイ蔵相は、市場改革を守らねばならないことに気づいた。同時に、シカゴ・ボーイが介入型国家を解体しようと努力してきたのに対応して、「競争力のある国家」の建設を模索した。「進歩的な社会政策と、緊縮型の財政政策、つまり保守的ともいえる財政政策」を融合することが目標だと蔵相は語っている。

エドゥアルド・フレイ政権下でも、この路線が継承されている。アレハンドゥロ・ジャドゥレシック国家エネルギー委員長はこうみている。「チリを理解するには、広い視野が必要だ。簡単には理解できない。改革は当初、正統性のない軍事政権が進めたものなので、反対する者が少なくなかった。しかし、この改革は合理的なものだったので、これを維持し、さらに深化させていくことが課題になる。わたしのような人間が政界に入った理由のひとつは、ここにある。われわれは、改革が逆戻りするのではないかと危惧していた。民主政権は、改革に重要な修正を加えた。平等を強く考慮し、住宅、医療制度、教育、環境など社会的なニーズを重視するようになっている。しかし、富を築くのは市場に任せ、市場を発達させせようと考えている」

一九八九年の大統領選が、分水嶺となった。過去二十年間、激しい対立と苦痛の時代を経過し、反発とコストは大きかったが、市場の役割を縮小しようという者はほとんどいなかった。模範を必要としていた中南米諸国にとって、大統領選で示された民意と、それまでのチリの経済実績が、強力なメッセージとなった。市場経済を、独裁制の産物だと切り捨てるわけにはいかなくなったのだ。チリで新自由主義が生まれ、中南米諸国全体に広がった。もっとも早く伝播したのは、アンデス山脈を隔てたアルゼンチンである。(7)

アルゼンチンの逆説

アルゼンチン経済は長年、奇妙な状況に陥っていた。二十世紀初頭、世界でもとくに豊かな国のひとつだった同国が、なぜ、このような経済混乱に陥ったのか。その答えの大部分は、ホアン・ペロンにある。いまでは妻のエビータの方が有名になっているが、第二次大戦後の数十年間、ペロンはファシスト色の濃いポピュリズムの象徴だった。戦前に人気があったファシスト的な考え方に基づいて、アルゼンチンを協調組合主義《コーポラティズム》国家に転換した。大企業、労働組合、軍隊、農民などの強力に組織化された利益団体が、地位や資源の配分を相互に交渉し、国と交渉する体制である。愛国主義を鼓舞し、自国の栄光を装い、露骨なまでに反米政治を繰り広げた。経済の大部分を国有化し、貿易障壁を設け、国内経済を保護した。アルゼンチンの富の源泉のひとつであった世界貿易とのつながりを断ち切ったことで、社会にインフレを根づかせ、健全な経済成長の基礎的条件を破壊することになる。それでもエビータがこの世を去る一九五二年までは、熱狂的な人気を誇った。しかし、その後、アルゼンチン経済が大混乱に陥ると、亡命せざるをえなくなった。

その後の二十年、回転ドアのように、民主政権と軍事政権がめまぐるしく入れ替わった。一九七三年、帰国したペロンは、ふたたび大統領に就任したが、その後すぐに死亡し、妻のイサベルが代わりをつとめることになる。しかし、パナマのナイト・クラブのダンサーだったイサベルには、政権を担う力量がなかった。情勢はますます混迷を深めた。クーデターで権力を掌握した軍事政権が、左派などの反対派に対し、悪名高い「汚い戦争」を進めた。この間、チリと同様に、数千人が「消され」ている。なかには、大西洋上で飛行機から投げ出された者もあった。軍事政権には経済を運営する能力がなく、アルゼンチン経済には、インフレが根づき、深刻な不況に陥った。一九八二年、軍事政権は、威信と人気を取り戻すため、捨て身の賭けにでた。イギリス領フォークランド諸島（アルゼンチンでは、マルビナス諸島と呼ばれている）に侵攻したのである。イギリスでは、このフォークランド戦争は、マーガレット・サッチャー首相が求心力を得て、大規模な民営化を進めるきっかけとなった。アルゼンチンの軍事政権は、イギリスに敗れて威信を失った。たったひとつ得意なはずの戦争で、無能力ぶりを露呈したからだ。翌八三年、民主選挙で選ばれたラウル・アルフォンシンに、政権が明け渡された。

アルフォンシンは、民主主義か反民主主義かをスローガンに掲げ、選挙戦を戦った。アルゼンチンは、その両方を知りつくしている。一九三〇年以降、アルフォンシンが当選する八三年までの間に、大統領は二十四人も代わっている。成功したクーデターは二十六回を数え、失敗に終わったクーデターは数百にのぼる。アルフォンシン大統領は、民主政治と政府機関を再建する点で優れた実績をあげた。しかし、債務危機が発生すると、大統領の即席の経済安定化政策は頓挫してしまう。深刻な不況が続き、政権は混乱した。政権発足一年目に胴上げの歓迎を受けた経済閣僚のひとりは、任期が終わるころ、家の外に出ようとして、隣人に唾を吐きかけられたほどだった。

アルフォンシン大統領の後を継いだのは、大統領に適任だとは思えなかった政治家、派手で白いスーツに身を包んだ州知事のカルロス・メネムだった。「精神分析医の悪夢」と評されたこともあるメネム大統領は、きわめて現実的でもあり、すぐに環境に順応した。そして、思想らしい思想をもっていなかった。その政策は当初、「ムッソリーニとケインズの考えを誤解し、無理矢理つなぎ合わせた代物」と評された。大統領選には、ペロン主義政党から立候補している。貧者への施し、政府支出の拡大などのポピュリズム政策を掲げ、「もみあげのあるペロン」とあだ名された。民営化と経済の自由化を主張する対立候補を嘲笑した。しかし、当選後すぐに、対立候補の政策を採り入れ、中南米諸国のなかでもっとも大胆で、迅速で、全面的な市場改革に着手している。

それ以外に選択肢がなかったのだ。アルゼンチンは壁にぶつかっていた。インフレ率は二万パーセントに達しており、経済は収縮し、食糧を求める暴動が頻発していた。メネム政権が発足したとき、債務残高は五百八十億ドルに達していたが、返済の手だてがあったわけでない。かつてのペロン政権は賃金引き上げで人気を取り、インフレを引き起こしたが、その手はもう使えない。「そのシナリオなら経験済みだ」とメネム大統領は説明している。一方、隣国のチリが、他にも道があることを示していた。アルゼンチン国内でも、別の政策を探すことができた。一九七〇年代後半、キャンディ製造会社とビル建設会社が資金を提供して、内陸のコルドバ市に経済研究所、ＩＥＥＲＡＬが設立されていた。研究所の研究員は、既得権益の策略がうずまく協調主義に辟易していた。小企業の経営者は厄介者とされ、この制度のもとで無視され、抑圧されているとみていた。そこで、世界各国の市場改革を調査し、アルゼンチンの実状に合わせた独自の改革計画を策定していった。そして、メネム大統領が就任するころには、市場改革のための多数のアイデアを主張し、その根拠を示すまでになっていた。政治的な勢いを得たメネム大統領は、アルゼンチンの問題の解決策になると納得しさえすれば、どんな提案でも受け入れる用意ができていた。ただひとつ、大統領に欠けているものがあった。自分自身の意見である。大統領は意見をもつ人物を必要としていた。そして、ふさわしい人物をコルドバの研究所で見いだした。(8)

ホウキ屋の息子

ＩＥＥＲＡＬの所長であり、その方針を定めたのは、経済学者のドミンゴ・カバロである。政府と市場の関係を見直すうえで、中南米諸国にもっとも影響力を与えた人物だ。カバロは一九四六年、ホアン・ペロンが大統領に就任した年に生まれている。天敵がいるとすれば、それがペロンだった。学問のうえでも、政治のうえでも、ペロン主義に異議を唱え、拒絶することを目標としていた。内陸部のコルドバ州で育ったが、後に本人が語っているように、これがペロン主義への免疫をもたらした。「ブエノス・アイレスから遠く離れた地方にいたからこそ、過大に膨張した気まぐれな経済システムの悪影響が、はっきりと認識できた」。カバロは、質素な家庭の出身だ。父は、自宅と棟続きの小さなホウキ屋を営んでいた。

カバロはコルドバ大学で学んだ後、州政府の職員となったが、大学で学んだことへの不満を次第に強めていった。「当時は、市場の失敗と計画の役割が、きわめて重視されていた。市場経済がどういうものかは知らなかった」。カバロは独学で市場経済を学びはじめる。大きな影響を受けたのは、フランスの経済学者で、後に首相となるレモン・バールの『経済学原理』だ。バールは「ゲームのルール」、つまり、経済がどのように組織化され、参加者がだれで、どのように行動するかに焦点を合わせている。カバロは、ゲームのルールという言葉に執着するようになり、繰り返し口にするようになった。また、当時の市場経済の基礎となった十九世紀のアルゼンチンの思想の研究にものめり込んだ。カバロはこう語る。「これらの考え方と、大学で教えられたことがどうしても結び付かなかった。そこで、市場経済の理解を深めるため、アメリカに行くことにした」

一九七〇年、カバロはハーバード大学で博士号を取得している。研究テーマは、アルゼンチンの根強いインフレとマネタリズムで、この研究から、後の経済政策を形成する考え方が生まれている。アルゼンチンのインフレの原因は、政治家が財政節度を欠いていたことにある。政治家が大いなる幻想を抱いていたこともあり、コストを顧みず、予算をばらまき、経済に介入している。カバロは、インフレを抑制するには、通貨供給量ではなく、政治の手綱を引き締めるしかないと考えた。従属理論を軽蔑していた。アルゼンチンが長期にわたって凋落を続けてきた原因は、外部の力、つまり貿易にあるのではなく、国内の政治文化にあると主張した。貿易に異議を唱えるのではなく、貿易を拡大し、多角化すべきだと考えたのである。

コルドバに戻ったカバロは、IEERALを設立した。新研究所の所長に就任したことで、自分の考えを広め、似たような考えをもつ研究員を育成する機会が得られた。目標は、アルゼンチン経済がここまで悪化した原因を解明することだ。「十九世紀後半、大英帝国が作り出した世界貿易体制では、アルゼンチンは当時の新興経済国のなかで、もっとも成功を収めていた。一体、なにが起きたのか」。ゲームのルールを解明する試みが、IEERALのあらゆる研究の出発点となった。

一九八〇年代半ば、カバロは『危機の経済』という本を執筆している。十年にわたって考え、分析したことを下敷きにしたものだが、わずか四週間で書き上げている。この本がベスト・セラーになり、カバロは全国に名前を知られるようになった。そして、アルゼンチンの疲弊に下した診断も有名になった。アルゼンチンの最大の問題は、「計画のない社会主義と、市場のない資本主義」が共存していることだという説である。カバロは議員になった。メネムとは、考え方に違いはあったが、親友になった。メネムは、カバロが自分にとって役立つかもしれないと考えていたのだ。

メネムは大統領に就任したとき、カバロを経済相にするのが順当な選択だと思われていた。しかし、現在の地位を守ろうと汲々とし、競争と規制緩和を恐れる強力な利益団体から激しい反対にあったため、外務大臣に任命した。カバロは英語も得意だったからだ。その間にも、経済危機はますます深刻になっていた。大統領に就任して十九か月後には、三人目の経済相を更迭した。もはや、とるべき道はひとつしかない。ドミンゴ・カバロを経済相に任命し、経済の舵取りを任せたのである。

カバロは、ぶっきらぼうで、周りをイライラさせ、理屈っぽく、無愛想だ。ときには、ラジオのトーク番組に電話をかけ、出演者や聴取者の誤解を解こうとすることもある。しかし、目標を設定し、対話し、人びとをまとめ、改革のための幅広い支持をとりつけ、国際機関や金融機関との関係を構築する（これら機関の信認を得ることが不可欠だ）などの点では、卓越した政治手腕を発揮した。国民の危機感に助けられたことは、言うまでもない。アルゼンチンが深刻な危機に陥っていることを疑う者は、だれもいなかった。過去の政策の失敗のコストは、あきらかだった。ハイパーインフレーションである。

ショック療法を実施する決意をかためたカバロ経済相は、さまざまな領域で、ただちに行動を開始した。第一に、貿易障壁を取り払い、改革を導入し、競争と輸出を促進した。第二に、アルゼンチン通貨をアメリカ・ドルに連動させた。通貨兌換法によって、中央銀行がアウストラルを固定レートでアメリカ・ドルに交換することを義務づけている。これによって、通常の国家主権の一部が明確に放棄された。政治家や中央銀行が為替レートを操作したり、気まぐれに国内の信用を膨らませて、インフレをもたらすことができなくなったのだ。通貨の兌換を義務づけたことは、インフレ抑制のきわめて重要な手段だった。カバロはこう説明している。「アルゼンチン国民の考え方を変える必要があった。節度をもたらすうえで、これはきわめて重要になった。それ以前は、政治家も官僚も、予算の抑制など考えもしなかったのだ(9)」

民営化

第三は民営化である。政府は、公益事業はもちろん、石油会社、果てはサーカスまで、きわめて多数の企業を保有していた。こうした国有企業の大部分は、時代後れの組織と複雑な労使関係が重荷となって、毎年、巨額の赤字を計上していた。国庫から大量の資金が流出して、これが、インフレを引き起こす主因のひとつになっていた。民営化の目的はいくつもあった。まず、国有企業の赤字を止める。事業と福祉を切り離す。国の債務負担を軽減する。そして、政府の規模を縮小し、地方分権を進め、政府を不必要な経済活動から撤退させる。さらに、電話や交通などの公共サービスで、それまできわめて低かった質を改善する道を切り開く。そして最後に、民営化を実施しなければ、長期的にインフレを抑制できるという期待がもてない。

こうしてアルゼンチンは、中南米でもっとも大胆で広範囲にわたる民営化を成し遂げた。カバロ経済相らは、実際に民営化を進めるなかで、学んでいった。カバロは、こう語っている。「当初、民営化によって売却代金が入ってきたが、競争による利益はまったく得られなかった。当初の経験から学んだ最大の教訓は、最大限の効率化をはかり、消費者が利益を得られるようにする必要があるという点だ。サービスの質を向上し、量を充実し、コストを下げなくてはならない。そうすれば、経済全体の生産性と競争力が向上する」。このため、カバロは、民営化の前提として、規制緩和を政策目標とするようになった。

最大の民営化案件は、ペロン主義の国有企業を代表する石油公社のＹＰＦだった。メネム大統領とカバロ経済相は、国際石油業界で三十年の経験をもつ洗練された経営者、ホセ・エステンソロを、民営化の舵取り役に選んだ。エステンソロは、ふたつの選択肢を示した。国有企業を解体して切り売りするか、戦略的な中核事業だけに絞る「規模の適正化」をはかるか、というものだ。そして、「規模の適正化」が選ばれた。第一段階で、周辺事業が分離された。スーパー・マーケット、映画館、ナイト・クラブ、航空会社、さらには教会まであった。第二段階は事業再編である。管理体制を一新し、新体制を支える新たな制度を多数、導入した。最大の問題は、雇用だった。従業員は五万二千五百人から五千八百人へ、約九割削減された。この削減幅の大きさから、ＹＰＦ社がいかに非効率だったかがわかる。雇用に手をつけなければ、損失を出し続けることになる。エステンソロは、こう語る。「従業員の解雇が、もっとも辛い決断だった。しかし、ストライキや社会不安、操業停止は起きなかった」。解雇にあたっては、一年間の給与を補償し十分な解雇手当を支払う早期退職制度や、事業売却に伴う従業員の移籍など、きわめて慎重な方法をとった。

事業再編によってＹＰＦは、肥大化した政府機関ではなく、現代的な企業に近くなった。これでようやく、民営化が可能になる。一九九三年、ＹＰＦは株式を公開した。総額は三十億ドルで、ニューヨーク証券取引所開設以来の大型案件になった。政府の保護に依存し、政府の重荷となり、非効率的で、内向きの企業だったＹＰＦが、国際的な競争力をもつ活力ある企業に生まれ変わったのである。ＹＰＦは中南米全域で事業を展開し、後にアメリカやアジアにも進出している。

企業の直接支配をやめても、政府の役割がなくなったわけでない。むしろ、新たな役割を担うことになり、カバロ経済相らは尽力した。これこそ、カバロが執着してきた「ゲームのルール」にぴったりのものだ。民営化された独占企業がその地位を悪用しないように、ルールを決め、規制機関を設立するのである。この試みには、賛否両論があった。そのうえ、一九九五年にメネム大統領が再選されて以降、大統領とカバロ経済相の関係は急速に悪化した。九六年、カバロは辞任し、間もなく政権を公然と批判するようになる。汚職や裁判での不正、マフィアの支配などを大胆に批判した。しかし、このように袂を分かっても、カバロはメネム大統領に対する基本的な評価を変えていない。「メネム大統領は、あの時期に必要な人物だった。これほど多くの改革を、これほど迅速に実行できる人物は、他にいなかっただろう。まさに適任だったのだ」

メネムとカバロは、ホセ・エステンソロによれば、「将来を考える」のがきわめて困難な国で政権につき、国を過去から救うことに成功した。何十年にもわたって、アルゼンチンは、内向きの国だった。それが愛国心の強い国民性によく合っていた。このため、世界に開かれた国にするのは、劇的な転換だった。カバロは言う。「あの何年間かは、ストレスの連続だった。毎週のように、毎日のように、戦いがあった。しかし、街や店で会う若者から、新しいアルゼンチンの誕生を期待していると声をかけられたことが、励みになった。われわれは、予想をはるかに上回る成果をあげたのだ」。アルゼンチンは、インフレによって多くのものを失ってきた。税金を徴収できず、予算を承認できず、カネのある国民は、なんとか国外に持ち出そうとし、サービスは悪化の一途をたどった。復帰したばかりの民主制への信認は危機に瀕していた。危険で息詰まる過去に捕らわれていた。しかし、五年という短期間で、未来を取り戻したのだ。[10]

ペルー――農業経済学者と作家

一九八〇年代の「失われた十年」の間、ペルー経済の凋落ぶりは、西半球でも際立っていた。六八年から八〇年まで、ペルーは左派の軍事独裁政権に支配されていた。キューバのカストロ首相の影響を受け、社会改革を標榜し、ナショナリズムの装いで身をかためた軍事政権は、経済の大部分を支配し、民間企業を締めつけ、国内外の企業を国有化して、経済を後退させた。わかりやすい例がひとつある。一九六〇年代末には、ペルーでは漁業が発展し、多数の雇用を生みだしていた。漁船の数が日本より多かったほどだ。軍事政権が国有化した結果、漁業は崩壊した。まったくの不振に陥ったなかでも、多額の補助金が漁業につぎ込まれた。浜で朽ちかけた漁船が、すべてを物語っている。

一九八〇年代初めの民政移管後に誕生した最初の政権は、経済の運営方法にほとんど変更を加えなかった。二番目の政権は事態を悪化させた。アラン・ガルシアという若手政治家が率いる左派政権である。カリスマ性があり、雄弁術で人を魅了するガルシアは、広場を見下ろすバルコニーに立つことに憧れたが、もっと憧れたのはバルコニーの裏にある権力だった。ガルシア大統領と取り巻きは、立場を利用して自分たちに有利になるようにはかり、巨万の富を築いた。ガルシア政権の経済政策は、ペルー経済を破滅へ導く処方箋だった。価格統制を強め、国際的な金融界との関係を断ち、賃金の大幅な引き上げと減税を推進し、政府支出を際限なく増やした。任期が終わる直前には、資金と兵器を得る手段として、北朝鮮との国交を樹立する手段すら使っている。そのころ、ペルーは深刻な経済危機に陥っていた。八八年から九〇年の間に、ペルー経済は二五パーセント収縮し、軍隊や官僚の実質賃金は、三分の二に低下している。九〇年初めには、インフレ率は三〇〇〇パーセントに達していた。まさに破産状態だったのである。

センデロ・ルミノソ（輝く道）のゲリラ活動で、政治面でも危機が深刻になっていた。センデロ・ルミノソの教義は、毛沢東思想を受け継いでいるといわれることが多いが、ほとんど謎に包まれている。しかし、その思想を実現する手段は、明白だ。暴力、蛮行、無差別の殺戮、破壊である。アンデス山中の都市、アヤクーチョの哲学教授、アビマエル・グスマンの指導のもと、恐怖によって山岳部の大部分を支配し、首都リマでは殺人、爆弾テロ、誘拐、停電などのゲリラ活動を展開して、勢力を拡大した。国土の半分が、センデロ・ルミノソの支配下にあるとの推定もあった。

しかし、一九八〇年代のペルーには、別の道が示されていた。『オトロ・センデロ』（別の道）と題した本で、自由化の道が示されていたのである。経済学者のエルナンド・デ・ソトの執筆によるこの本が登場したのは、学者や実業家の間に、改革派の考え方が浸透していたからである。この本の下敷きになったリマ市内でのシンポジウムには、フリードリッヒ・フォン・ハイエクとミルトン・フリードマンが参加していた。この本に関連した調査の結果、ペルーには、経済活動に適用される法律や行政命令が五十万以上もあることがわかった。このように厳しい統制と複雑な制度のもとで、中小企業を設立するのがいかに困難であるかを証明するため、変わった実験も行なった。リマ市内に、二台のミシンを備えた小さな工房をつくり、企業として登記する手続きを進めた。報告によれば、「登記に、二百八十九日の日数を要し、フルタイムの従業員を四人雇う必要があり、千二百三十一ドルの費用がかかった。……当時の最低賃金の三十二か月分に相当する金額だ。つまり、小企業を設立する手続きは、普通の財力しかない国民にはコストがかかりすぎる」。このような制度のもとで、創業意欲は失われ、起業家になる可能性のある人びとは、「非公式経済」と呼ばれる違法な闇市場で事業を行なうしかなかった。

当初、別の道に関心をもつのは、少人数のグループに限られていた。しかし、一九八七年七月二十八日正午、ガルシア大統領が、あらゆる金融機関を国有化するとの声明を発表して、事態は一変した。ペルー最北端の人気のない海岸で、家族とともに休暇を過ごしていた作家のマリオ・バルガス・ジョサが、旧式のラジオで大統領の演説を聞き、激怒した。金融機関を国有化すれば、さらに汚職が蔓延し、国民がいっそう貧しくなり、独裁制が強化されるのは目に見えている。「ペルーは、また一歩、未開状態に逆戻りしようとしている」と妻に苦々しく語った。そして、『全体主義国家への道』と題した論文を書き、この点を主張した。声明文を発表し、デモを組織した。何千人かの専門家ではなく、十万人を上回る国民が集まった。この模様をテレビで見ていたガルシア大統領は、怒りのあまりブラウン管を叩き壊したという。こうして、マリオ・バルガス・ジョサは、自由化運動の指導者となった。その目的は、政府の抑制にあった。

バルガス・ジョサは、ペルーの著名な作家である。文芸評論に優れ、マドリッド大学で、コロンビアの作家、ガブリエル・ガルシア・マルケスをテーマに博士論文を書いている。しかし、リマだけでなくロンドンやマドリッド、パリでも知られるようになったのは、評論によってではなく、『都会と犬っころ』『フリア叔母と三文作家』『世界終末戦争』など、バルガス・ジョサ自身の小説によってである。中南米諸国の知識人の多くがそうであるように、バルガス・ジョサも、学生のころから政治活動に身を投じてきたが、ほとんどの人より徹底して考え方を変えてきた。学生時代は共産主義者であり、キューバ革命を熱心に擁護した。しかし、カストロ首相が作家を拘留したことに抗議すると、カストロ首相や首相を支持する世界中の知識人から、容赦ない非難の洗礼を浴びた。バルガス・ジョサは、次第に共産主義が抑圧的で、約束した理想を実現していないと考えるようになった。そして、社会民主主義を標榜するようになった。[11]

バルガス・ジョサはそれでも満足できず、経済学に目を向けるようになる。そして、経済成長をもたらし、自由を守る手段としては、自由派経済学が最適だという結論に達した。左派の知識人に罵られたが、逆に罵り返している。流行を追い、経済学の知識がほとんどない「二流の知識人」ばかりだと切り捨て、「現代人であることとマルクス主義者であることは両立しえない」と断じた。知識人がなぜ政府による支配やマルクス主義にこれほど魅了されるのかを絶えず考えていた。その原因は、保護にあり、流行にあり、「経済についての知識の欠如」にあると考えた。中南米諸国の知識人たちが、アメリカの「帝国主義」を非難して現在の地位を築いてきた一方で、アメリカの大学での教授職や、アメリカの財団からの助成金で潤っている事実を、とりわけ軽蔑していた。おそらく、メキシコ・シティの劇場で旧友のガブリエル・ガルシア・マルケスに会った夜ほど、自分がどれほど変わったのかを痛感したことはなかっただろう。マルケスは、相変わらずカストロ首相を支持しており、バルガス・ジョサが左派を否定したことを激しく非難した。口論となり、バルガス・ジョサはマルケスを殴り倒した。博士論文のテーマにした人物を殴ることなど、めったにあるものではない。

ガルシア大統領が国有化を宣言した余波のなかで、ジョサは民主戦線の指導者になった。民主戦線は、中南米諸国に広がっていた改革の考え方を、ペルー政治に持ち込む政治運動になった。参加者のなかでも他国の改革に詳しい人たちが、「市場経済」を採用すべきか、「社会的市場経済」を採用すべきか、ルードビッヒ・エアハルトなら、どちらを支持したかを議論しあった。具体的な政策としては、民主戦線の指導部は、ペルー経済を大胆に改革するための考え方や計画を記した「白書」を三年かけて作り上げた。政治的な議論の内容が、それ以前には考えられなかったほど変化した。優れた技術者のフェリペ・ソーンダイクは、バルガス・ジョサにこう語っている。「理解はするが、とても信じられない。私有財産や大衆資本主義について語っても、当局に殺されないどころか、歓迎されている。一体、ペルーでなにが起こっているのか」

一九九〇年には、バルガス・ジョサは、大統領の最有力候補となった。しかし、すさまじい圧力のなかで、選挙戦を戦わねばならなかった。家族を殺すという脅迫電話は日常茶飯事だし、暴行も受けた。ガルシア大統領の支持者に暗殺される危険だけでなく、センデロ・ルミノソから狙われる危険が絶えずついてまわった。とくにアンデス山中では、選挙運動員が射殺される事件も起こった。選挙期間中にも、バルガス・ジョサは知的関心を追求する時間を確保しようと努力した。リマ市内にいるときは毎朝、書斎に引きこもり、カール・ポパーの著作を読み、開かれた社会について思いをめぐらせた。夜にはスペインの詩人、ゴンゴラの詩を読んで、心を癒した。

バルガス・ジョサはペルー経済の別の道、本人によれば「経済的自由、市場、国際化」の道を示すためにアジアを訪問し、マスコミに大きく取り上げられた。左派が台湾をアメリカの「半植民地工場」と呼んでいる点を十分に意識していた。一九五〇年代半ばには、一人当たり国民所得は両国とも千ドルを下回っていたが、ペルー経済は、台湾経済をしのいでいた。しかし、バルガス・ジョサが台湾を訪問した当時、ペルーの一人当たり国民所得が半減していたのに対し、台湾では七千五百三十ドルに達していた。イギリスのサッチャー首相も訪問している。首相は、バルガス・ジョサに前進あるのみと助言した。しかし、それには代償が伴う。サッチャーはこう語った。「前進を続けた場合、途方もない孤独に耐えなくてはならない」[12]

これらはいずれも、バルガス・ジョサが確実に当選するとみられていたことを背景としている。ところが予想外の事態が起こった。農業技術者で、大学学長のアルベルト・フジモリの出馬である。

少なくとも当初、フジモリを有力候補だと考えるのは難しかった。作家が有力候補になるとも考えにくかったが、フジモリ候補は当初、それ以上に有力になるとは考えにくい候補だったのである。支持者もおらず、どの政党にも所属していない。その名が知られていたとすれば、農業と社会経済問題を扱ったテレビの討論番組の司会をしたからだ。それに、アウトサイダーでもあった。ペルー社会では少数派の日系人で、両親は一九三〇年代半ばに移民した日本人だ。貧困層や原住民など、ペルー社会から疎外された層と一体感をもっていた。そして、ペルーが崩壊し、絶望が広がり、略奪されるのを見て、怒りにふるえた。

当初、フジモリは泡沫候補に近かった。ユダヤ教会の預言者と最下位争いを演じていた。家族でさえ、出馬するなんて正気とは思えないと言ったほどだ。たった一人で選挙戦を戦うため、トラクターとピックアップ・トラックを売って資金を賄ったといわれている。そして、キリスト教徒と貧困層の連合をつくり、運動員がスラム街で一軒ずつ回り、フジモリ支持を訴えた。バルガス・ジョサのショック療法、民営化、政府職員の削減策を攻撃して、支持を獲得していった。具体的な政策には触れず、「正直、技術、勤勉」をスローガンに掲げた。テレビでは、アンデス高地をトラクターで移動するフジモリの姿が流された。

フジモリは、日系人であり、母はスペイン語を話せず、親族はだれひとりペルーの地に骨を埋めていないと攻撃された。これに対し、息子の聖餐式の写真を見せ、ペルーがアジア諸国を見習おうとするなら、自分の方がヨーロッパ人の末裔よりも大統領にふさわしいはずだと応戦した。バルガス・ジョサを白人で、裕福で、特権をもち、貧困層や社会の現実から切り離された少数のエリート層の候補者だと攻撃した。容貌が選挙の争点となった。ジョサは、まさにヨーロッパ人の顔で、四世紀前に侵略してきたスペイン人を思い起こさせた。これに対してフジモリの顔は、アンデスの原住民に近かった。

第一回投票では、バルガス・ジョサが一位、フジモリが二位になった。バルガス・ジョサは、熟慮の末、フジモリが自分の改革案を受け入れるなら、立候補を辞退すると申し出た。この提案は、一笑に付された。決選投票では、フジモリが圧勝した。翌日、ジョサはパリに旅立っている。政治に疲れ、執筆活動に戻るためだ。しかし、詳細な改革案を残していた。

フジショック

選挙戦中はポピュリストとして緩やかな改革を訴えたフジモリ大統領は、就任して二週間もたたないうちに、バルガス・ジョサが提案したものよりはるかに大規模なショック療法に着手し、フジショックと呼ばれるようになった。急激で全面的な改革の第一歩として、政府支出を削減し、競争力をもてるまで通貨を切り下げた。また、連立の形成や組織づくりを重視しない統治スタイルをとった。大統領直轄の機関をつくり、すべてを自分で判断した。

フジモリ大統領は、ふたつの政策を同時に進める決意をかためていた。テロの鎮圧と、民主戦線の白書で示された改革の実行である。リマ市内にあるバロック風の大統領官邸で、フジモリ大統領はこう語ってくれた。「暴力と戦いながら、経済改革を進めるのは、非常に困難な課題だった」。長テーブルの端に、背筋を伸ばして座った大統領は、視線をテーブルに落としがちに、ときおり、こちらを横目で見ながら、ときに唇の端に笑みをたたえて、静かに語ってくれた。「ふたつの政策を同時に進めるのは、きわめて危険だった。経済改革を進めれば、短期的には社会が不安定になるからだ。しかし、われわれは、危険を覚悟のうえで政策を遂行した。それが経済改革が成功するかどうかの分かれ目だった」

そして、こう続ける。「センデロ・ルミノソに対しても、わたしは技術者の目でみていた。国民や、リマの大司教さえ、暴力と戦うまえに貧困を撲滅すべきだと主張していた。それは間違った見方だ。まず暴力と戦い、つぎに貧困を撲滅すべきなのだ」。大統領は腕を広げてこう言った。「この部屋で、実業界の何人かの有力者と会合をもった。実業家は希望を失っていた。しかし、わたしの考えはまったく違っていた。われわれの戦略が成功すると確信していたのだ。わたしは孤独ではなかった。確信があった。わたしには東洋人の忍耐力があるともいえるだろう。わたしは結果がでるまで待つ。動揺はしない。頑固だとさえいえる」

センデロ・ルミノソへの対策は、練り直され、強化された。陣頭指揮をとったのは、フジモリ大統領自身である。周辺を攻めるのではなく、運動の中枢を攻めた。二年を要した。警察部隊は、リマ市内の一軒の家に的を絞った。二人住まいにしては一日のゴミの量が多すぎることに目をつけたのだ。一九九二年九月、警官隊が突入し、銃撃戦になった。この家こそ、センデロ・ルミノソのゲリラが潜伏するアジトであり、最高指導者のアビマエル・グスマンも潜伏していた。逮捕され、引き回される姿がテレビで放映されたグスマンは、もはや哲学者の恐ろしいゲリラではなかった。グスマンは、同志に武器を捨てるよう呼びかけた。

テロ活動を鎮めたことで、フジモリ大統領は、フジショックのつぎの政策を実行に移せるようになった。労働市場と金融市場の規制を緩和し、関税を簡素化して税率を引き下げ、民営化に着手した。課税基盤を拡大する一方、税率を引き下げた。ふたたび、対内投資を受け入れるようになり、アラン・ガルシア路線を完全に転換して、国際金融市場に復帰している。この結果、ペルー経済は、高度経済成長軌道に乗りはじめた。急成長するアジア諸国の虎に対し、ペルーはピューマと呼ばれるようにすらなった。大統領は、こう説明している。「きわめて速いペースで改革を進めようとした。わた政府の経済専門家は、わたしがどの程度、市場経済化を進めたいのかを理解していなかった。わたしは正真正銘の市場経済を求めていたのだ」。この言葉通り、大統領は当初の経済顧問を更迭して、閣僚を総入れ替えした。新閣僚は、当初、大統領を支持していなかった人ばかりになった。

「貧しい消費者に不利で、巨大な政治団体を優遇する規制が多すぎて、事態はきわめて混乱していた。政府が果たすべき役割は、教育、健康、安全保障、司法にある。このように考えるようになったのは、わたしが根っからの技術者であり、どの党にも属していないからだ。自分で評価する。それが重要なのだ。わたしの考え方は、政治家の考え方とは違う。わたしは、物事を論理的、客観的に見る。技術者の目で見ている。技術者は問題点を見つけると、たとえ限定的なものでも、解決策を見つけようとするものだ」

改革には多くの痛みが伴った。一九九二年四月、フジモリ大統領は、憲法を停止して、議会を閉鎖し、判事を大量に解雇した。反対派は、これをクーデターだと非難し、大統領が独裁者になろうとしていると批判した。しかし、中南米諸国の四十四人の大統領の実績を調べた調査で、フジモリ大統領がひいきではなく、実力に基づいて人事を決める点で、最高点を獲得している。その後の大統領選挙では、妻が公然と大統領を非難するようになり、デクエヤル元国連事務総長など、十人あまりとともに大統領候補に名乗りをあげて、フジモリ批判が盛り上がった。しかし、フジモリ大統領は、第一回投票で六〇パーセント以上の票を獲得して、再選を果たしている。

一九九六年十二月、カストロ首相を信奉する小規模ゲリラ組織、トゥパク・アマル革命運動の武装グループが、ウェイターなどに変装して、天皇誕生日の祝宴が盛大に催されていた日本大使公邸を襲撃した。当初、六百人にのぼった人質（大統領の母もいた）は、七十一人まで減った（大統領の弟や外相が含まれていた）。両者の交渉は暗礁に乗り上げた。ゲリラ側は、服役中のメンバー全員の釈放を求めて、妥協しようとしない。それは大統領もおなじだった。ゲリラを釈放すれば、秩序や治安の回復のために行なってきたこれまでの努力がすべて無駄になる。事件発生から百二十七日目、ペルー軍特殊部隊が公邸に突入して、見事な救出劇を演じた。人質の犠牲者は、心臓発作を起こしたとみられるひとりにとどまった。強硬突入の直後、フジモリ大統領の人気は急上昇したが、その後、権威をかさに支配する姿勢と、スキャンダルが嫌気されて、急落した。その間も、ペルー経済は成長を続けている。

フジモリ大統領はいまでも、自分が大統領選に出馬するきっかけとなった憤りを思い起こしている。「わたしは、経済と治安に憤りを感じていた。第一社会の大半の人たち、経済の果実を享受している人たちは、スラム街の実状を知らなかった。スラム街の人たちが、リマ市内の他の地域に進入してくるのではないかと警戒していた」。ある出来事で憤りに火がつき、ドン・キホーテとしか思えないような大統領選への出馬に駆り立てられたと語る。「一九八八年のことだ。ワンカヨからリマに移動するのにサービスが悪くて、飛行機が使えなかった。ペルー航空の便に乗るには、十二時間もターミナルで待たなくてはならなかったのだ。結局、自動車を運転することにした。道路は石だらけだし、センデロ・ルミノソに待ち伏せされる恐れがあるので、のろのろと走るしかない。そのため十四時間もかかった」。大統領はにっこり笑った。「いまなら五時間で行ける[13]」

メキシコ——権力の分散

メキシコはつねに他の国とは違っているようにみえた。一九一〇年の革命以来、他の中南米諸国とは違って、ポピュリズム、クーデター、最悪の抑圧や暴力などの政治の混乱をほぼ回避してきた。メキシコが比較的安定を保ってきたのは、独特の政治体制に負うところが大きく、この体制によって、ほぼ一世紀にわたって、他の国とは一線を画してきたのである。革命後、権力が集中し、単独与党が政権を担うことになる。制度的革命党（ＰＲＩ）というめずらしい党名にも、党の使命や性格、目的のあいまいさがあらわれている。しかし、歴代の指導者は、メキシコの政治に秩序と安定をもたらす政治手法をあみだし、活用してきた。

大統領は揺るぎない権力をもち、ある限度を超える意見の違いを容認しなかった。ＰＲＩは唯一の政党というわけではないが、対立する政治勢力を買収し、派閥のリーダーを取り込み、そのどれもうまくいかない場合には、投票結果を操作することで、一党支配の状態をつくった。慎重にあらゆる手段を使い、幅広い支持基盤をかため、この仕組みに正統性をもたせた。たとえば、メキシコ唯一の労働者連合は、労働者、企業経営者、政府の間の調整を行なう。労組の指導者は、その努力に対する報酬が保証されており、労使関係の先鋭化を抑える役割を果たしている。一方、ＰＲＩ内では派閥が結成、再編され、交渉しあい、主要ポストの配分を決めた。ＰＲＩは、一党支配の論理のなかで、公正に近いものを実現するため、「ゲームのルール」を作り出した。憲法では、大統領の任期を一期六年に制限することを明記している。また、過去六か月間に、閣僚級ポストについていた者は、大統領になることはできない。こうした条件を満たす形で、ＰＲＩはデダゾ（「指名」を意味する）と呼ばれる不文律を作り出した。引退する大統領が後継者を指名し、透明とはいいがたい直接選挙で、形ばかりの承認を得るものである。

陰謀や買収、策略ばかりではない。指名された大統領は、国民にある種の福祉政策を実施し、生活水準を向上させ、経済の方向を定めた。一九三八年の石油産業の国有化は、とくに有名で、これを実行したラサロ・カルデナス大統領は、今世紀のメキシコでもっとも人気が高く、もっとも尊敬を集めた大統領だとの見方が一般的である。こうして、第二次大戦後、他の中南米諸国がハイパーインフレや不況に陥り、国民の苦悩と軍事独裁が広がるなかで、メキシコだけは、経済成長を達成し、社会の秩序を維持してきたのである。

一九八〇年代初めには、こうした仕組み全体が深刻な危機にさらされるようになった。有利な条件に恵まれ、政治的には安定していたメキシコも、経済面では輸入代替政策をとってきたが、この政策の歪みがあらわれるようになったのだ。一次産品価格の下落と累積債務によって、外貨準備が急減した。PRIが権力を保持する長年のやり方も、経済の重荷になった。労働組合の合意をとりつけてきたのは、労働者保護の巨額のコストを負担してきたからだし、北部の富裕な実業家との合意も、その市場を競争から守ることが前提になっていた。おびただしい数の国有企業には、巨額の費用がつぎ込まれていた。そして、七〇年代後半のホセ・ロペス・ポルティジョ大統領がばらまき政治を行なって、事態がいっそう悪化した。

一九八二年八月、債務危機が発生した当時のメキシコは、このような状況にあった。救済策には、重い代償が伴った。メキシコの信用は崩壊した。深刻な不況のなか、きわめて厳しい制約条件のもとで、一歩一歩、信用を取り戻さなくてはならない。財政赤字と政府債務の抑制が不可欠になった。問題の大半が構造的なもので、PRIの政策に根ざしたものだったため、政策そのものも疑問視された。PRIに対する批判が高まったが、こうした批判をかわすため、PRIの保守派が有力な派閥を結成した（後にこの派閥は「恐竜」と呼ばれるようになる）。これに対抗したのが、債務危機のショックで目覚めた少数の改革派である。最終的には、改革派が政界の地図を塗り替え、メキシコの経済政策を、輸入代替からNAFTAの自由貿易体制への参加に百八十度転換する。しかし、この政策転換は一筋縄ではいかず、何度も休止したり、後戻りしたりしている。

指導者も何人か入れ替わった。一人目は、ミゲル・デ・ラ・マドリッドで、後継者としての指名を受け、予定どおり一九八二年十二月、金融危機のさなかに大統領に就任した。マドリッド大統領は、ロペス・ポルティジョ政権時代に一時期、予算相をつとめたが、大統領就任と同時に、前任者とは大きく違う政策をとろうとした。きわめて複雑な債務再編交渉を進めなければならなかったので、手腕を発揮する機会はいくらでもあった。大統領はこの交渉で、金融機関に、これまでとは違うという印象を与えることに成功した。前例のない政策も実行している。就任一年目に、一連の地方選で野党の勝利を容認したのだ。しかし、これは行きすぎだとされ、つぎの地方選では、制度的革命党は長年の方法に戻っている。

マドリッド大統領は、主要な閣僚ふたりの応援を得て、政策を実行に移した。ヘサス・シルバ・ヘルソグ蔵相は、政治家の家系に生まれ、父は一九三八年の石油業界の国有化で中心的な役割を果たした人物である。カルロス・サリナス計画予算相は、ハーバード大学ケネディ・スクールで学んだ若手で細身のエコノミストだ。シルバ・ヘルソグは慎重で、サリナスは大胆であったが、ふたりとも、変革の必要を認識していた。シルバ・ヘルソグはこう回想する。「メキシコほど財政赤字の多い国はめったになかった。財政赤字を削減し、債務返済を減らさなければならなかった」。サリナスによれば、ふたりの仕事は、「財政の恐竜を飼いならす」ことだった。政府支出を徹底的に絞った結果、財政収支は対GDP比で七・三パーセントの赤字から同四・二パーセントの黒字に転換した。そして、なによりも、クモの巣のように張り巡らされた国有企業の解体に着手した。シルバ・ヘルソグは言う。「一九八二年末には、一千百を超える国有企業があった。電力や鉄道のように優先順位の高いものもあったが、ホテルやレストラン、自転車工場やジーンズ工場まで国が保有していた。メキシコ・シティにナイトクラブまでもっていたのだ。おそらく、赤字のナイトクラブは、世界でもここだけだったろう」

債務返済のために、あらゆる手段を活用した。

この複雑な問題の解決策は、革命以外にありえない。ふたりには、強硬な政策を実施する勇気はあったが、運に恵まれなかった。一九八五年、メキシコ・シティの大地震で、被害総額が対ＧＤＰ比で二パーセントに達した。その直後、メキシコの輸出総額の半分以上を占める原油の価格が下落した。こうした困難な状況に加えて、国内での反対派を抑えきれなかった。このため、マドリッド大統領の任期が終わった八八年には、インフレ率は依然として高く（年に一〇〇パーセントにも達した）、庶民の実質所得は急激に減少していた。財政赤字はふたたび増加しだした。そして、急速な民営化には、落とし穴もあった。「一夜にして大富豪」が続々と誕生した。「腐敗が蔓延しているに違いないと、国民の大多数が考えていた。政治倫理が問題にされた」とシルバ・ヘルソグは語る。おなじ時期、メキシコは、ＧＡＴＴ（関税および貿易に関する一般協定）に加盟して、優遇されてきた多数の産業への保護を廃止しなければならなくなった。これらは未知の世界の前兆になり、労働者の信認が揺らぐようになった。

一九八八年のマドリッド大統領の後継者を決める大統領選がきわめて激しい戦いになったのは、おそらくこうしたことが背景にあるのだろう。制度的革命党（ＰＲＩ）に対抗する有力な候補者が出馬した。クワテモク・カルデナスは、ＰＲＩの経済政策を左派の立場から批判した。その名がすべてを物語っている。カルデナスは、いまだに人気のあるラサロ・カルデナス元大統領の息子であり、クワテモクという名は、アステカの皇帝にちなんでつけられたものだ。天賦の雄弁の才に恵まれたカルデナスは、民主革命党（ＰＲＤ）候補として政権の腐敗を批判し、新しい道があるとの国民の期待を高めていった。ＰＲＩの候補者にだれを指名するかは、マドリッド大統領にかかっていた。シルバ・ヘルソグが最有力と目されていたが、大統領はサリナスを指名した。ありえない選択に思えた。サリナスは若く、知名度が低く、官僚的で、外国人との関係が密接すぎるとみられていたからだ。八八年六月、一週間の不気味な沈黙の後、選挙結果が公表された。サリナス候補が五〇・四パーセントの票を獲得して辛うじて当選した。メキシコの最近の歴史のなかで、もっとも僅差の勝利であり、不正によってカルデナス候補の勝利を覆したと非難されたほどだった。

選挙での評価はともかく、サリナス新大統領はすぐに意外な行動で国民の支持を獲得した。軍隊を使った電撃的な動きで、石油産業労働組合の独裁的な指導者を摘発し、単なるテクノクラートではない強力な指導者として尊敬を集めるようになった。電気通信などの主要産業で、国有企業の株式の過半数を売却して、民営化を推し進めた。民営化路線を決定づけたのは、一九八二年にポルティィジョ政権のもとで国有化された銀行を売却したことだ。売却収入は、債務の返済に充てられた。また、財政を均衡させた結果、インフレ率が容認できる水準にまで低下し、実質賃金が大幅に上昇した。この経済政策を推進したのは、ペドロ・アスペ蔵相であり、「過去にどの国の政府にもなかったほど、経済の知識を身につけた人びと」と呼ばれた専門家集団を指揮していた。テクノポールのさきがけのひとりになったアスペは、国立大学に対抗して民間が設立したメキシコ技術大学で学んだ後、MITに進み、七八年に博士号を取得している。帰国後は、カマリージャと呼ばれる官僚グループのひとつに所属した。これに所属することが、昇進のためには不可欠だった。カマリージャでは通常、構成員が代表者に忠誠をつくして、庇護を受ける。アスペが所属していたカマリージャは、代表者がサリナスであり、生意気な若手のエコノミストでかためられ、全員が当時のメキシコ経済を憂慮していた点が他とは違っていた。やがて、アスペは、みずから忠実な支持者を集めるようになった。蔵相に就任すると、この支持者を各省庁に送り込んで、省庁間の調整をきわめて円滑に進めることができた。また、政治手腕を発揮して、賃金と物価の「社会協定」を策定し、インフレ撃退に貢献した。

サリナス政権は、一九九三年半ばには、メキシコを方向転換させるという、不可能に思えたことを成し遂げたようにみえていた。財政は数十年ぶりに健全化した。製造業の中心地の北部諸州で、中道右派の国家行動党（PAN）が与党となり、政治面で真の自由化も進んでいるようにみえた。サリナス大統領は、アメリカとの交渉で北米自由貿易協定を結んだ。自由貿易を受け入れたことは、かつて絶望的なほど内向きだったメキシコ経済が路線を完全に転換したことを示している。心理面でも大きな重みをもっていた。少なくとも心理的には、メキシコが北の大国と肩を並べたと考える人がでてきたのだ。

しかし、非常事態が発生して、それまでの改革路線が疑問とされるようになる。一九九四年一月一日、貧しい南部の州、チアパスのサン・クリストバル・デ・ラス・カサスの街の中心部を、覆面をしたゲリラが襲った。チアパス州は、首都からはるか遠く、先住民の比率が高い州だが、改革の成果がほとんどみられない。そのチアパス州で、ゲリラがメキシコ政府に「宣戦布告」をつきつけたのだ。改革への道のりがいかに遠く、いかに多様な関係者の利害を考慮すべきかを想起させる劇的な事件だった。過去何十年にもわたって中米を悩ませ荒廃をもたらしてきた農民戦争に逆戻りする事態でもあった。チアパス州での蜂起は狭い地域でのものだったが、散発的に続いた。政府が、土地所有権の改革や、インフラストラクチャー、行政サービスの改善など、苦しい妥協案を提示して、ようやく沈静化した。おなじ年の三月には、サリナス大統領が後任に指名したルイス・ドナルド・コロシオ前予算相が、遊説先のカリフォルニア半島ティファナで暗殺されている。過去六十年間、これほど衝撃的な暗殺はなかった。容疑者は逮捕され、すぐに裁判にかけられたが、国民の大半は、この事件には裏があるはずだと感じていた。捜査が進むにつれ、サリナス陣営や親族の汚職、麻薬問題が絡んだ政治、金融スキャンダルへと発展した（サリナスは大統領の任期が終わった後、メキシコと犯罪者引き渡し協定が結ばれていないアイルランドに渡っている）。

サリナス大統領は殺されたコロシオ前予算相に代えて、下馬評にあがっていなかったエルネスト・セディジョ・ポンセ・デ・レオン前文相を指名した。セディジョは、選挙で圧勝して政権を担うことになったが、偶然の大統領と呼ばれるようになる。新大統領は、メキシコ・シティの質素な家庭に生まれたが、幼いころはアメリカとの国境沿いの町、メキシカリで育った。産業が集積し、移民と違法な取引が横行する無法の町だ。才能に恵まれ、経済学を学び、メキシコの新しいテクノクラートの一員となるが、周囲の評は、退屈で陰気な人だというものだ。一九八一年、イェール大学で書いた博士論文は、将来を見通したような内容で、メキシコの債務危機の責任は、融資を行なった金融機関ではなく、政府にあると論じていた。債務危機が発生した後、この論文が評価されて中央銀行で職を得た。総裁がおなじ意見をもっていたからだ。デ・ラ・マドリッド政権やサリナス政権のもとで、さまざまなポストについたが、目立たないながらも、経済に対して一貫した姿勢を保ちつづけた。

しかし、セディジョ新政権が経済面で最初に行なった決定は、思いがけない事態を引き起こした。

ペソは長い間、過大評価されてきたが、サリナス大統領は、政治的な駆け引きのうえからも、また威信を守るためにも、切り下げを拒んできた。セディジョ政権の蔵相が、ペソの切り下げを発表した。しかし、この切り下げを予想していなかった金融市場への影響を読み違えていた。メキシコの株式市場は暴落し、株価下落がドミノ現象のように中南米諸国に広がった。「テキーラ・ショック」という名がつけられ、金融市場でのメキシコの信用にまたも泥を塗る結果になった。しかし、債務危機ほど深刻な事態にはならず、投資家の間では、時間がたつにつれて、株式市場の全面的な崩壊ではなく、単なる調整、行き過ぎの警告だと受けとめられるようになった。短期間でアメリカが二百億ドルの支援を提供したことも、株価を支える材料になった。

セディジョ大統領は、政治面でとくに優れた手腕を発揮している。政治的な圧力が予想されたにもかかわらず、コロシオ暗殺事件の解明を断固として進めたことで、少なくとも過去の政治指導者と比較すれば、正義を重視する大統領だとみられ尊敬を集めた。特筆すべき点は、政治を大幅に自由化したことだ。一九九五年一月、経済危機の最中に、セディジョ大統領はすべての政党に選挙改革を話し合うよう呼びかけた。九六年半ばに選挙法改正案が成立し、大統領の努力が実を結んだ。この法改正で選挙の管理を独立選挙委員会に委ねて、制度的革命党（ＰＲＩ）の保守派が操作できないようにした。九七年の中間選挙では、各党の得票率が驚くほど世論調査結果に近いものになった。下院といくつかの州の選挙で、ＰＲＩが過半数を下回ったのだ。初の公選制が実施されたメキシコ・シティの市長選では、革命民主党のクワテモク・カルデナスが当選した。二千万人の人口を抱える市の大きさを考えれば、同市の市長は、事実上、メキシコで二番目に力をもつ地位だといえる。現代メキシコではじめて、派閥間の調整や候補間の取引ではなく、連立による政治が行なわれている。こうした状況が、経済に与える短期的な影響は不透明だ。しかし、八二年の危機以来、改革の道のりは波乱に満ちているが、経済の変化は決して小さくない。財政とマクロ経済政策は、依然として不安定だが、経済構造は変化している。民営化が進み、国際的な貿易体制の一員となって、輸出産業の力が強まり、民間セクターと株式市場の力が強まるようになっている。

大きな社会目標を達成する必要もある。シルバ・ヘルソグ元蔵相は懸念を抱いている。「メキシコは、所得の分配という深刻な問題を抱えている。金持ちがいっそう豊かになり、貧乏人がいっそう貧しくなっている」。新しい産業構造は一様ではなく、職種によって、安定度や収入に差がある。「輸出産業は世界的にも競争力があるが、それ以外の産業はきわめて遅れている」。メキシコは、過去の過ちを繰り返さないように注意を払いながら、こうした目標を達成するために、政治の変革と経済運営を行なわなければならない。サリナス政権下で改革を指揮したアスペ元蔵相は、政治体制の自由化が、将来へのカギだとみている。「すべては、デ・ラ・マドリッド政権下ではじまった。マドリッド大統領は、経済を自由化すれば、政治改革は必至だということを認識していた」。数々の危機に直面しながら、改革は現在も進行中である。アスペはこう続ける。「経済を自由化すれば、その力はきわめて大きくなる。いかなる政党も、政府も、官僚も、止めることはできない。国民は、アメリカやカナダと取引している。だれもそれを止めることはできない(14)」

ブラジル——従属理論からインフレ撃退へ

ブラジルでは、国の大きさ、多様性、問題の根深さ、人口構成、連邦構造、利害関係の複雑さ、腐敗の蔓延など、国の性格そのものによって改革が妨げられてきた。二十一年間、軍事政権が続いた後、一九八五年、民政が復活したが、深刻な経済問題を引き継ぐことになった。債務危機が発生した当時、ブラジルの債務は八百七十億ドルにのぼり、世界最大の債務国だった。インフレ心理が深く根づいていた。九〇年には、インフレ率が一五〇〇パーセントに達している。物価スライド制が日常化し、あらゆるモノの価格が事実上、新聞に掲載される物価指数のどれかに連動していた。価格は日々、変動し、銀行預金さえ物価スライド制になっていた。もっとも被害を被ったのは貧困層である。腐敗によって、復活したばかりの民政の正統性も脅かされていた。初の直接選挙で選ばれた大統領は、汚職を摘発され、九二年に辞職している。

しかし、こうした問題はあるが、ブラジルは開かれた市場経済に向かっている。中南米諸国のなかではもっとも遅い歩みではあるが。このシナリオを書くうえで、だれよりも活躍してきたのが、現在のフェルナンド・エンリケ・カルドゾ大統領である。これは、少なからず皮肉めいている。大統領は、自身を中南米諸国の「急進主義の伝統」を受け継いだ人間だと評しており、実際、従属理論の提唱者のひとりとして、資本主義や「中枢」を批判してきたからだ。中南米諸国の左派知識人を代表する英雄で、資本主義や「帝国主義」を激しく非難してきた。大統領は、国全体よりもはるかに徹底して考え方を変えてきており、考え方の重心がいかに変化したかを示すものになっている。

サンパウロ大学の学生時代、マルクス主義に強く影響されたカルドゾは、一九六四年に軍事クーデターが起きると、亡命せざるをえなかった。チリに落ちついて、従属理論の父、ポール・プレビッシュの下ではたらいた。さらに社会学者として、ＥＣＬＡの付属研究機関を運営し、従属理論の古典ともいえる教科書を共同執筆している。六八年に学生が蜂起したことで有名なパリ大学ナンテール校をはじめ、各地の大学で教鞭をとった後、六九年、ブラジルに帰国した。独裁政権によって、大学での職は奪われたが、研究機関を設立し、軍事政権とその政策を批判するようになる。次第に政治活動に重点を移し、民政移管後は、新たに設立された社会民主党の指導者として頭角をあらわし、上院議員に当選した。九二年に外相となり、翌年、蔵相に就任している。

カルドゾがブラジル経済を安定化する重要な政策を打ち出したのは、蔵相のときである。政府支出を削減し、税金の徴収を改善し、連邦政府から州、郡など地方政府への移転支出を削減した。インフレ率が七〇〇〇パーセントに上昇する事態にいたって、カルドゾ蔵相は断固とした措置をとった。経済安定化計画（レアル計画）によって、アルゼンチンと同様に、通貨をドルと連動させたのである。一か月もたたないうちに効果があらわれ、インフレ率は一〇パーセントを下回るまで低下した。この政策によって、インフレの最大の被害者である貧困層や労働者の苦痛は緩和された。基盤が整い、対内投資が記録的に増加し、貿易が急増した。カルドゾ蔵相は、経済安定化に貢献した英雄になった。選挙活動中、サッカー選手のように群衆に取り囲まれたほどだ。そして一九九四年、大統領に選出された。

大統領に就任した当初二、三年は、順調というわけにはいかなかった。金融機関の危機が表面化し、通貨切り下げで混乱をもたらした。ごく最近の一九八八年に採択された憲法で、政府による一部の産業の支配が明確に定められているほどであり、政党ではなく利益団体が議会を支配しているといえるほどの国だから、改革を進めるのは容易ではない。それでも大型案件を含む民営化は継続され、その多くが州レベルで実施された。九七年後半時点で、鉄鋼、電力、通信などの主要産業での株式売却代金は二百九十億ドルに達している。反面、行政サービス、税制、社会保障、教育の分野の改革は遅れている。

カルドゾ大統領の行動は、中南米諸国の新自由主義の旗手のようにみえるが、大統領の発言には、そうした面はみられない。その主張は、いまだに社会民主主義者のもので、貧困の撲滅と平等の実現を政策目標としている。しかし現在、モデルとして掲げているのは、「規制された自由市場」と西欧型の混合経済である。従属理論は、世界経済の変化や技術進歩、競争のなかで廃れていった。政府は、自信過剰になり、非効率になり、介入しすぎて、経済の問題を解決するのではなく、原因そのものになっていた。

カルドゾ大統領は言う。「全世界で、政治運動によって理想郷を実現しようとする勢力や、社会主義的な考え方は、魅力を失っている」。伝統的な左派は、時代後れになっている。大統領はこう問いかけている。「左派とはなにか。左派はその支えを失っている。現在の左派が、過去に左派が進めてきた政策を実行しようとするのなら、未来はない。とくに中南米諸国の左派は、開発が基本であり、政府が開発で中心的な役割を果たし、集団としての取り組みが個人の行動より優先されるという考え方を重視しすぎている。……もっと合理的になる必要がある」。しかし、大統領は同時に、「政府は小さいほどよい」という見方には反対している。「社会福祉の問題を正しく解決するには、チリをまねし、民営化の守護神として崇めるだけでは不十分だ。……民間セクターにあらゆる問題の解決を委ねるわけにはいかない。解決できないからだ。市場は貧困の問題を解決しない。貧困は、政府が策定した政策にそって解決すべきだ」

従属理論の父であり、かつては中南米諸国を代表する左派の知識人だったカルドゾ大統領にとって、現在の最大の敵は、自分が捨てた左派の頑迷な考え方だ。左派がブラジルで「法治」の再建に貢献したことは疑っていない。しかし、社会主義の目標は消えても、「開発の主要な手段として、強力な政府を求める考え方は、いまも生きつづけている。改革が必要なのだ[15]」

政府の再発見

政府の性格と責任をどう定めるかが、中南米諸国の最優先課題である。経済のルールは中南米全体でほぼ変わらなくなり、従属理論の亡霊や、輸入代替政策、軍事独裁政権に終止符が打たれた現在、政策立案者は、つぎの課題を検討しはじめている。各国は、インフラや福祉の不足、教育水準の低さに悩んでいる。これらのすべての分野で、アジアの虎の水準を下回っている。経済の不平等、富裕層と貧困層の格差は世界最大であり、いくつかの尺度では、過去何世紀かでも最大となっている。

何十年にもわたって、管制高地を占める中核産業を政府が所有してきた後の変化は大きいが、完全とはいえない。航空、電話、電力を民営化することで、各国政府は赤字の垂れ流しに歯止めをかけ、政治的な利害が絡む重荷から解放された。しかし、民営化された企業の実績にはバラつきがあり、それが極端な国も少なくない。民営化が各国に広がるにつれ、さまざまな形態をとるようにもなった。その結果、いずれの政府も新たな課題に直面している。政治問題になりやすいサービスを提供する民間企業（独占企業の場合もある）の規制である。旧国有企業を解体したため、政府には、知識やスタッフ、情報、経験が不足しており、民営化された企業や外注先にサービスの水準を維持するよう求めることも、共謀による価格吊り上げやサービスの質の低下を防ぐこともできない。

テクノクラートの場合には、高度の教育や資格、プロ意識や士気、ある程度の幸運や機会によって、専門性（「テクノ」の部分）が養われているが、これが、官僚制の末端には浸透していない。官僚はインフレで資産の大部分を失い、十分な報酬が与えられておらず、士気が低下していることが少なくない。保健や教育など地域に根ざしたサービスに責任を負う州当局や省庁は、中央政府の大蔵省の影響力や効率を快く思っていない。税はまともに徴収されていない。地方政府は、汚職や腐敗の温床となっている。

ベネズエラの経済学者で閣僚をつとめたこともあるモイセス・ナイムはこう語る。「市場を再発見した中南米諸国は、すぐに政府を再発見することになるだろう」。政府が機能しない国では、市場も機能しないからだ。大きな政府が信用を失っているなかで、貧困の撲滅と民間企業の規制に焦点を当てる方向に政府の方向を変えていくことが、改革を進めてきた中南米諸国にとっての課題になっている。経済改革をいち早く進めた国では、他のどの国よりも、「戦略的」産業を国外の投資家に開放している。そして、市場経済の最先端の手段を頻繁に実験している。しかし、これまで置き去りにされてきた多くの国民に、医療や教育水準の向上は言うまでもなく、電力などの主要なインフラを提供できるという保証はどこにもない。こうした状況を改善できなければ、すでに大きく開いている富裕層と貧困層の格差は拡大する一方になり、ライバルのアジア諸国とはまったく違った道を歩むことになる。政治的な不安を引き起こし、民主的でなかった時代を懐かしむ風潮がでてくるだろう。(16)

十年以上も前にショック療法を生み出したボリビアでは、最近、市場経済への移行に対する国民の支持を強めるために、最新の手法を開発した。一九九三年から九七年までボリビアの大統領をつとめたゴンサロ・サンチェス・ロサダと改革チームは、各国の民営化の方式を検討し、違う方式をとることを決めた。エネルギーや通信などの主要な国有企業を売却するのはおなじだが、その方式が独特だ。アンデス山中の先住民が地主と小作人の間で作物を分配する際に使っている方法に注目し、民営化にその手法を取り入れたのだ。国有企業を売却する際、政府が入札方式で、戦略的パートナー（典型的には、その分野で経験豊富な外国企業のコンソーシアム）を選ぶ。パートナーは、五〇パーセントの株式を所有し、経営権を握る。

ボリビアが開発した手法では、残りの五〇パーセントの株式を年金基金に譲渡し、その経営も民営化する。年金基金は毎年度末に、民営化された企業からの収益を使って、六十五歳以上のボリビア国民すべてに配当を支払う。配当は、一人当たり二百五十ドルという少額からはじまったが、これは一人当たり国民所得の一〇パーセント以上に相当する額だ。大統領は、この計画を民営化とは呼んでいない。民営化という言葉はあいまいで、政治面で否定的な意味合いが強いと考えたからだ。代わりに、サッチャー首相や世界各国で民営化を推進した人びとが避けてきた言葉、「資本化」を採用した。この言葉は、市場の自由化と福祉の著しい向上が両立することをあらわそうとしている。年金基金を活用するのは、ふたつの基本目標を達成するためだ。第一は、経済成長の成果を幅広い国民に分配することだ。国民が企業の株を保有し、その業績から直接、利益を得るのである。第二は正統性の問題だ。この方式では、企業のかなりの部分が「国民」の手に残る。

最近の中南米諸国の状況は、新しいゲームのルールの適用は終わりではなく、始まりであることを示している。中南米各国の国民は、インフレと腐敗の悪循環を断ち切るために、耐乏生活と苦難を受け入れた。しかし、効率的で開かれた市場で約束される利益と引き換えに、今後、どの程度の苦難に耐えられるのだろうか。これこそ、各国の景気後退が提起し、今後の選挙で問われる問題である。市場が立て直されれば、政府の再発見が課題になるだろう。経済を管理し、国民を苦しめる政府ではなく、企業を経営する政府でもなく、公正な規制者として適切な役割を果たし、国民のニーズに応える能力のある政府だ。このシナリオは、まだ完成していない。

第10章

市場行きの切符

共産主義後の旅路

chapter 10

TICKET TO THE MARKET:

The Journey After Communism

そのイメージはいまでも、当時の体験として、あるいはその後に見た映像によって、数多くのアメリカ人の記憶に焼きついている。ハンサムな若き政治家が全米を遊説し、片手をあげ、ボストンなまりで力強く主張した。「われわれはこの国をふたたび前進させなければならない」

一九六〇年の大統領選挙でケネディ候補がこう主張したことは、いまでも記憶されているが、記憶がさだかではなくなった点もある。ケネディ候補がなぜ、この国をふたたび前進させなければならないと語ったのかである。その三年前の五七年、ソ連が世界初の人工衛星、スプートニクを打ち上げ、アメリカ人の自信を揺るがした。五九年にはソ連のフルシチョフ首相がアメリカを訪問し、ロサンゼルスの昼食会でこうつぶやいて挑戦状をたたきつけた。「おまえたちを葬ってやる」。ソ連がイデオロギーと軍事力を背景に、アメリカを押しまくっているように思えた。

そう思えたのは、ソ連の経済成長率が高く、アメリカの経済成長率をはるかに上回っているようにみえたからだ。アメリカが前進を再開しなければ、資本主義と西側諸国は世界の指導権争いに敗れ、配下の国が共産主義とソ連に傾いていくだろう。最終的には西側が勝利を収めるとケネディ大統領は主張したが、その信念には深い根拠があったわけではない。

それからちょうど三十年たった一九九〇年代初めには、競争は終わっていた。結果は明白だった。共産主義とそのもとでの徹底した国家支配は破綻し、消滅していた。ソ連は分裂し、その主要部分を受け継いだロシアは、ある種の市場経済の方向に動いている。あれだけ多くの人たちの想像力を刺激し、支持を集めた赤いスターは、地に落ちていた。このような結果になるとは、六〇年のジョン・ケネディ候補にとって考えにくいことだったに違いない。

第10章　市場行きの切符——共産主義後の旅路

二十世紀という時代の始まりが第一次世界大戦とロシア革命であったように、共産主義の崩壊とソビエト帝国の瓦解は、二十世紀というひとつの時代の終わりを画する出来事であった。旧共産圏では、世界のどの地域よりも、政府と市場の関係の変化が極端になった。共産主義体制の崩壊によって、はるか以前に市場が消滅していた国で、市場制度を構築するための苦闘がはじまったのだから。共産主義体制は人類を未来に導く前衛だと主張されていたが、内部から腐敗して崩れていった。中央計画と国有企業の制度は技術革新を促すことができず、経済成長の成果を国民全体に分配することができなかった。そして、やがて経済を成長させることすらできなくなった。

共産主義諸国で経済が全般に失敗したことから、一九八九年にはじまった政治革命で、東欧とソ連の共産主義体制が一掃された。旧体制の崩壊があまりに急激だったため、慎重に考慮して調整を行なう時間はなかった。ソ連の崩壊後に誕生した共和国は、共産主義の経済体制を資本主義に置き換えるための処方箋をもたないまま、当初の数年間、予想もしておらず、想像すらもできなかった苦闘に取り組むことになった。これらの諸国では、突然、月の裏側の世界に放り込まれたように感じた人たちが多かった。中央計画と管理の機構が消滅し、経済の組織と日常の生活を支配してきた秩序がすべてなくなり、それに代わるものはなにもない。社会全体が大混乱とも思える状態に陥り、ハイパーインフレーション、生活を根底から脅かされる不安感、国有資産をめぐる猛烈な奪い合いに直面することになった。共産主義の瓦礫を整理し、市場制度を築き上げる努力はまだまだ終わっていない。「移行」という抽象的な言葉の背後には、人びとが苦痛を被った事実があるし、移行の過程は、平坦でも一様でもなかった。それでも、旧ソ連帝国の大部分では、予想されたよりも早く市場経済が機能するようになってきた。旧共産圏経済の変身と、それを形作った考え方をめぐる戦いは、共産諸国の崩壊や世界各国での共産主義イデオロギーの凋落と変わらぬほど、興味深いものになっている。

ポーランドの危機——終わりの始まり

共産主義体制の終わりは、その中心であったソ連からはじまったわけではなく、その周縁に位置するバルト海沿岸ではじまった。バルト海の港町、グダニスクにある巨大なレーニン造船所は、ポーランドの共産主義体制にとって看板のひとつにするためのものであった。しかし造船所の労働者の間には、不満が鬱積していた。一九七九年十二月のある日、多数の労働者が灰緑色のゲートのところに集まり、九年前に抗議運動を起こして警官隊と軍隊に殺された仲間の記念碑をつくるよう求めた。口髭をはやした小太りの電気工、レフ・ワレサが人波をかきわけて前に進んだ。「独立した組織をつくって自分たちを守ろう」と訴えた。ワレサは政治活動を理由に造船所を解雇されていたのだ。殺害された労働者の記念碑を政府が建設しないのであれば、一年後に全員が石を持ってここに集まり、ひとつずつ積み上げて自分たちで碑をつくろうと、ワレサは呼びかけた。(1)

造船所の労働者がつくったのは、記念碑ではなく、連帯という新しい運動であり、共産国ではほとんど考えられもしなかった政府に挑戦する動きであった。翌年の八月、レーニン造船所の労働者はストライキに入り、建造中の船からも多数の労働者が下りてきた。すぐに、数千人が造船所を占拠し、おなじくストライキに入った他の工場からも代表者が集まってきた。三週間近くたって、政府は労働者の要求を受け入れ、そのひとつとして独立した労働組合の組織化とストライキの権利を認めた。共産圏の政府が国民にここまでの自由を認めた例は、それまでなかった。連帯は勝利を収めた。少なくとも一時的には。

ポーランドで反政府活動が可能になったのは、ひとつには、他の共産国にはない有利な条件があったからである。カトリック教会が陰になり日向になって強力に支援したのだ。カトリック教会の支援が本格化したのは、その二年前にバチカンで思いがけない出来事があってからである。法王に選任されたばかりのヨハネ・パウロ一世が急死したのだ。後任にはポーランドのクラクフのカロル・ボイチワ大司教が選ばれ、前任者に因んでヨハネ・パウロ二世になった。一九七九年七月、ヨハネ・パウロ二世は法王の立場でポーランド全土を訪問した。ある集会には二百万人が集まっている。ポーランド人の法王の訪問で、ポーランドでは信仰心、自信、愛国心が一気に高まり、同時に、反政府活動への意欲が強まった。ヨハネ・パウロ二世は戦争中、秘密セミナーで教育を受け、戦後は一貫して共産主義者の支配に抵抗してきた。クラクフ大司教の時代には、大きな危険をおかして、後に民主化運動に発展する動きを育成してきた。法王に就任すると、反体制派に聖域を提供し、カトリック教会を共産主義に対する強力な反対派として動員するようになった。一九八〇年八月のレーニン造船所のストライキの際には、ゲートに法王の写真が掲げられ、構内で労働者の集会が開かれていた。法王の存在が労働者を勇気づけているようであった。共産圏の権力者は、ポーランド人の法王がいかに危険な反対派であるかを認識していた。

連帯の出発点は、生活水準が低下し、物不足が目立つようになるなど、状況が悪化していたことへの抗議行動であった。当時、中央計画経済の別名として、「不足経済」という言葉が使われるようになっていたほどである。一九六〇年代後半以降、ポーランド経済は衰退の道を歩み、共産主義の枠内では改革がまったくできない状況に陥っていた。ハンガリーはもっと柔軟な「市場社会主義」（ハンガリーの代表的な料理の名前にちなんで「グラーシュ社会主義」とも呼ばれている）を実験して改革を進めており、中央計画経済に市場経済の要素を一部取り入れていた。しかし、ポーランドの統一労働者党の指導部は、農業に民営の部分を残していた以外、なんの改革にも取り組まなかった。正統的な考え方にしがみついていたのだ。

それでも、労働争議が起こるようになって、指導部はなにかをしなければならなくなった。しかし、一九七〇年代初めのポーランド政府は、大がかりな改革に取り組むのではなく、西側から融資を受ければ困難を克服できると考えた。巨額の融資契約を結び、この資金で食料品価格を低く抑え、西側から機械やプラントを輸入して、体制を変えないまま経済を改善しようと試みた。振り返ってみれば、決定的な誤りであった。安易に融資を受けたため、泥沼に陥って抜け出すことができなくなった。西側に対する巨額の債務は、元金の返済はおろか、利息すら支払えなくなっていった。七〇年代末には、ポーランドの対外債務は総額二百五十億ドルに達した。

そして、借り入れた資金の大部分は、浪費された。経済は勢いを取り戻すどころか、構造的問題と返済しきれない債務という二重の負担に苦しむようになった。間もなく、ポーランドは国際収支の深刻な危機に見舞われるようになる。食料を大量に輸入するようになっていたが、食料輸入代金の支払いに窮するようになった。このような厳しい状況を背景に、レーニン造船所のストライキの後、連帯は成長していった。わずか数か月で、会員が一千万人に近づいた。

共産主義体制に対する前例のない脅威に直面して、ソ連政府は警戒感を強めていき、ポーランド政府に強い圧力をかけるようになった。一九八一年八月にサン・ピエトロ広場でヨハネ・パウロ二世が狙撃された事件は、ソ連が背後で糸を引いたものだという見方もある。八一年十二月、一年半にわたったストライキと反政府運動の後、ポーランド政府はついに反撃にでた。ワルシャワの中心部には戦車が配備され、道路封鎖によって各地の交通が遮断され、電話回線も遮断された。戒厳令がだされた。連帯は非合法化され、指導者は逮捕された。しかしそれでも、ポーランドの見通しは改善しない。八〇年代を通じて、経済状態はさらに悪化していった。連帯は地下にもぐって生き残りをはかり、ワレサ議長は自宅に軟禁されていた。八九年になって、共産政権はさらに悪化を続ける経済を回復させようともがいたすえ、連帯とカトリック教会の代表を加えた「円卓会議」を招集し、ポーランドの絶望的な状況の打開策を話し合う率直な対話をはじめることにした。

決定的な電話

このころ、ソ連は自国内の問題に忙殺され、東欧から手を引きはじめていた。軍隊の撤退がはじまっていた。クレムリンに近い専門家の間で、東欧を支配するコストが利益を上回っているとの主張があらわれてきており、ソ連首脳もこうした主張を受け入れるようになってきた。ポーランドでは一九八九年の円卓会議の後、連帯がふたたび合法化されている。つぎの段階として自由選挙が実施され、共産主義政権にとって悲惨な結果になった。新たにつくられた上院では、連帯が百議席のうち九十九議席を占めた。下院では、統一労働者党の三十五人の候補者は、対立候補がいない信任投票の形をとった。しかし、五〇パーセント以上の信任票がなければ、当選にならない。有権者の多くは統一労働者党の候補者名に不信任の印をつけていき、政府への反対行動をみせるために子供を投票用ブースにつれていった有権者も少なくなかった。結局、三十五人のうち二人を除く全員が落選した。

それまでにも何度もそうしたように、ポーランド当局はモスクワに指示を求めた。しかし、このときの答えは違っていた。ゴルバチョフ書記長がポーランド統一労働者党の責任者からの電話にでた。書記長の答えは驚くべきものだった。ソ連は自由選挙の結果を受け入れる。非共産主義者が首相になり、統一労働者党が少数派になる連立政権を認めるというのだ。この電話会議で、冷戦は終わった。

連帯は、政権を担う準備ができているとは感じていなかった。幅広い政治勢力の集まった抗議運動のための組織にすぎず、政党ではない。下院では三分の一の議席しかなく、指導部は政権を担うべきなのか、それよりもなによりも担う力があるのか、疑問だと考えていた。連帯は経済顧問として、中南米での活躍で国際的に高い評価を得ているハーバード大学のジェフリー・サックス教授を迎えていた。連帯の指導者のひとりが教授に、政策を実行するには議席数が足りないし、それにポーランド経済は衰弱しきっていると説明した。たしかに衰弱がひどいようにみえるが、外見と内実は違うかもしれないと教授は答えた。ドイツと国境を接しているし、ヨーロッパの中央にあり、ポーランド人には経済の能力が欠けているわけではない。要するに、だれもが驚くような結果が生まれる可能性もある。これが中南米で学んだことだとサックス教授は語った。数時間にわたる白熱した議論のすえ、教授は単純明快にこう勧めた。やるしかない。権力を握るべきだと。連帯の指導者は大きなため息をついた。「今日の議論には、心から落胆している。教授の言われることは正しいと思うからだ」

連帯の指導部はサックス教授と同僚のデービッド・リプトン教授に、経済を一気に変革する総合的な計画の概要を書くよう依頼した。「概要は、『この計画で、ポーランドは市場経済に飛躍する』という言葉からはじめてほしい。改革は急速に進めたい。それが唯一の成功の道だからだ」。アメリカに帰って、リプトン教授とふたりで計画を書き上げようとサックス教授は答えた。いや、そんな時間はない、明日の朝までに必要なのだと、連帯の指導部はいう。ふたりはその夜、徹夜で概要を書き上げ、翌日、グダニスクに行って連帯の幹部に会い、説明した[2]。

「ポーランドのルードビッヒ・エアハルト」

一九八九年八月、タデウシュ・マゾビエツキが非共産勢力からのはじめての首相に選任された。首相はどのような経済政策をとるべきかはわかっていなかったが、急速に動くことを望んでいた。サックスとリプトンのふたりの教授が示したような計画を実行できる人材を求めていた。そして、「ポーランドのルードビッヒ・エアハルト」を探したと、首相は語る。

マゾビエツキ首相は、ポーランドのエアハルトになる人物として、経済学者のレシェク・バルツェロビッチを選びだした。こうして立案された経済計画が、ポーランドだけでなく、東欧のかなりの国やソ連でさえも実施され、これら諸国が市場経済への道を歩むことになった。一九八九年は、東欧全体で共産主義体制がドミノ倒しのように倒れていった年である。当時のジョークによれば、ポーランドでは共産主義体制をくつがえすのに十年かかり、ハンガリーでは十か月かかり、チェコスロバキアでは十日かかり、ルーマニアではわずか十時間で独裁者のチャウシェスク大統領を処刑したという。こうした動乱のなかで、ポーランドは経済改革の面でつねに主導的な役割を果たしてきた。これは、バルツェロビッチの活躍によるものである。

バルツェロビッチはこのときのために、二十年にわたって準備を続けてきた。ニューヨーク市のセントジョーンズ大学で二年間、経営学を学んだ後、韓国と台湾の高度経済成長をもたらした要因を研究した。一時期、西ドイツに行って一九四八年のエアハルトの経済改革を研究している。これが後に役立つことになった。マゾビエツキ首相に「ポーランドのルードビッヒ・エアハルト」の役割を果たすよう求められたとき、エアハルトが実際にどのような政策をとったのかを知っていたからだ。中南米各国の安定化政策についても根気強く研究し、どのような政策が成功し、どのような政策が失敗したかを検討してきている。

一九七八年からはワルシャワで、「バルツェロビッチ・グループ」と呼ばれるようになる研究グループを主宰し、社会主義の「問題」、ポーランド経済の改革の方法を長期にわたって研究してきた。財産権、経済における国の適切な役割、インフレーション、社会主義のほんとうの意味での特徴として浮かび上がってきた「不足」の問題など、基本的な問題に焦点を合わせてきた。こうした研究の積み重ねで、バルツェロビッチは「漸進的な改革」はかならず失敗すると確信するようになる。広範囲な改革を急速に実施しなければ、経済の方向を変えられる「臨界量」には達しない。経済学者にはめずらしく、バルツェロビッチは社会心理学にも関心をもっていた。とくに、認知的不協和の理論に強く引かれている。経済改革にあたって認知的不協和が重要な要因になると説明している。「改革が段階的に実施される場合より、経済環境を抜本的に変化させるような改革が実施され、後戻りがきかないとみられた場合の方が、人びとが態度と行動を変える可能性が高くなる」(3)

市場革命

バルツェロビッチは連帯の新政権で蔵相兼副首相になったが、きわめて急速で大がかりな改革を実施することを就任の際の条件としている。この改革は、中南米ですでに有名になっていた「ショック療法」という言葉で呼ばれるようになった。しかし、バルツェロビッチ蔵相自身は、「市場革命」という言葉を好んでいる。名前はどうであれ、この政策がきわめて危険であり、大きな反対を受けることを蔵相は認識していた。しかし、確信している点がひとつあった。漸進的な改革は決して成功しないことである。その後数か月、バルツェロビッチ蔵相は部下と協力して、改革計画を立案し、それに必要な法律をすべて起草するために、猛烈なペースではたらいた。その間にも、経済状況は悪化を続けている。インフレ率は年率一万七〇〇〇パーセントに達し、歴史上十四番目のハイパーインフレーションになった。総額四百十億ドルの対外債務で、債務不履行を起こしている。国有企業の経営者の多くは、「自発的な民営化」を進めている。これは婉曲表現であり、ありていにいえば、自分たちが管理している国有企業の資産を一刻も早く盗もうとしていたのだ。

一九九〇年一月一日が「ビッグ・バン」の日であった。この日を期して、バルツェロビッチ蔵相のショック療法、市場革命を一気に進める政策が、一斉に実施された。それは、「ショック」と呼ぶにふさわしいものであり、共産主義の過去と訣別するものであった。物価のほとんどが自由化された。通貨のズロチは切り下げられ、外貨と交換できるようになった。賃金の爆発的な上昇を抑えるために賃金統制が実施された。財政赤字はGDPの七パーセントから一パーセントに縮小された。税制改革が実行され、金融引き締め政策が実施された。

バルツェロビッチ蔵相らは神経質に状況を見守っていた。物価が上昇するのは確実だ。上昇率は四五パーセントになると予想していたが、実際には数日のうちに七八パーセントもはねあがった。穀物、食肉などの食料の在庫は少なく、物不足は続いている。蔵相らは息をのんだ。食料不足に怒った国民が暴動を起こし、街頭をデモ隊が埋めつくす事態になれば、改革の動きすべてが打撃を受け、ポーランドは独裁主義に逆戻りしかねない。しかし、一月末になって新しい動きが起こりはじめた。はじめは細々とした動きだったが、やがて数が増えてきた。農民が農村から都市に車でやってきて、国営の流通機構を迂回し、乗用車やトラックで、あるいは道端で、農産物を売るようになったのだ。工業製品もおなじように販売されるようになった。街頭にあらわれたのは、暴徒でもデモ隊でもなかった。商人が大量にあらわれたのだ。物不足は解消し、供給が増加して、物価が下がりだした。不安げな蔵相を安心させようと、側近たちは卵に注目するように進言した。そう、卵だ。卵が経済改革の成否を示す決定的な指標になる。一月末には、成功が確認された。卵の価格上昇が止まり、いくつかの地域では下がりはじめたのだ。蔵相は大きなため息をついた。これで一安心だ。卵の価格安定は偉大な勝利を意味している。市場が機能しだしたのである。(4)

とはいえ、ショック療法がショックであることに変わりはない。批判と反対の声が短期間のうちに大きくなった。漸進的な改革の路線の方がいいと主張する声が多かった。この論争の背景には、考え方の基本的な対立がある。共産主義が倒れた後ですら国が調停者の役割を果たすべきだとする考え方と、市場の活力を信頼する考え方の対立である。新聞には、生活水準の低下とGDPの減少を伝える記事が満載された。しかし、こう主張する人たちは、公式のGDPにいまだに「非公式」な市場での動きが反映されていない点を見逃していた。製造業部門の巨大な国有企業を支援し、再建するよう求める主張が繰り返しだされた。バルツェロビッチ蔵相にとって、それは資金の無駄遣いでしかない。国有の大企業の多くは、目的も市場も将来もなく、きわめて非効率的で資源を浪費しているのだから。これらの企業がそこまでの規模になっているのは、スターリン主義の経済のドグマのもとで必要だとされていたためにすぎない場合が多すぎた。

「お上に頼るのはやめるべきだ」

バルツェロビッチ蔵相は、さまざまな勢力からの攻撃と戦わなければならなかった。グダニスクの連帯の会議では、怒りに燃える参加者にこうクギを刺した。「古い習慣や態度から抜け出さなければならない。とくに、お上に頼るのはやめるべきだ。お上頼みは古い考え方を引きずったものだからだ」。一九九〇年十二月に選出されたワレサ大統領には、経済改革に失敗すれば政治的な威信が失われると、繰り返し警告しなければならなかった。バチカンでヨハネ・パウロ二世に会見した際には、「ポーランドに公正な市場経済を」築くことができるのかという厳しい質問に答えなければならなかった。あらゆる種類の罵倒に耐え、大蔵省の庁舎内に入り込んで蔵相に会わせろと要求する怒った市民に、みずから対応しなければならないことすらあった。政府の警備担当者のなかにカウンセリングを専攻した人たちがいたので、おおいに助けられている。

大規模な国有企業の民営化は、徐々にしか進まなかった。蔵相は民営化を「制度面の再編でカギになる部分」だとみていたが、経済の安定化を達成し、「市場社会」とでも呼べるものを築き上げるまで、民営化を進める意味はないと考えてもいたからだ。それ以前に民営化しても「ハイパーインフレの混乱」のなかで意味がないものになる。後に、大規模な国有企業の民営化のために独自の方式が考案されたが、複雑で厄介なものになった。

改革計画のうち民営化の部分は失望を呼ぶ結果になったとしても、他の部分は予想をはるかに上回る成果をあげた。新しい経済の誕生をとりわけ劇的に示したのは、そして、新しい経済が機能する状況を作り出したのは、小企業の爆発的な増加である。一九八九年末から九二年半ばまでに、七十万以上の企業が設立された。九七年半ばには、二百万社を上回った。「不足経済」は姿を消し、消費者志向の経済が出現した。八九年末から九二年六月までの間に、実質賃金は七倍になった。九二年には、新たに出現した民間セクターがＧＤＰの半分を生みだすまでになっている。予想された大量失業の事態は起こらなかった。新規に設立された民間企業が、二年間に二百万人の雇用を生みだしたからである。輸入は増加したが、その代金を支払えるようになった。八九年から九三年の間に、輸入と交換可能な外貨による輸出が共に二倍に増えている。輸出品の多くは家電製品など、だれも予想していなかったものであった。ドイツをはじめとする西ヨーロッパに近いという地理的な条件と貿易の自由が、予想されたよりはるかに貴重な利点になった。経済改革の結果のなかで、なによりもめざましかった点は、経済全体の動向である。九四年以降、ポーランドの経済成長率は平均六パーセントになっているのだ。ポーランド経済が衰弱しきっているとは、だれもいわなくなった。ヨーロッパの「新しい虎」になったといわれるようになった。

そのころには、連帯は輝きをほぼ失っている。内部対立が激化し、ショック療法に対する社会の不満が高まったからである。それでも、一九九五年の大統領選挙で現職のワレサ候補を破って当選した旧統一労働者党系のアレクサンデル・クワシニエフスキ候補は、それまでの経済改革を逆転させる意思はないと表明した。ワレサ大統領は地位を明け渡すにあたって、自由選挙での敗北に落胆していた。しかし、それまでの実績に対する満足感も大きかったはずだ。ワレサ大統領の勇気と信念が決定的な力になってきたのだ。それに、きわめて短期間にきわめて大きな成果を達成できた。九七年の総選挙で、連帯選挙運動が勝利を収め、連立政権を組織した。蔵相に就任したのは、市場革命の脚本を書いたレシェク・バルツェロビッチであった。(5)

ふたりのバツラフ

チェコスロバキアは、第一次大戦終了後のパリ講和会議の結果成立した国家であり、ウィルソン大統領の民族自決の原則の最大の成果だとされた。オーストリア・ハンガリー帝国が崩壊したのを受けて、言葉は近いが文化の違うスラブ系のふたつの民族、チェコ人とスロバキア人をひとつの国家にまとめたものである。当初の希望は大きかったが、その歴史は大部分、不幸なものであった。一九三八年のミュンヘン会議で領土の割譲を強制され、第二次大戦の際にはナチに占領され、戦後に独立を回復したが、わずか三年間で共産党の支配下に入った。六八年、ドプチェク第一書記が「人間の顔をした社会主義」を目指したが、ソ連軍の軍事介入で圧殺された。共産党が権力を握ってから四十年たった八九年になって、反体制派が民主主義への比較的円滑な移行を成功させた。共産主義政権によって投獄されていた作家のバツラフ・ハベルが反体制運動を指導し、「ビロード革命」と呼ばれた政権交代に、精神的な権威とビジョンをもたらした。

しかし、チェコ人もスロバキア人も、ベルサイユ条約で成立した結婚を維持したいと強く希望しているわけではなかった。「別居生活」の実験が不人気だったため、一九九二年、ビロード革命に続くビロード離婚で、友好的に連邦を解体することに合意した。スロバキアは非効率な国有軍需産業の力が強く、改革のペースが遅くなった。しかしチェコ共和国は、地理的にも西側にあり、旧連邦のなかで経済が進んでいたことから、バツラフ・ハベル大統領とバツラフ・クラウス首相のふたりのバツラフのもとで、市場経済への移行を急速に達成した。ハベル大統領が原則と民主主義を体現しているとするなら、クラウス首相は経済改革の主役になったといえる。首相は経済改革を指導して、短期間にチェコを経済の成功物語に導いていった。そしてときとして、ショック療法が社会に及ぼす影響を十分に考慮していないと、ハベル大統領に批判されてもいる。

バツラフ・クラウス首相は、古い表現を使うなら、番人が密猟者になった人物である。共産主義の強硬派のなかでももっとも強硬だった旧体制のもとで、経済学者として上層部に信頼され、「敵を知る」任務を与えられた。ハイエク、フリードマンら、自由主義市場経済を主張する危険な敵の著作を読み、分析し、批判する任務である。この任務で唯一問題だったのは、これらの著作を研究するほど、説得され、心服させられるようになったことだった。思想の戦いのなかで、クラウスは敵側に寝返ることになった。「共産主義の暗い時期ですら、フリードマン派、シカゴ学派という非難の言葉を浴びて、誇らしく思っていた」と語ったことがある。「シカゴ大学とわたし」という題で随筆を書いたことすらある。一九九一年一月、ポーランドよりちょうど一年遅れてチェコ版のショック療法を実施したとき、自由主義の思想が政策の基盤になっていた。クラウス首相によれば、これ以外に道はなかった。ショック療法か漸進主義かという論争は、市場経済への移行という現実を考える際には、意味のない非現実的なものでしかないという。「そんな選択肢があるわけではない。政府にはこの過程のペースを管理する力が、考えているほどにはないからだ。移行の過程にブレーキをかけるほど、コストがかかり、苦痛が多くなるだけだ[6]」

チェコの計画は、ポーランドの例をほぼ踏襲している。ほとんどの価格をただちに自由化し、通貨を切り下げて交換性をもたせ(ただし、国内産業をある程度保護するために輸入に課徴金を課し)、金融政策を引き締めた。政策の効果も、ポーランドの場合とほぼ変わらない。まずはインフレ率が急騰し、つぎに急速に落ちつき、経済が力強く成長するようになった。しかし、チェコとポーランドでは大きな違いがひとつあった。チェコでは、大がかりな民営化をただちに実施したのだ。国有企業がリストラを進めるのを待ったり、法制の基盤が整うのを待つより、国有の資産を民間に引き渡す方がいいと判断したからである。一九四〇年代後半に共産政権が発足したときに接収された資産のうちいくつかが、九〇年にはすでに元の所有者に返還されている。政府は民営化でいくつもの方法を試している。もっとも有名なのは、バウチャー制度だ。十八歳以上の国民のうち希望者全員にバウチャーを販売した。これは、企業の株式を直接に購入するためにも、バウチャー基金を通じて間接的に購入するためにも使うことができる。

たしかに、チェコは「市場革命」を進める際に、いくつかはっきりとした強みをもっていた。共産主義の時代を経過してはいたが、商工業の伝統が強く、歴史的にも西ヨーロッパとのつながりが強かった。第二次大戦の前には、ドイツよりも技術が進んでいたとの見方すらある。チェコはそれほどの困難もなく、市場経済に戻ることができた。

ソ連の指令経済

ソ連の制度のもとでは、政府と市場の間の戦いが表面にあらわれることはなかったが、その理由はきわめて簡単である。少なくとも公式には、市場がなかったのだ。一九二〇年代には混合経済の実験が行なわれ、経済の管制高地を国が握ることを条件に、農業と小企業で個人の所有が認められた。ちなみに、「経済の管制高地」という言葉は、このときにレーニンが使ったものである。しかし、実験はうまくいかなかった。物不足が広がり、それとともに、トロツキー派とスターリン派・ブハーリン派が非難を応酬するようになった。スターリンは権力を握ると、経済面でも政治面でも、完全な独裁体制をしいた。生産を国有化し、二〇年代末に第一期の五か年計画がはじまり、「指令経済」が生まれた。

指令経済では、需要も供給も意味をもたない。どちらも放逐された。資源の配分はすべて官僚組織によって決定されるので、個々人の選択が積み重なった結果としての需要と供給は無意味になった。重要なのは政治指導者の好みと目標であり、これが中央計画の機構によって遂行されていった。中央には政府のさまざまな機関があり、経済全体を動かしていた。これらの機関の名前はいずれも、ロシア語で政府を意味する言葉を略した「ゴス」ではじまる。ゴスプランは経済計画を担当した。ゴステンは価格を設定し、ゴススナブは物資を配分した。ゴストルドは労働政策と賃金を決定した。共産党が全体を調整し、中央の省庁が重要な決定をすべて下した。各企業がなにを生産するか、資材がどこから供給されるか、資材の価格はいくらか、顧客はだれか、販売価格はいくらかなどの決定である。各企業の従業員数と賃金も中央が決定し、どのような投資を行なうかも中央が決定した。実際には計画の過程で、企業の経営者、地元の党委員会、政府の当局者がさまざまな点を交渉することになる。

収益性と効率性という基準は、ソ連の経済体制のもとでは使われていない。重要なのは「計画を達成すること」、少なくとも、計画を達成したと上層部に判断されることであった。石油探査部門の業績は、経済的に引き合うコストで石油を掘り当てたかどうかではなく、試掘した坑井の総メートル数によって判断された。一九三〇年代から七〇年代まで、この体制は世界中できわめて高い権威を誇っていた。急速な工業化と高度経済成長という点で成果をあげているように思えたからだ。資源を極端なまでに集中投入することで、ソ連が農業国から工業国に移行する段階には、たしかに高度成長を達成できた。とくにめざましかったのは軍産複合体であり、ケネディ大統領の世代にとっては、その拡大と技術力の高さが脅威になっている。しかし、軍事産業に資源を集中したことから、農業、サービス産業、消費財産業が軽視される結果になった。また、経済体制全体がきわめて硬直的になり、あらゆる種類の非効率がはびこることにもなった。経済体制は複雑さを増すとともに、非合理なものになっていった。五〇年代と六〇年代の成功をもたらすカギになった要因が、長期的にみるなら、没落をもたらす要因になったのだ。

ソ連の経済体制にも、ごく一部、陰に隠れた部分に、ある種の市場があり、これが体制全体を動かす潤滑油になり、全体が機能するためになくてはならないものになっていた。農地の大部分は集団化されていたが、ごく一部が個人用に使われていた。国はしぶしぶながらも、この農地での個人副業経営を認めており、これが大きな意味をもっていた。個人副業経営用の農地は、国営農場や集団農場に比較すれば切手ほどの大きさしかない。それでも、これが不可欠なものになり、食肉の二五パーセント、ジャガイモの五〇パーセントが生産されていたのだ。闇市場については、当局はこのような認可を与えていない。闇市場を動かしていた人たちは「社会の寄生虫」だと非難され、投獄されることもあった。しかし、都市の生活では闇市場が不可欠になっていた。鶏肉がほしくても、店では手に入らない。それでも夕食に鶏肉が必要なら、闇市場で買うことができる。それには闇屋を知っていなければならないが、かなりの人が知っていた。

スターリンのもとで発展し、後継者に引き継がれていった指令経済には、目的があった。しかし、公式見解で主張されている人民の福祉と生活水準の向上が目的であったわけではない。急速な工業化を達成し、軍産複合体に原材料を供給することが目的だったのだ。ソ連のGNPのうちかなりの部分が軍事産業に集中しており、経済全体で、軍産複合体の必要が最優先されていた。ソ連の人工衛星が地球をまわり、原子力潜水艦が世界の海を巡航していたが、国民の生活水準はほとんどの人が考えていたより低かった。一九八〇年代には、欧米の十分の一程度でしかなかった。

一九七〇年代初めにはすでに、体制の決定的な弱みがあきらかになってきていた。体制のほとんどの部分で、技術革新を進められなくなっていたのだ。新しい試みに対する報酬はないし、新しいことをする理由もない。逆に、変化を避けようとする強い傾向があった。変化はどのようなものでも、官僚機構にとって大きな頭痛の種になるからだ。前例を踏襲していくのが、最善の方法である。先進国では、技術革新は経済を成長させるうえで不可欠なものになっている。しかしソ連では、技術革新について最大の特徴といえる点は、それがほとんどないことであった。すべての点でそういえた。工程を改善する小さな革新も、新製品の導入もなかった。例外は軍事産業の一部だけである。体制の硬直性は、投資の配分にも及んでいた。毎年、灌漑事業に巨費が投じられていった。投資額は電気通信分野の二十倍に及んでいる。「これだけの巨費を灌漑事業に投資しても、収穫量には目に見える変化がなかった。しかし、たとえわずかでも投資額を減らすことは、まったく問題外だった。一年前にも、二年前にも、五年前にも、十年前にも行なわれてきたことだから、変えるわけにはいかなかった」と、ロシアのエコノミスト、エゴール・ガイダルは語る。

経済成長率は急速に低下した。ソ連の体制では当初、暴力的な手段で経済を成長させることができたが、その硬直性が成長を阻害するようになったのだ。欧米から最新鋭の機器を輸入したが、効率的に利用することができない。ポーランドでもそうなったが、最新鋭機器のかなりは、使われないまま錆びていくことになった。経済成長をもたらしてきた体制が、自壊していくようになった。そのとき、一時的ではあったが、時の氏神が登場した。一九六〇年代後半に発見され、開発された西シベリアの大量の石油資源がそれだ。七三年から七四年にかけて、第一次石油ショックで原油価格が四倍に上昇したため、石油資源の価値が大幅に高まったのだ。世界でも上位に入る石油輸出国のソ連にとって、これが強い追い風になった。まずは原油輸出で、つぎに天然ガスの輸出で、外貨収入が大幅に増加した。このため、経済改革を迫られることもなく、軍産複合体への資源の集中を減らす必要もなく、破綻しかけていた体制を維持できた。「これで十五年間、危機について考えなくてもよくなった」とガイダルは語る(7)。

針鼠と青蛇の結婚

一九八〇年代初めに、ブレジネフ、アンドロポフ、チェルネンコと老齢の指導者が相次いだのは、ソ連の経済体制が衰退を続けていたことを象徴しているともいえる。一九八五年、若く精力的なミハイル・ゴルバチョフ書記長が権力を握って、指導部はようやく危機について考えるようになった。書記長は就任当初から改革路線を進める意向であった。ゴルバチョフは、本人の言葉を借りれば、フルシチョフ書記長がソ連共産党第二十回大会で行なったスターリンとスターリン主義を批判する秘密演説の時代の申し子であり、二十年近く前にチェコスロバキアでドプチェク第一書記が目指した「人間の顔をした社会主義」を実行しようと望んでいた。そのためにはじめたのが、ペレストロイカ（改革）とグラスノスチ（公開性）だ。グラスノスチでは、スターリン時代についても情報公開の対象になり、つぎつぎに事実が暴露され、体制の正統性と信頼性が損なわれる一因になった。ゴルバチョフ書記長は社会主義を改革し、機能するようにすることを望んでいたが、書記長自身も側近も、中央計画経済と市場経済、共産党の支配と多党制の民主主義をどのように結合するのか、はっきりしたアイデアがなかった。仇敵になったボリス・エリツィンは後に、「結合できないものを結合しようとしたこと、針鼠と青蛇を結婚させようとしたこと」がゴルバチョフの間違いだったと語っている。

すでに厳しかった経済危機が、ゴルバチョフ書記長の就任後、はるかに深刻になった。一九八六年に原油価格が急落して貴重な外貨収入がかなりの部分失われ、その一方で、アメリカとの軍事技術競争が激しくなって、莫大なコストがかかるようになっていた。経済が危機に陥っていることを認識した書記長は、市場経済の基礎を築く重要な政策をいくつか実行している。それまで計画に完全に縛られていた製造業などの企業の経営者に、かなりの裁量権を認めた。民間企業の設立をある程度認める政策もとり、とくに一九八八年の法律によって、所有者が三人以上いる事業を「組合」として認めることになった。この方法は多数の人たちに利用され、この法律のもとで、重量挙げ用具のメーカーやレストランから銀行にいたるまで、さまざまな事業が設立された。「組合」という名称が、民間企業という実態を隠すイチジクの葉になったのだ。

しかし、全体としてみれば、古い経済体制を改革しようとしたゴルバチョフの努力は失敗に終わった。中央計画の機構を解体していき、複雑な制度の調整にあたっていた共産党の支配的な地位を放棄した。しかし、それに代わるものはつくっていない。経済の各部分がうまくかみあっていくようにする機構が、まったくなくなった。社会を麻痺させる原因になっていたアルコール中毒をなくすために、厳しい反アルコール闘争を開始した。しかし、アルコール飲料にかける税金はソ連政府にとって重要な税収源のひとつであり、この闘争は結局、アルコール中毒をそれほど減らせないまま、税収を大きく減らすだけになっている。消費財の輸入を減らしたため、勤労意欲が低下し、機器の輸入を増やしたものの、効率よくは使えなかったり、まったく使われないままに放置された。インフレと物不足がはるかに深刻になっている。洗剤やスプーンなどの単純なものすら、不足するようになった。店舗の棚からは品物が減っていき、店舗の外の行列が長くなっていく。夏の暑い日には、アイスクリームが売り切れた。

一方、製造業は極端なまでに非合理的で、非効率で、無駄が多く、公害をまき散らしていた。その程度は、ほとんど理解の範囲を超えるほどである。ソ連の製紙産業は一トンの紙を製造するのに、フィンランドの製紙産業の七倍の木材を使っている。価格体系は、正気とは思えないものになっていた。スウェーデンの経済学者、アンデシュ・オースルンドがいくつか、とくに驚くべき例をあげている。価格統制があるために、一トンの原油は国際市場で約百五十ドルだが、ソ連では自由市場でのマルボロ一箱の価格とおなじになっていた。ウラジオストックからモスクワまでは約六千五百キロあり、六つの時間帯を横切る旅になるが、公定の航空運賃は七ドルであった。ところが、モスクワの空港から赤の広場近くのホテルまで、タクシーに乗ると、十ドルの料金がかかった。[8]

市場の構築

当時、問題の中心になっていたのは、市場のない制度から市場制度に移行するにはどうすればいいのかであった。この移行には、処方箋もなければ、手軽なノウハウ本もない。あるのは、ポーランドやチェコなどの国で進められていた改革の例だけであり、そこから教訓や実例が急遽集められていた。しかし、大きな違いもあった。ポーランドは人口四千万人であり、チェコは一千万人にすぎない。ソ連は人口が三億人に近く、核武装した超大国なのだ。当時のソ連の状況ほどの規模と緊急性のある問題は、過去に例がなかった。

マルクス主義とスターリン主義の影響が強かったため、一九九〇年代初めまで、ソ連とその主要部分を引き継いだロシア連邦には、市場経済の基礎になる条件がまったく整っていなかった。需要と供給に関する情報を伝える価格制度はない。市場での行動の指針になる「ゲームのルール」は、法律の形でも規範の形でも、まったく存在しない。契約と私有財産権の制度も、もちろんない。これらすべてを、なにもない状態から作り出さなければならない。しかも、一夜にしてともいえるほど急速に作り出さなければならない。当時、これはほとんど不可能なことのように思えた。そして、研究室で実験してみることもできないのだ。

この任務をだれに任せればいいのか。ゴルバチョフ時代のエコノミストは、指令経済の陰鬱な遺産を一方の極に、ある種の市場経済を他方の極にして、その中間の不毛地帯をさまよっていた。しかし、若手のエコノミストはもっと急進的な改革を目指そうとしていた。とくに、モスクワのシステム分析研究所、中央数理経済学研究所や、レニングラード(現在のサンクトペテルブルグ)の小規模で非公式なグループに集まった人たちがそうだ。これらのエコノミストは西側に行った経験があり、特別の許可を得て、図書館の秘密文書部門にある西側の経済文献を読むことができた。外国語を学んでいて、西側の学者の文献を原文で読むことができる。それに、自国の体制にきわめて冷笑的になっていた。

そのひとり、アンドレイ・コノプリャンニクにとっては、博士論文が転換点になった。子供のころは、ピオネール(少年団)、コムソモール(共産主義青年同盟)で活躍し、模範的な子供であった。一九七〇年代後半、北海油田の経済をテーマに博士論文を書いていた。教官はこの論文の冒頭に、北海油田に関連するマルクスとエンゲルスの言葉を引用し、それについて論じるよう求めた。ところが、マルクスもエンゲルスも、北海油田の発見の何十年も前に死亡している。それでも、それが必要だというのであれば仕方ない。論文にふさわしい言葉をなんとか見つけだした。しかし、これでも不十分だった。博士論文の最終原稿を読んだ教官は、重大な間違い、受け入れがたい間違いがあると指摘した。当時、栄光に包まれていた指導者、ブレジネフ書記長の著作からの引用がないというのだ。しかし、書記長には北海油田に関連する重要な発言はまずなにもないと、コノプリャンニクは反論した。教官はだまってペンを取りだし、ブレジネフ書記長の卓越した理論的著作の一節を原稿に書き込んだ。この引用が、論文全体の理論的な基礎になるというのだ。それからというもの、コノプリャンニクはマルクス・レーニン主義を真剣には受け取らなくなった。支配層のなかの反体制派とでも呼べる人たちのひとりになった。

新世代のエコノミストのなかでとくに傑出していたひとりが、エゴール・ガイダルであり、ロシアを市場経済に導くにあたってとりわけ重要な役割を果たすことになった。しかし、ガイダルも旧体制の申し子であり、しかも有名な革命家の家系に生まれている。ある午後、モスクワの外れにあるアパートの板張りの細長い書斎で、ガイダルがこう語ってくれた。「わたしの家族は、二十世紀のロシアの悲劇に密接にからんできた」。ガイダルの祖父は十月革命にごく初期から参加しており、その活躍が語り継がれてきてもいる。したがって、祖父が作り上げてきた制度を解体する役割を担うようになったのは、皮肉なめぐり合わせである。「祖父のアルカジー・ガイダルは、社会主義時代の偉大な英雄のひとりだった。ロシアの歴史でも、とくに有名な人物のひとりだ」

祖父は十四歳で革命に加わった。十七歳のときには、赤軍の連隊長として内戦に参加した。模範的な戦士として有名になり、勇気があり勇敢な戦いぶりを称賛されるようになる。内戦が終了した後、児童書の人気作家になり、さらに有名になった。共産主義イデオロギーを体現する模範になったのだ。祖父は一九四一年に死亡しており、ガイダルが生まれたのはその十五年後だが、それでも祖父の影響を受けながら育っている。「学校では金メダルをとるためにがんばった。あのガイダルの孫とは思えないといわれたくなかったからだ」

このような家系に生まれて、エゴール・ガイダルは当初、やはり模範的な共産主義者であった。

父親はジャーナリストであり、革命直後のキューバで何年間かをすごしている。「当時はまだ、キューバ革命はきわめてうまくいっており、少年だったわたしにとって、素晴らしい体験だった。チェ・ゲバラがわたしの家を訪問してきたこともある。自分の国がアメリカ帝国主義に反対して、世界各国で正義のために戦う人たちを守っているのだとみていた」。体制に疑問をもつようになったのは、一九六八年のチェコスロバキアへの軍事介入のときからだ。「チェコ人の友人がたくさんいて、いろいろと話し合った。なにが起こったのかについての公式の説明は、信じがたいものだった」。父親は、少なくともソ連共産党の枠内ではある種の自由主義派であり、自宅の食卓を囲んで、父親とその友人がハンガリーの経済改革について、グラーシュ社会主義について、フルシチョフ書記長が一九五六年の秘密演説で語ったスターリンの犯罪について議論しているのを、ガイダル少年は聞いていた。

しかし、ガイダルにとってとくに大きな転換点になったのは、おそらく、分裂前のユーゴスラビア連邦の首都、ベオグラードに一家で移ったときである。当時のユーゴスラビアはチトー元帥の指導のもと、言論の面でも西側との交流の面でも、ソ連より少しは開放的であった。ガイダルはとくに、当時、ユーゴスラビアとハンガリーでさまざまな形で実施されていた市場社会主義に関する議論に興味をもった。モスクワに帰ったあと、学生と若手教官のグループに加わった。このグループでは、少なくとも一九七〇年代後半から八〇年代初めにかけてのこの時期、市場社会主義が解決策になると考えており、ソ連もハンガリーと同様に、もっと開放的な経済体制に移行し、国の管理・所有と、民間の決定やある程度までの私有制を組み合わせるべきだとみていた。しかし、これですら、きわめて急進的な見方だとされていた。こういうエピソードがある。八六年のことだ。古い世代の経済学者が西側からの訪問者に、研究室でではなく街頭を歩きながら話そうといった。街頭なら盗聴器を心配する必要がないので、秘密情報について話すことができるというのだ。街頭を歩きながら聞かされた秘密とは、こうだった。ソ連はハンガリーよりはるかに大きい。ハンガリーの経済モデルはソ連には適用できない。それに、ソ連とハンガリーを比較すること自体、受け入れがたい……。

しかしこのころには、若い世代の経済学者はさらに驚くべき結論に達していた。市場社会主義でも、解決にはならないという結論である。市場社会主義は賃金、失業、資本移動といった基本的な問題に対処できない。私有財産を形成していくこともできないのだ。

こうした問題について、ソ連の若手経済学者に強い影響を与えたのは、ハンガリーの経済学者で、ブダペストの大学とハーバード大学で教えていたコルナイ・ヤーノシュである。共産諸国のひとつの世代全体に影響を与えたといえる現存の経済学者がいるとすれば、それはコルナイだ。中央計画経済を詳細にわたって分析し、それが非合理的で自滅する性格をもっていることを示した。中央計画経済の改革の道とされていた市場社会主義が不適切であることも示した。ガイダルはこう語る。「一九八〇年代に、コルナイはわれわれ全員に最大の影響を与えた。社会主義経済の実務的な仕組みに焦点を合わせた。八〇年代初めの不足経済の分析には、われわれ全員がとくに大きな衝撃を受けた。コルナイはわれわれの問題に焦点を当てていたのだ。コルナイの著作は、すべて読んでいた」

西側の学者で影響力があったのはだれなのかという質問に、ガイダルはこう答えている。「もちろん、ハイエクだ。鮮明で印象的な世界の見方を示した。マルクスと変わらぬほど印象的だ(9)」

秩序立った移行は可能か

若手の経済学者は市場社会主義よりさらに大胆なことを考えるようになった。市場経済への秩序立った移行である。しかし、秩序立った移行は可能なのだろうか。この問いに対する答えがだされるとは思えない。一九八〇年代末近くには、経済の低迷が極端になり、市場経済への秩序立った移行を実行することはできなくなっていたからだ。経済は混乱とハイパーインフレに向かっていた。

一九八九年末から九一年夏にかけて、十五前後の大型の経済計画が発表され、そのほとんどが実行されたが、経済は好転しなかった。とくに有名で影響力が大きかったのは、グリゴリー・ヤブリンスキーらの経済学者が提案した急進的な改革計画である。この計画は当時、他の計画にはない特徴をもっていた。ソ連の経済制度の改革を目指すのではなく、市場経済に急速に移行するよう主張したのだ。この計画が、ソ連で共産主義から資本主義への移行を促す理論的な架け橋になった。そしてこの計画は、当時のポーランドの動きから大きな影響を受けていた。

東欧諸国のなかで、ポーランドは、そしてポーランドの変化は、ソ連の動きにもっとも大きな影響を与えた。ポーランドは旧ソ連圏で、とくに重要な位置を占めていた。東欧諸国のなかで最大であり、戦略的にももっとも重要であった。スターリン首相は第二次大戦の直後、ポーランドを支配してソ連圏に組み入れるために努力し、この問題で同盟国と決裂している。その後、ポーランドはソ連の軍事戦略家にとって、とりわけ関心の高い国になっている。西側からソ連を攻撃する際の進路になりうる国なのだ。一九九〇年八月にゴルバチョフ書記長が電話会議で非共産勢力の政府を受け入れたことが重要な意味をもっているのは、このためである。ポーランドの経済改革がその後のソ連の動きに大きな影響を与えたのも、このためだ。グリゴリー・ヤブリンスキーは、ポーランドの経済改革をソ連に伝えた人物であり、いってみれば、それをロシア語に翻訳した人物である。

ヤブリンスキーは何年も前に中央計画経済に見切りをつけていた。合理性がなく、修復は不可能だとみていたのだ。マルクスとレーニンの著作を読むのに膨大な時間を費やす無駄を省こうと、労働経済学を専攻した。しかし、炭鉱労働者の現状について批判的な報告書を書いた後、KGBの尋問と圧力を受けるようになった。共産党を除名すると脅されたが、党員ではなかったのだから、なんとも奇妙な脅しだ。その後、強制入院させられ、さまざまな病名をつけられて治療された。強制入院と迫害から解放されたのは、ゴルバチョフが権力を握ってからである。ヤブリンスキーはエコノミストとしての仕事に復帰し、閣僚会議のために経済調査を担当するようになって、一九九〇年にポーランドに派遣された。ちょうど、バルツェロビッチ蔵相の経済改革の実行を体験することができた。「ほんとうに驚くばかりだった。物価が下がりはじめたのを忘れることはないだろう。価格の機能が復活するのをエコノミストが体験できる機会は、めったにない」。ヤブリンスキーはこの改革を高く評価する報告書を書いた。高く評価しすぎて、ソ連大使は仰天し、本国に送るのを拒否したほどである。ゴルバチョフ書記長の上級顧問のひとりに報告書を手渡すことができ、それを受け取った書記長が中央委員会に配付している。

モスクワに戻ったヤブリンスキーは、経済の手直しをはかるのは時間の無駄だと政府高官に語った。「嘘をつくのを止めるべき」時期がきているのだ。そして、経済を市場制度に移行させる急進的な改革の計画をつくりはじめた。一九四五年から五一年までの間の日本の動きを一か月ごとに分析していったことも、この計画に大きな影響を与えた。日本経済の復興はおおいに参考になると、ヤブリンスキーは結論づけた。「当時の日本も、経済が破局を迎えていた。日本が破局から脱出できたのであれば、われわれにできない理由があるだろうか。もちろん、日本の経済復興では、朝鮮戦争が大きな好材料になった。この点を考えると、ほんとうに苦しかった。朝鮮戦争という追い風がないとすれば、どうすればいいのかを考えつづけた。結局、資源部門の回復が朝鮮戦争の代わりになるとの結論に達した」

ヤブリンスキーらのグループは、ソ連の市場経済への移行を四百日で達成する計画を立て、後に五百日の計画に改定した。この計画の作成は、ソ連のゴルバチョフ大統領とロシア連邦のエリツィン大統領が共同で依頼したものだが、当時、エリツィン大統領はほとんどなんの権限ももっていなかった(このころ、ヤブリンスキーはエリツィン大統領にこう語っている。「大統領はまだ存在していない国を指導している。銀行はなく、通貨もなく、政策を遂行する手段はなにもない。あるのは個人経営のクリーニング屋ぐらいのものだ」。率直すぎるともいえるこの発言によって、気まずい関係が続いているともいえる)。ヤブリンスキーらの計画は最終的に、「市場への移行」というぴったりの題をつけた報告書の形で発表された。スピードを重視して、経済のあらゆる部門を短期間に改革するよう主張した。この報告書は画期的であった。マルクス主義にひれ伏していない。社会主義を拒否し、市場原理を信奉して、価格の自由化と民営化を急速に進めるよう求めている。しかし、このような考え方には、反対もきわめて強かった。計画は実行されないままに終わったが、これは力のある政治家がだれも実行を望まなかったからである。ゴルバチョフ大統領はしばらくこの計画をもてあそんでいたが、結局、改革路線から方向を転換し、右派の共産主義路線に戻って権力を維持しようとした。改革計画を実行すれば、自分の立場が危うくなるとみたのだ。

危機は深刻さを増していった。ゴルバチョフ大統領は民営化を検討した。当時、ソ連内で民族主義の運動が復活しており、大統領は共産党の序列の世界では忌み嫌われる動きを起こした。独立色を強めていた十五の共和国で改めて連邦を結成する条約を結び、みずからが大統領の座を維持する交渉をはじめたのである。一九九一年八月、共産党の強硬派がクーデターを起こして、危機は頂点に達した。ゴルバチョフ大統領はクリミアで軟禁された。クーデターは当初、成功を収めたかにみえたが、断固とした抵抗にぶつかった。戦車の上から演説するエリツィン大統領の写真がこれを象徴している。クーデターの首謀者のなかには、アルコールにおぼれるものもでてきた。数日たってクーデターは先細りになった。ゴルバチョフ大統領が復帰したが、その後の四か月、屈辱的な役割を果たす結果になる。権力を奪われていき、結局、ソビエト連邦を解体せざるをえなくなったのだ。この期間に、ポーランドの経済改革を指揮したレシェク・バルツェロビッチ蔵相がモスクワでゴルバチョフ大統領と会見している。「ソ連はポーランドの経済改革への道を研究したいと考えている」と大統領は語った。しかし、ソ連にとっても、ゴルバチョフ大統領にとっても、なにを研究しても手遅れになっていた。九一年末、ソ連は解体された。ソビエト連邦を構成していた十五の共和国が独立国家になった。そのなかで、ロシア連邦は規模の点でも重要性の点でも、圧倒的なものになっている。ゴルバチョフ大統領はロシア連邦のエリツィン大統領に権力を引き継ぎ、核兵器のコードも引き渡して、過去の人物になった。

それまでの数か月に、エリツィン大統領はロシアの主権を確立し、政権を担う準備を進めている。八月のクーデターの直後、エコノミストの五つのグループにそれぞれ経済戦略を策定するよう依頼した。各グループはモスクワ周辺の政府の別荘にこもって、経済政策立案の競争をはじめた。軍産複合体を支援すべきとするものから、中央計画経済を改革すべきとするものまで、さまざまな案が提出された。エゴール・ガイダルは、急進改革政策を主張するグループの指導者であった。このグループは、ショック療法しか道はないと確信していた。

ガイダルの理論が、エリツィン大統領の直観に一致していた。改革の方向に進む以上、その過程を長引かせたくない。できるだけ早く前進することを大統領は望んでいたのだ。「方針が固まれば、前進しなければならない」と後に語っている。それでも、若いガイダルに国の命運をかけるべきかどうか、そして、みずからの将来を託すべきかどうか、迷っていた。そのとき、大統領はガイダルが特別の家系に生まれていることを教えられた。祖父は有名な革命家のアルカジー・ガイダルであり、エリツィンが尊敬している人物のひとりだった。これが決め手になった。エリツィン大統領はガイダルらのグループを選んだ。(10)

革命——急進改革路線

ガイダルは語る。「一九九〇年夏になっても、秩序だった移行を国が管理していけるとわたしは信じていた。しかし、九〇年の秋になると、崩壊が迫っていることがあきらかになっていた。体制はばらばらになり、インフレは抑制がきかなくなっていた。革命が迫っていた。ボルシェビキ革命やフランス革命のような革命の時代に突入しようとしていた。そういう状況になれば、秩序ある改革は不可能だ。考えるべきは危機管理だけになる。革命について学んできたわれわれには、これは自明のことだった」。ガイダルはしばし沈黙した後、こう語った。「当時、わたしが予想できなかった点がひとつだけあった。自分が危機を管理する立場にたつとは、思ってもいなかった」

一九九一年十一月、ガイダルは副首相兼経済財政相に就任した。就任の以前にも、きわめて重要な任務を果たしている。九一年十月、エリツィン大統領が大規模で急速な経済改革を進める基本的な意思を表明した演説を起草したのだ。「小さな段階を踏んでいく時期は終わった。改革を一気に進める突破口が必要になっている」。そして、八月のクーデター未遂事件をこう総括した。「われわれは政治の自由を守った。つぎは経済に自由を与えなければならない。官僚制度の圧力を取り払い、事業活動と起業活動の自由に対するすべての障壁を取り除き、国民が労働の成果を受け取れるようにしなければならない」

言葉は力強かったが、現実は厳しかった。ガイダルはこう語る。「世界の大部分の人たちは、一九九一年十一月がどれほど危険な状態だったかを理解していない。核武装した超大国が混乱状態に陥っていた。軍部はだれの統制も受けていない。なにがどうなっているのか、だれにもわかっていない。それがどれほど危険な状態だったか、言葉では言いつくせない」。経済も混乱状態にあった。十五の共和国に十五の中央銀行ができた。「すべてが信じがたいほど恐ろしい混乱状態になっていた。ロシア政府には資金はなく、金準備もなく、つぎの収穫までもたせる穀物もない。解決策を実行する手段すらない。ジェット機に乗っていて、コックピットに行ってみたら、だれも操縦していなかったようなものだ」。財政も破綻していた。財政赤字はGDPの二〇パーセントを超えていた。旧体制を支えていた経済は深刻な不況に陥り、戦車などの軍事機器の受注がなくなったため、生産が急減していた。インフレ率は急騰し、年金が日に日に目減りしていく。石炭の供給が止まり、その冬、モスクワとサンクトペテルブルグで暖房が使えなくなりかねない状況になった。(11)

あらゆるものをできるかぎり速く

「改革の正しい順序についてわれわれが考えてきた理論は、あきらかに、すべて無意味になった。できることはすべて、できるかぎり速く実行しなければならない。そういう時期になっていたのだ。じっくり考えている余裕はなかった」とガイダルは語る。なにをすべきかはわかっていた。価格の自由化（価格統制の撤廃）の準備をし、経済の開放を開始し、ルーブルの交換性と国有企業の民営化に備えるのだ。エリツィン政権は急速な動きをみせ、ある意味では望んでいた以上に急速に動いて、価格を自由化し、経済危機をもたらす大きな要因になった価格のとてつもない歪みを軽減していった。

とくに緊急の問題は穀物だった。都市部ではパンが尽きかけていた。ガイダルらのエコノミストは、穀物の不足がロシアの歴史でいかに重要な意味をもっていたかを知っている。一九一七年のロシア革命のきっかけになり、二〇年代後半にはスターリン主義経済の確立をもたらした。「九二年の春を乗り切れるかどうか、自信がなかった」とガイダルは言う。食料不足、暴動、ハイパーインフレという最悪の事態を恐れていた。三〇年代初めには、スターリン主義体制の調達機関が農民から食糧を強制的に徴発したが、これらの機関ももはやない。ポーランドと同様に、政府にできることはなにもなかった。自由化された価格がインセンティブになって問題が解決していくと信じて、じっと待つしかない。九二年六月、収穫された穀物が都市に運ばれてくるようになった。

その他の改革も反対を受けながら導入され、部分的に実施されていった。価格がかなりの部分自由化された。財政を再建し、インフレを抑制するための苦しい道への歩みもはじまった。貿易は自由化され、経済活動の自由が保障された。軍の調達は七〇パーセント削減された。国有企業への補助金が削減された。国有企業の操業を支えてきた低利融資を削減する試みもなされた。

しかし、改革に反対する声が高まり、実行が遅れるとともに、ときには改革の過程がすべて止まりかねない状況にもなった。国有企業の経営者、産業組織を支えてきた官僚には、市場の試練を恐れる理由が十分にあった。軍部は自分たちの資源が消えていくと懸念していた。高齢者は、インフレによって年金が目減りしていくのは改革派の政策のためだと考え、インフレの火に油を注いでいるのが中央銀行の金融緩和政策であることは理解できなかった（中央銀行の総裁は改革に反対していた）。地方の政治家は、地元の都市を支えている大企業が破綻していくと懸念した。社会保障の安全網は、あちこちにほころびが目立つようになった。以前は企業が従業員に、住宅、保育、医療、娯楽などの社会的なサービスをかなりの部分提供していた。軍産複合体のなかでの安定した地位を失った企業も少なくない。こうした企業が規模を縮小するか破綻したとき、これらのサービスをだれが提供するのか。教師、医師、研究所の研究員など、政府から支給される給与で暮らしている人たちは、給与が月に五十ドルの水準まで下がってきていた。

それに、基本的な考え方の違いがあった。古い世代の経営管理者、労働者、年金生活者にとって、「市場」は耐えがたいストレスの原因でしかない。自分たちの生活に侵入してきた異物、社会の根幹を揺さぶるもの、自分たちの知識を混乱させるもの、これまで蓄積してきた経験を無価値にしてしまうもの、自分たちの生き方を支えてきた考え方、苦労や苦痛に耐える根拠を与えてきた考え方に疑問を投げかけるものなのだ。年長の経済学者も、これらの点で立場は変わらず、ブレジネフ政権やゴルバチョフ政権の時代に自由主義派とされていた経済学者にとってすら、おなじことがいえた。要するに、これらの人たちにとって、市場とは無政府状態を意味したのだ。中央計画経済に戻るか、少なくとも、政府が経済で主要な役割を果たし、物価や賃金を統制すべきだと考えていた。市場は信頼できない。ロシアに独特の状況に合わない。基本的な考え方として、経済改革によって生まれてきた状況は堕落であり、心の奥底にある本能とでも呼べる部分で受け入れがたいものだったのだ。市場で儲けたカネは、どれも見境なく疑わしいものとされた。「投機」が、非難と侮蔑をあらわす万能の言葉になった。売買の匂いが少しでもするものはすべて、「マフィア」とされた。旧体制のリムジンとして使われていた黒いジルやチャイカがカーテンをひいたまま、モスクワの大通りの内側の専用車線を猛スピードで走っていくのであれば、自然な秩序の一部として見慣れていた。これなら受け入れることができる。しかし、いかにも傲慢でいかにもしたたかな若者が、携帯電話を持ち、厚化粧の女性をしたがえてベンツに乗っているのが目につくようになると、我慢がならないと感じた。

旧体制に敬意をはらわない急進改革派、ヒトラーに抵抗しスプートニクを打ち上げた偉業を軽視する急進改革派に反対して、「徹底したポピュリズム」と呼ばれる勢力が力をつけていった。エリツィン政権の副大統領で、のちに反対派になったアレクサンドル・ルツコイは、ガイダルらの改革派を、「ピンクのショートパンツと黄色の靴をはいた子供たち」だと攻撃している。一九九二年十二月、エリツィン大統領は政治状況を安定させようと、ビクトル・チェルノムイルジンを首相に選任した。チェルノムイルジンは国有の天然ガス独占企業、ガスプロムの社長として同社を世界最大のエネルギー会社にした功績があり、ロシアでもとくに成功を収めた経営者である。尊敬を集めており、とくに企業経営者の間で高く評価されている。ショートパンツの若者だと非難する者はいない。軍産複合体の出身ではない点も、大きな強みであった。[12]

改革の動きは継続したが、足取りは不確かになった。ときには歩みが遅くなり、ときには逆戻りした。それでも、動きは続いた。エリツィン大統領自身は経済についてしっかりした考え方をもっているわけではなく、改革路線を後退させるよう求める圧力をつねに受けている。しかし、改革と経済の現実には、無視できない論理があった。改革のペースを緩めるか逆戻りするよう主張する人たちの助言を大統領が受け入れると、そのたびに、悲惨な結果になった。インフレ率が急上昇するか、ルーブル相場が急落して、大統領は改革路線に戻ることになった。

一九九三年九月には、改革をめぐるエリツィン大統領と議会の対立で、政府は身動きがとれなくなった。社会の不満が高まっていた。大統領は議会を解散したが、議会側はこれに応じず、議会のある「ホワイトハウス」を占拠した。エリツィン大統領は軍隊を送って、包囲体制をしいた。議会を支持する武装勢力が市庁舎とテレビ局を占拠しようとしたとき、戦車がモスクワ市内に入り、砲撃をはじめた。ホワイトハウスは火につつまれ、議会側は降伏するしかなかった。これを命じたのは、二十六か月前に戦車にのぼって反抗の意思を示したあのエリツィンである。

十二月に実施された選挙で、社会の不満をうまく利用した反大統領派が大勝利を収めている。一か月後の九四年一月、動揺したエリツィン大統領はガイダル副首相の辞任を受け入れた。チェルノムイルジン首相が経済政策を直接に担当することになった。反対派を懐柔するために、政府は財政緊縮政策から後退し、信用の水門をふたたび開け放った。この結果、ルーブル相場が驚くほど下落した。首相は改革路線に戻るしかなかった。金融政策の健全性を維持し、インフレを抑える姿勢に転換することになった。

このころには、ロシアに新旧ふたつの経済が並立していた。旧経済は国が管理する軍産複合体であり、黙々と生産を続けてはいたが、活気を失い、士気は落ち、下り坂を転落していた。新経済は粗野で野心的な市場経済であり、消費者のニーズと欲求にすばやく対応している。新経済を主導しているのは、かなりの部分、共産主義後の若い世代である。

不可欠の要素——私有財産の形成

しかし、私有財産制度がなければ、市場制度は成り立ちえない。エリツィン大統領は改革路線を示した一九九一年十月の演説で、私有財産に関する原則的な立場をこう述べている。「われわれは私有財産が必要かどうかを議論するのに、時間を費やしすぎてきた。その間に、政府と党のエリートは、私的な民営化を推し進めてきている。その規模、たくらみ、偽善は、驚くべきものだ。ロシアでは民営化が進んできているが、勝手気ままに、自然発生的に行なわれてきており、犯罪行為である場合も少なくない。われわれはいま、民営化の主導権を握らなければならず、われわれはそうする決意である」

エリツィン大統領は民営化の実施を若手エコノミストのグループにゆだねた。このグループが中心になって国有財産管理国家委員会（ロシア語の略語でＧＫＩと呼ばれている）が組織された。委員会の議長になったアナトリー・チュバイスは、一九七七年にレニングラード技術経済大学を卒業し、同大学で教鞭をとってきた経済学者である。大学の共産党委員会の委員であったが、同時に、改革について研究し議論する地元の若手経済学者の半ば非公然のグループの指導者にもなっていた。その後、レニングラード市の首席経済顧問になった。当時、改革派の市長が、市の名称を革命前のサンクトペテルブルグ市に戻し、欧米の資本を引きつけて、同市を市場経済のモデルにしようとしていた。チュバイスは首席経済顧問として、商店や小企業の民営化を担当した。その後、モスクワに呼ばれてガイダルの経済改革を担当する主要メンバーのひとりになっている。ここで、経済分析と政策立案はもちろん、官僚組織内の戦いや純粋に政治的な戦いでも才能を発揮し、九六年にはエリツィン大統領の選挙責任者として活躍し、大統領首席補佐官に任命された。チュバイスが政治的能力を磨いたのは、克服不可能といえるほどの障害を乗り越えて民営化を実行していったときであった。

ガイダル、チュバイスらにとって、民営化には中心的な目標がひとつあった。チュバイスはこれを「幅広い民間所有者層」を作り出すことだと表現している。言い換えれば、改革路線と共産主義体制の終焉を「逆戻りできないものにする」ことである。要するに、資産を所有する人たちを大量に作り出し、これらの人たちが市場経済に利害関係をもつようにして、経営管理者、官僚、旧共産党幹部、怒れる民族主義者、将兵、懐古派らの対抗勢力になるようにすることが目標であった。この目標が民営化の過程全体の原動力になり、反対や障害を乗り越える粘り強さを改革派に与える力になった[13]。

これが目標であった。しかし、どのようにしてこの目標を達成すればいいのか。チュバイスの側近の何人かによれば、民営化の過程が進んだのは、「経済に関するいくつかの主要な考え方の力」が基礎になったからだという。第一は、ロシア人も世界各国の人たちと同様に「経済人」であり、経済のインセンティブに反応するという確信である。一九九〇年代初めの常識は、これとはまったく違っていた。ロシアの政治家にしろ、旧世代のロシア人経済学者にしろ、欧米の正統派ソ連学者にしろ、正反対の見方を主張していた。ロシアは七十年以上にわたってボリシェビキに支配されてきたため、市場経済に適合した人たちは悲惨な運命をたどってきている。この結果、ロシアという土壌は、起業家が簡単に飛び出してくるようなものではなくなったみられていた（疑いもなく、正しい見方である）。民族主義の立場から民営化に反対する人たちは、ロシアは他国とは違う特殊な国であり、ロシア人は他の国の人たちとは違うと主張した。ロシア人は怠惰であり、アル中になりやすく、勤労に対する態度は共産主義時代の警句、「連中は給料を支払うふりをし、われわれははたらくふりをする」によく示されているとの批判もあった。しかしチュバイスは、これらがすべてロシア人の遺伝子のためではなく、経済体制のためだとみていた。インセンティブがあり、経済体制が確立されれば、人びとはそれに反応するはずだと確信していた。「ロシア人は違う」という見方には賛成しなかったのだ。

第二の考え方は、ロシア経済の病をもたらしている主因が政治的な支配と管理にあり、官僚と中央省庁の支配から経済を最大限に解き放つことが治療法になるというものであった。このように治療すれば、官僚に許認可を求める必要が減るので、腐敗を減らすこともできる。この考え方から、民営化を大がかりに進める政策がとられた。ロシアは民営化にあたって、欧米型の慎重な方法をとることはできない。一件ずつ慎重に評価し、事業再編を進めた後に民営化するような時間はない。慎重に進めていけば、二十二世紀になってもまだ民営化が終わっておらず、官僚の支配が続き、経済は停滞から抜け出せていないだろう。それまでの間、共産主義への逆戻りをこころみる余地がいくらでもあることになろう。

第三の考え方は、資産についての見方から生まれたものである。法的に認められた資産は不可侵のものではない。資産は実際には、さまざまな権利の集合である。民営化の対象になる事業は、政府だけが所有しているものではない。国以外に、経営管理者、従業員、地方当局なども、程度に違いはあっても、権利をもっている。それぞれがなんらかの権利をもっており、経営管理者、従業員、地方当局などが「利害関係者」になっている。したがって、民営化を成功させるには、すべての利害関係者がその過程に参加し、利益を得られるようにしなければならないとチュバイスらは考えた。利害関係者の連合が強力になれば、根強い力をもつ官僚機構の反対を押し切って民営化を成功に導く可能性が高まる。この点から、利害関係者の層をもうひとつ、民営化の過程に加えることが不可欠になる。もうひとつの層とは、それまでは利害関係者ではなかった層、つまり一般大衆である。

しかし、当時の状況では、成功の可能性はきわめて低いと思えた。議会は民営化を阻止しようとしていた。中央の省庁は産業への支配をふたたび強めようとしていた。国有企業の経営管理者は、盗めるものをすべて盗もうとしていた。こうしたなかで、GKIはチュバイス議長のもと、民営化計画を立てていった。第一段階として、国有企業を「会社化」し、株式会社に改組して、当初は国が全株式を保有する方針をとった。取締役は政府が指名するが、それまでとは違って各省庁ではなく、GKIが指名にあたった。ここから、別の問題が生まれた。私有財産は契約と法律の枠内でしか成立しえない。このためGKIは、アメリカなどの国の人たちにはおそらく想像もつかない問題にぶつかった。法律家の極端な不足という問題である。(14)

自由経済への切符

改革派はポーランドの方式を研究し、国有企業の個別売却と投資信託の利用の方法はうまくいっていないという結論に達した。しかし、バウチャーを一般国民に販売するチェコの方式はもっと有望だった。それに、密室での交渉をなくして民営化を最大限透明にする点で、腐敗を減らせる可能性もあった。

ロシア政府は、子供も含めたすべてのロシア国民に、一人当たり一万ルーブルのバウチャーを発行した。国営銀行の支店に行けば、ごく少額の手数料でバウチャーを入手できるようにした。最終的に一億四千七百万人の国民のうち一億四千四百万人がバウチャーを受け取っている。これは紙幣のような形をしており、ある程度まで紙幣に似た機能をもっている。入札の過程を通じて、企業の株式と交換できる。エリツィン大統領にとって、バウチャーは民営化の象徴になった。「ごく少数の百万長者ではなく、数百万人、数千万人の所有者を生み出す必要がある。民営化のバウチャーはわれわれひとりひとりにとって、自由経済への切符なのだ」と大統領は述べている。

バウチャーは、現代ロシアにとってはじめての流動的な証券になった。保有しつづけて個々の企業の株式（たとえば、自分がはたらいている企業の株式）と交換することもできるし、投資信託の受益権と交換することもできるし、売却することもできる。バウチャーを売買する市場ができ、地方の市場《いちば》ですらも買えるようになった。西シベリアでは、「ニンジンやキャベツとおなじように」露店でバウチャーが売られていたほどだ。価格は四ドルから二十ドルの間を上下した。民営化計画の立案者は、決定的な問いをめぐって苦闘していた。国有企業の株式のうち、どれだけを現在の経営陣や従業員に割り当て、どれだけを一般国民や外部の投資家が買えるようにするのかである。

はじめての大型民営化案件は、一九九二年のボリシェビキ・ビスケット工場の売却であった（従業員が工場を買収し、やがて、アメリカン・ダノン・ヨーグルトの親会社でフランスの総合食品メーカー、ダノンに株式の過半数を売却した）。その後、民営化を中止させるか、その過程を支配しようとする議会、官僚、政治家からつねに攻撃を受けながらも、民営化計画は前進していった。反対派はナショナリズム、安全保障、ロシア人特有の国民性などを理由としてあげた。新聞情報相は、「新聞と出版はわれわれのイデオロギー」なので、新聞社と出版社の政府所有を維持すべきだと主張した。運輸相は陸運事業の民営化に反対する理由として、戦争になればトラックを動員する必要があると主張した。しかし、利害関係者の連合を形成する戦略が奏功し、民営化の勢いは保たれた。バウチャー方式の民営化で、一か月に平均九十万人が公共セクターから民間セクターに移っていった。バウチャーの人気は高く、「ワァー、ワァー、バウチャー」という歌がモスクワのヒット・チャートで五位になったほどである。

バウチャー方式の民営化は二年弱続いた。一九九二年十月にはじまって、九四年七月に終わっている。この期間に、ロシアの産業のかなりの部分が民営化されている。これによって、資産を所有する階層が形成された。従業員がバウチャーをだまし取られた例、経営者が株価を操縦した例にはことかかない。しかし、この民営化によって、四千万人が直接に、あるいは投資信託を通じて、株式を保有するようになった。部内者である経営管理者や従業員も、部外者である一般大衆も、民営化された企業に利害関係をもつようになった。もっとも民営化自体は、事業再編の必要という問題を解決するものではない。民営化は事業再編の前提条件なのである。民営化によって、企業は業績を向上させ、製品を改善し、市場を見つけだし、市場の要求にこたえ、コストを管理するインセンティブをもつようになる。[15]

民営化の対象は大企業と中堅企業だけではなかった。国は住宅も保有していた。ほとんどの国民にとって、住宅とはアパートを意味していた。しかし、アパートに住む人たちが所有権に近い権利をもっている場合が多かった。遺産として親から子に受け継がれてきているのだ。居住者がアパートを安価で購入できる制度がつくられ、一九九四年十月には一千五十万戸が個人所有になっていた。

商店と小企業は、それぞれの地方政府にまかされた。地方政府による民営化は、ニジニー・ノブゴロド市でのいくつかの商店の入札ではじまった。たくましい女性のグループが、はじめは意気消沈していたが、一転して狂喜するさまがテレビの画面を通じてロシア全土の人たちに伝えられた。長年にわたってはたらいてきたパン屋を奪われると悲観していたが、入札の結果、自分たちが落札したことがわかったからだ。従業員の「協同組合」に無料で支給された店舗より、入札によって売却された店舗の方が、サービスの質が高くなることが、すぐに明確になった。

民営化の動きには、対象外になった部分がいくつかあった。「戦略的」な企業や、軍産複合体のある種の軍需企業は、国の重要な使命を担っている企業を危険にさらすわけにはいかないとの理由で、民営化の対象から除外された。政治力があるし、政治的な問題になりやすいこれらの企業に手をつければ、反対がきわめて強くなり、民営化の計画全体がつぶされかねない。それよりも、できる範囲で民営化を進めるべきだと改革派は考えた。民営化の後半の段階には、歳入不足に苦しむ政府に融資した銀行が、未放出の政府持ち株のかなりの部分を取得できた。これについては、銀行と密接な関係にある内部者が立場を強めるためか、銀行が割安な価格で株式を取得するための見え見えの方法ではないかという批判もでている。この批判に対する反論としては、銀行が強力な外部株主になれば、事業再編が進むと主張されている。

チュバイスが進めたバウチャー方式の民営化には、きわめて大きな例外があった。モスクワ市長として人気が高く、エリツィン大統領の盟友でもあるユーリー・ルシコフが、モスクワにある国有資産のかなりの部分を、国の計画の対象外にすることに成功したからだ。市当局が独自の判断で売却するか賃貸することになり、市の財政がうるおう結果になった。同市長は一九九六年の市長選挙で、九〇パーセント以上の得票率で再選されており、その指導のもと、モスクワ市は共産主義の時代のくすんだ都市から、色彩があふれ、猛烈な勢いで建設が進む都市に変身している。モスクワ市が他の地方をしのぐペースで移行を進めていることから、一九三〇年代にスターリンがとなえた「一国社会主義」をもじって、モスクワが「一都市資本主義」になったといわれている。ある政治家は、共産党の理論家への皮肉をこめて、「モスクワと他の地域は、鄧小平のいう一国二制度になっている」と語る。

ルシコフは一九九二年に市長に就任して以来、市の代表としてはもちろん、ロシアでもとくに重要な政治家のひとりとして注目されるようになった。エリツィン大統領との密接な関係を保つ一方で、エリツィン政権の改革派をずけずけと批判するようになり（「青年団」にすぎないと切り捨てている）、その改革と民営化の政策を「現実から遠く離れた理論家しか考えつかないもの」だと酷評している。自分の言動が改革派にとって「胸焼け」の原因になっていると自慢する。ルシコフ市長は、介入、国有、強力な指導が必要だとみている。「ロシア人はつねに政府に頼ってきた。この伝統から離れれば、改革ではなく裏切りを国民に押しつけることになる」。クレムリン近くに地下街を建設する決定から、マクドナルドに対抗するために設立したファースト・フード・チェーンのルスコイ・ビストロの販売促進にいたるまで、すべての点で、市長は自分の存在を印象づけようとしている。エリツィン大統領の次の大統領の座を狙っているとも思える。外交問題では、ナショナリズムの立場からエリツィン大統領より強い姿勢をとっている。マスコミの重要性を認識しており、モスクワ市で独自の全国ネットを作り上げた。全国紙のオフィスとサービスも市が管理しており、これらの新聞では、他の政治家にくらべて市長の動向を詳しく伝えている。そして市の財源が豊富な点を生かして、他の地域の市とも提携関係を結んでいる。モスクワでだれが指導権を握っているのかを、つねに鮮明に打ち出している。モスクワ市の改革が成果をあげているのはあきらかなので、市場革命の混乱と無秩序で打撃を受けてきた人たちの間で、ルシコフ流の改革はきわめて高い支持を集めている。

これらの点を総合したとき、ロシアのこれまでの民営化について、全体的にどのような評価がくだせるだろうか。この答えは当然ながら単純ではない。民営化計画の進展ぶりは素晴らしく、克服不可能と思えるほどの困難にぶつかってきたことを考えれば、なおさらそういえる。同時に、残されている課題もまだ多い。これまでに進められた民営化は、驚くほどの規模に達している。一九九六年までに、一万八千社が民営化された。鉱工業の大企業と中堅企業のうち四分の三以上、鉱工業生産高にして九〇パーセント近くが民営化されている。鉱工業部門の雇用者のうち民間セクターの雇用者の比率が八〇パーセントに達した。小規模な商店も五分の四以上が民営化され、ロシア人の起業家が設立した新企業が九十万社になっている。GDPの七〇パーセントは、民間セクターによって生みだされている。

しかし、民営化はもはや、人気を集める政策ではなくなった。人気が落ちた理由はいくつかある。とくに重要な点に、事業再編に伴う人員整理がある。一般国民の目からは、高インフレ、社会的安全網の消滅、高齢者層を中心とする困窮の広がりなどの苦痛が、民営化と結び付いている。腐敗と仲間内の取引の横行が民営化の過程の特徴になったことも否定できず、民営化という概念そのものが胡散臭くみられていた点が加わって、国民の熱意が失われていった。少数の人たちが、国有企業を買い占め、バウチャーを買いあさって、莫大な富を築いた。大多数の国民にとって、民営化は「ソビエト人民」の労働の成果を盗み取るものでしかなかった。盗んだ犯人については、ノーメンクラトゥーラ（旧共産党の特権階級）だという見方もあれば、マフィアといかがわしい投機家だとする見方もあれば、新ロシアの銀行と金融機関だという見方もある。民営化を批判する声が、古い共産主義者から新しい民主主義者まで、幅広い層からあがっている。グリゴリー・ヤブリンスキーはこう語っている。「民営化がうまくいっていないのは、私有財産を作り出していないからだ。民営化が作り出しているのは、カルテル化だ」

ロシアとアメリカの総合的な共同研究、ナショナル・ロシア・サーベイによれば、民営化はおおいに期待されたほどの成果は達成できていないが、批判されているほど悪くはないという。民営化された企業のうち四分の三は、抜本的な事業再編が必要だとみられており、このうちかなりの企業が破産に追い込まれている。経営者の多くは、事業再編に必要な能力、経験、力量、意欲をもっていない。外部の株主が圧力をかけなければ、これまでのやり方を変えようとしない。

このような株主になりうるのはかなりの部分、新しい金融・産業グループであり、これが、政治的にも経済的にも、大きな勢力になりうるものとして登場してきている。移行期には、バウチャーを買い集め、低利の政策融資を利用し、国内価格で安く買った市況商品を国際価格で売るなどの方法で、巨額の富を蓄積することができた。しかし、銀行などの金融機関の力が強まった結果、現代化が促進されるのだろうか。あるいは、批判されているように、カルテルと「金融機関の寡占支配者」に経済力と政治力が新たに集中するだけになるのだろうか。民営化の結果が最終的にどうなるかがわかるのは、この問いへの回答がでたときであろう。

もちろん、民営化には今後の課題がまだ数多く残されている。すでに、所有権のかなりの部分が政治の支配から離れた。しかし、新たな富が創造されたいまでも、ロシアは「資本のない資本主義」の国にとどまっている。事業再編が成功を収めるには、金融市場が発展して、産業が必要とする資本を効率的に提供できるようにならなければならず、同時に、市場経済に必要な技術と能力の開発が支援されていかなければならない。そのために必要な点を考えると、ふたたび出発点に戻ることになる。しっかりしたルールが確立されていなければならないのである。(16)

「政府の大幅な後退」

民営化によって、ロシア経済を政治の支配から解放する目標に向けた動きが前進したが、恣意的な税金、規制、直接の介入によって、連邦、州、地方の政府が経済を政治的に強く管理する状況は、いまだに続いている。しかし現在では、政府の力に対抗するものとして、私有財産の力がある。そして、私有財産が経済活動と市場制度の基礎になっている。民営化は価格の自由化と並んで、ロシアが市場経済に向かうきっかけになっており、今後、政治がどの方向に進もうとも、逆戻りするのはきわめて難しくなるだろう。一九九四年以降、民営化の動きは止まっている。九五年からは、政府が経済面で達成した最大の成果は、マクロ経済面のものになっている。マクロ経済の安定を達成できないのではないかという見方が強かったなかで、インフレ率を引き下げ、ルーブルを安定させる点で優れた実績を残している。また、財政支出を抑制する動きもはじまっている。これらの政策を主導したのは、正統的な経済政策を採用するようになったチェルノムイルジン首相である。その努力によって、経済が回復する基礎が築かれた。しかし、他の面では、この間に改革の動きが停滞している。政府は産業への補助金と低利の政策融資で、巨額の資金を無駄にしている。チェチェンの悲惨な紛争で数万人が死亡し、数十億ドルが浪費された。

一九九六年の大統領選挙で、今後の難題が示されることになった。エリツィン大統領は驚くほどの政治的な復活を達成した。数か月前には世論調査で支持率がわずか五パーセントにまで落ち込んでいたが、第一回投票では、思い切った発言で知られるグリゴリー・ヤブリンスキーらを上回る票を確保した。決選投票でも、ロシア共産党のゲンナジー・ジュガーノフ候補を破って再選を果たした。共産党が政権に復帰すれば失うものが多い成金層が献金したため、エリツィン陣営は選挙資金をたっぷりもっていた。決選投票の喧騒のなかで側近は口をつぐんでいたが、エリツィンは投票日の前日に心臓発作を起こしている。それでも、大統領が再選されたことで、改革路線への国民の支持が再確認されたことになり、九三年以降の選挙や国民投票で有権者の六〇パーセントが改革路線を支持してきた流れが変わっていないことが確認された。同時に、エリツィンに投票した有権者の多くが「どちらも悪いが、少しはましな方」という熱のこもらない態度だったこと、共産党が大量の票を集めたことから、市場経済の出現で生活を乱され、完全な敵意をもっているロシア国民が多いといえる。

それも当然だといえる理由がある。新しい経済が成長しているなかでも、古い経済は沈みつづけている。環境破壊が深刻になっており（共産主義の時代から受け継いだ長期的な問題である）、公害を取り除くための資金はほとんどない。乳児死亡率は、欧州連合（EU）諸国の三倍に達している。ロシアの男性の平均寿命は五十七歳まで低下し、アメリカの七十二歳はもちろん、中国の六十七歳よりも低い。年金生活者は何か月も年金の支給が遅れ、労働者はそれ以上の期間にわたって給料支払いが遅れることすらある。共産主義の時代には庶民にとって当然だった生活の安定と治安の良さが、いまや失われている。低水準ではあっても完備していた社会的安全網がいまや、ぼろぼろになっている。経済全体に不払いが蔓延しており、税金を徴収できない政府が元凶のひとつになっている。

腐敗と犯罪の広がりによって新制度の正統性が疑われ、制度がまともに機能するために必要な合意が破壊されている。腐敗が蔓延するのも、意外とはいえない。数千億ドルの国有資産が摑み取りになっているのだ。奪い合いが興奮状態になり、手荒くなるのは避けられない。改革の道筋がはっきりせず、足取りが不確かなことからも、手心や裏交渉の余地が大きくなり、腐敗が増えている。外国人投資家も安全とはいえない。合弁企業を設立しても、地元の提携先がカネを持ち逃げすることがあり、裁判に訴えてもなんの役にも立たない。ロシアのマフィアと呼ばれる犯罪組織が、新経済に深く根をはっている。マフィアに用心棒代をゆすられるのは当たり前のようになり、士気をなくし給料もろくに支払われていない警官隊では、資金力があり、武器を揃えたマフィアには太刀打ちできない。

一九九六年の選挙の後、政治は八か月にわたって停滞した。エリツィン大統領の再選の後、政治の最大の焦点になったのは大統領の心臓手術であった。大統領は手術から回復した後、二回にわたって肺炎で入院した。このため、与党も野党も、大統領の健康問題に異例なほど関心を集中させることになった。議会は引き続き、共産主義者と民族主義者の反改革派が多数を占めている。政治制度は、ロシアのアナリストのリリア・シェブツォバのいう「雑種体制」になっており、「民主主義、独裁主義、大衆迎合主義、寡頭支配、縁故主義から無政府主義にいたるまで、相いれないはずの原則」が入り交じっている。エリツィン再選以降、もっとも目立つ動きは、新しい経済のエリート層が政治力をつけてきたことである。とくに、七大銀行がマスコミを掌握し、産業のかなりの部分を支配して力を集中させるようになった。ほんの数年前まで、これら大銀行の経営者は安月給の技術者、科学者、学者であった。いまでは巨額の富を蓄え、寡頭支配者と呼ばれるようになった。「これらの経営者が寡頭支配者だというのは、カネと力とマスコミを握っているからだ」と、ある著名な政治家は語る。そして、国有資産の所有権をめぐって続く戦いで、その力を容赦なく行使している。

一九九七年初めにエリツィン大統領の健康が回復して、ようやく改革の動きが再開した。「ボリス皇帝」の復帰を示した最初の動きは、九七年三月の内閣改造であり、これでアナトリー・チュバイスが第一副首相に選任された。このとき、チュバイス副首相に提出された報告書には、予算、税制、年金、腐敗の緊急の問題に取り組まなければ危険な状況になりかねないと警告されていた。税制はとくに問題が大きく、税率が非常識なほど高いうえに規定が複雑すぎ、実際の徴税額は考えられないほど少なくなっている。全体として、政府は「極端に信頼されなくなっており」、これらの問題を解決しなければ、「改革の努力すべての信頼性が失われる」だろうと報告書は述べている。また、政府内から改革に反対する「忌まわしい連中」を孤立させるべきだとも主張している。

その直後に、エリツィン大統領は物理学者から政治家に転身したボリス・ネムツォフを、やはり第一副首相に任命した。ニジニー・ノブゴロド州知事として人気が高く、他の地域よりも速いペースで改革を進めてきた実績がある。モスクワに来るにあたって、自分は「田舎者」だと胸をはった。エリツィン大統領が政権入りを打診したとき、ネムツォフはこう質問している。「ボリス・ニコラエビッチ〔エリツィン〕、歴史にどのような形で名前を残したいとお考えですか。偉大で善良な皇帝として、あるいは、その反対でしょうか」。大統領は答えた。「強盗のはびこる国で生きていきたいとは思わない」。この会話に基づいて、ネムツォフは第一副首相のポストを引き受けた。自分の仕事の中心は、「明確で理解できるルールを、国民全員におなじように」守らせることにあるとネムツォフは語る。「当初の資本蓄積の段階は終わった。この段階には、強盗や腐敗や身びいきが横行するものであり、アメリカですらそうだった。ロシアでは、その段階はもう終わろうとしている」と説明する。

改造後の内閣は、改革の再燃を目指した。財政と税制の改革から、独占企業の規制と管理、新たな安全網の構築にいたるさまざまな改革にあらためて取り組んだ。労働者や年金生活者への未払いという政治的に大問題になりうる点を解決する方法を見つけださなければならない。同時に、エリツィン政権は、寡頭支配者の銀行家から距離をおき、その力を抑える姿勢をとるようになった。「政府は今後、企業や銀行の経営者からの圧力にじっと耐える姿勢はとらない」と、大統領は一九九七年秋、議会での演説で述べている。政府の退却の時期は終わったという。「これまでの不介入の政策から、経済の過程を事前に規制する政策にはっきりと転換する。……市場は、それ自体ですべての問題を解決できるものではない。文明国ではどこでも、市場の力と政府の規制が調和して機能している」。政策の基本的な課題が変わったのだ。ソ連の制度の解体を基本的な課題にする時期は終わり、現代的な政府の構築が新たな課題になっている。ロシアの新資本主義を研究しているセイン・グスタフソンはこう語る。「ロシアは新しい国家を建設している。所有者であり直接の管理者でもあるソ連型の国家ではなく、市場の審判の役割を果たす規制を中心とした国家だ」

つまり、ルールをしっかりと定め、国民が決定を下す際にその結果を自信をもって予想できるようにするのである。銀行と証券の分野の規制では、ルールの面でも業務の面でも、大きな前進がみられている。一九九三年には、モスクワにはまともな株式市場がなかった。九六年から九七年の後半まで、エリツィン大統領が政治的にも健康の面でも回復したことに刺激され、ロシア株式市場は世界の新興市場で最高の値上がりをみた。欧米からの投資も増えており、売買高も九六年の一日当たり五百万ドルから、九七年には多い日には一億ドルまで増加した（その後、相場の混乱で減少した）。欧米の株式投資家が投資できる銘柄が少なくとも三百あるとの推計もだされている。

最大の問題、そして改革の動きを脅かす最大の脅威は、司法制度である。とくに財産権に関する部分で問題が大きく、市場制度の基礎の部分が弱くなっている。司法制度はうまく機能しておらず、裁判所は予算が不足しており、地元の権力者からの圧力に弱い。「民間の投資を妨げる大きな要因に、所有権が不明確で、司法制度で財産権が保護されないことがあげられる」と、大統領の経済顧問のひとり、セルゲイ・バシリエフは語る。この点は、大小の新規事業にとくに大きな障害になっている。数十万の企業がこれまでに設立されている。これらを経営する起業家はとくに、腐敗、課税額の不確かさ、地方や中央の政治家による思わぬ「管理」、用心棒代の要求、暴力を加えるとの脅し（脅しでは終わらない場合もある）で打撃を受けやすい。バシリエフが語るように、「暴力は市場制度にとって、腐敗よりもはるかに危険だ。腐敗に対しては規制緩和が有効な手段になるが、規制緩和では暴力はなくならない」。そして、これらの新企業こそが、技術革新と活力をもたらし、新しい人材と新しい考え方を生みだしているのであり、新しい経済を形作り、それが必要とする職を作り出すうえで、大方の予想を上回る役割を果たすことになろう。待望の技術革新をもたらす主体として、大切に育成しなければならない。セイン・グスタフソンはこう語る。「ロシアの将来の繁栄をもたらす要因のなかで、いま、もっとも深刻な問題は、小企業の発展が遅れていることだ」

このように問題はいくつもあるが、それでも、ロシアは猛烈な勢いで変化してきている。「移行期」は終わった。エゴール・ガイダルによれば、「ロシアは市場経済の国になった。若く、未成熟ではあるが、市場経済であることに変わりはない」。ロシア経済の見通しは、一般に予想されているより良くなる可能性がある。おそらくは、さまざまな違いはあっても、戦後日本の経済の奇跡と比較するのは、意味のあることなのだろう。二十一世紀初めにロシア経済の奇跡が実現する基礎がいま、築かれている可能性もある。ロシアには教育程度が高く、技術力のある人材が豊富にある。この七十年間ではじめて、科学技術の偉大な能力を市場と結び付けられるようになった。これまで不可能だったことができるようになったのだ。共産主義後の世代がすでに登場してきており、現代的な工業国家の建設に参加したいと切望している。七十年間にわたって満たされることがなかった物とサービスに対する需要が鬱積している。貿易と国際取引に開放されたロシアは、コンピューター、インターネット、電話、ファクスといった情報技術によって、世界と結ばれている。七十年以上にわたって孤立してきたロシアが、世界経済の一員になったことの意味は、きわめて大きくなりうる。それに、ロシアには天然資源が豊富にある。いま、必要とされているのは、しっかりしたルールの確立である。[17]

妥協の人

一九九七年後半、ロシアはついに経済成長の軌道に戻ったようにみえた。ところが九八年になって、確立されたように思えたルールは崩れ、移行期経済の弱さが露呈して、経済危機に逆戻りし、政治危機の瀬戸際になった。

ロシアは腐敗の蔓延、寡頭支配者への富の集中など、いくつもの問題をかかえて苦闘している。しかし、新たな危機が発生したのはなによりも、ふたつの国内問題とふたつの外的ショックが重なった結果である。一九九七年初め、改革派の新内閣のために用意された前述の報告書は、報告者が考えていた以上に正確に事態を見通していたといえる。この報告書では、予算、税制、年金、腐敗の緊急の問題を解決しなければ、「改革の努力とすべての信頼性が失われる」だろうと警告されていた。九八年に起こったのは、まさにこの警告通りの事態であった。

さまざまな意味で、税制が今回の危機全体の中心になっている。ロシアの税制は奇怪であり、非合理的であり、懲罰的であり、納税者の側に脱税しようという動機が強くはたらくものになっている。税率が非常識なほど高いうえ、実際の徴税額は考えられないほど少ない。税金の不払いを促す制度になっている。税金を滞納している企業や個人の銀行口座を政府が押さえられるようになっており、国全体でそうなっている。このため、現金での取引を避ける傾向が生まれている。経済全体で通貨が使われなくなってきている。ある推定によれば、経済の取引の七五パーセントが物々交換か企業間の借用書によって行なわれている。ロシアの大企業のひとつでは、国内売り上げのうち現金での受け取りが八パーセントにすぎなくなっている。残りは物々交換か手形による取引である。このため、徴税額がきわめて少なくなっている。改革派のグリゴリー・ヤブリンスキーはこう語る。

「靴やズボンの物納で払えるのでなければ、だれも税金を払えない」

この結果、歳入が歳出に追いつかず、政府は短期借り入れで不足をまかなってきた。利払いの負担が重くなって、危険な状態になった。予算規模に対する債務残高の比率をみれば、財政が危機的状況にあることがわかる。

だが、危険なのは税金の不払いだけではない。エリツィン大統領は、ソ連の体制に抵抗し、戦車の上に立って築いてきた信頼性と正統性を大部分失った。いまでは、気まぐれで、予想もしない行動をとる孤独な政治家になっており、健康を害し、一日に二時間から四時間しか執務ができなくなっている。悲劇のオペラ、『ボリス・ゴドゥノフ』の終幕とおなじ状況にロシアが陥っているのではないかと懸念されるようになってきた。一九九八年三月、エリツィン大統領は堅実なチェルノムイルジン首相を解任した。改革を指導するには力不足だからと主張したが、同時に、同首相が自分の地位を脅かす力をつけるのではないかと恐れてもいた。エリツィン大統領が後任の首相として選んだ若手の改革派、セルゲイ・キリエンコは、それまでもっとも実力のある内閣を作り上げた。

しかし、ときすでに遅かった。ふたつの大きな外的ショックに見舞われたからだ。第一に、原油などの一次産品価格が急落し、一次産品の輸出に依存しているロシアは大きな打撃を受けた。輸出と税収が急減した。第二に、アジアの経済危機が伝染し、国際投資家がリスクを劇的に見直した。

ロシア政府は巨額の短期資金を借り入れていたが、その資金が急速に海外に引き揚げられた。ロシアの株式市場は前年には世界で最高の値上がりになったが、一九九八年には逆に、世界でもっとも値下がりした。国際通貨基金（ＩＭＦ）からようやく取り付けた支援策も、信認を回復して資金の流出を止めるには不十分であった。国際投資家の資金引き揚げが続いた。国内投資家も資金を国外に逃避させた。寡頭支配者は富が目減りしていくのをだまってみているわけではない。九八年八月十七日は今後何年も記憶される日になるだろう。この日、ロシア政府は思い切った政策を打ち出した。債務の返済を停止し、ルーブルを切り下げた。それだけにとどまらず、エリツィン大統領がキリエンコ首相を解任した。

またしても、ロシアはパニックに見舞われた。店舗からは商品が消えた。ほんの数日のうちに、五ルーブルだった牛乳の価格が三十五ルーブルにはねあがった。エリツィン大統領はチェルノムイルジン元首相を再度任命しようとしたが、議会は承認しない。共産党は、エリツィン大統領に反撃する機会がきたと判断した。大統領と議会が衝突し、議会のある「ホワイトハウス」が炎につつまれた一九九三年の再演になるかのようだった。しかし今回、相手の血の匂いをかいでいたのは、エリツィン大統領ではなかった。ゲンナジー・ジュガーノフ共産党委員長が率いる野党であった。

とはいっても、正面衝突の危険をおかそうとする者はほとんどいなかった。大統領と野党は予想外の人物で妥協をはかることにした。エフゲニー・プリマコフ外相である。同外相は経済面での経験はないが、広範囲な党派から尊敬を集めている。プリマコフは当初、ソ連の「国際派」のひとりとして注目されるようになった。アラブ専門家としての教育を受け、三十歳で全ソ・ラジオの編集委員になった。情報機関と密接な関係をもち、外国特派員、解説委員をつとめている。一九八五年にはゴルバチョフ書記長の側近のひとりになり、ソ連でもっとも権威のある国際関係研究機関、世界経済国際関係研究所の所長になった。その後、ソ連共産党政治局員候補にもなっている。九一年の湾岸戦争の直前には、フセイン大統領との妥協の道を探るためにイラクを訪問している。この年、ソ連崩壊の文字通り直前には、ゴルバチョフ大統領によって対外情報局長官に任命された。ソ連から政権を引き継いだエリツィン大統領のもとでもこの職を維持し、九六年に外相になった。外相就任後、国の立場がきわめて弱いなかでも、たくみな手腕で国益を追求している。プリマコフが尊敬している人物は、アレクサンドル・ゴルチャコフだといわれている。ゴルチャコフは十九世紀の外相であり、クリミア戦争に敗北した直後に就任し、その後二十年間、ロシアに押しつけられていた不利な条約をすべて改訂することに成功している。

プリマコフは首相として、三つの強みをもっている。国内の主要な政治勢力のほとんどに受け入れられていること、実務能力と交渉力があること、二〇〇〇年の大統領選挙への野心をまったくもっていないことである。しかし、難問が待ち受けている。ロシア連邦政府から地方政府に権力が移ってきている。今回の妥協人事によって、エリツィン大統領の影が薄くなり、二〇〇〇年の大統領選挙に向けて後継者争いがすでにはじまっている。もちろん、エリツィン大統領が死亡するか執務不能になれば、その過程がはやまる。首相が三か月の間、大統領代行になり、大統領選挙が実施される。

プリマコフ首相は極端な綱渡りを余儀なくされている。「改革」の継続と改革政策の後退との間でバランスをとらなければならないのだ。首相に就任した直後には、とくに重要な支持勢力の間から、政府の介入と規制を強化し、給料と年金の巨額にのぼる未払いを減らすためにマネーサプライを増やすよう求める圧力を受けている。つまり、プリマコフ内閣の発足直後から、ハイパーインフレの妖怪がロシアを脅かしており、市場経済への道でまたひとつ、危機が起こりかねない状況になっている。

この矛盾は、ロシアの現実に根ざしたものである。経済改革を追求してきた結果、市場に失望するようになった人が多い。しかし、ロシアの苦境をもたらしているのは、「市場」ではない。共産主義体制が七十五年にわたった後、市場の基礎を築くのがむずかしくなっていることなのだ。セイン・グスタフソンはこう語る。「財産権、契約、企業統治など、市場経済が機能するために必要なルールを確固としたものにするには、今後もさらに懸命に努力を続けなければならない」。そのひとつとして、改革派のいう「文明国」にふさわしい社会的安全網と福祉の制度を整備しなければならない。だれが大統領になろうと、だれが首相になろうと、これらの点は決定的に重要である。新ロシア革命はまだ未完成な状態にある。

日常生活がきわめて苦しくなっているため、ソ連時代を懐かしみ、ソ連時代に提供されていた基本的な生活の保障を復活させるよう求める声が高まっている。しかし、いまや逆戻りできる「昔」はない。ソ連の制度を築き上げてきたイデオロギー、機関、指令統制経済、広範囲な力をもつ党組織のすべてが解体されている。市場への旅は、またしても障害物にぶつかるかもしれない。しかし、市場行きの切符はぼろぼろになり、市場への信頼感は揺さぶられ、道は荒れ果てていても、ロシアの旅は続く。だが同時に、政府も改革されなければならない。今後数年に民主主義自体が試されることになるだろう。この旅路がどこまで続き、どこで終わるのかを決めるうえでは、次期大統領がどのような政策をとるのかがきわめて重要になる。(18)

第11章

苦　境

新たな社会契約を模索するヨーロッパ

chapter 11

THE PREDICAMENT:

Europe's Search for a New Social Contract

一九四一年、イタリア、ナポリ沖のベントテーネ島で、アルティエロ・スピネリら三人の囚人が、新しいヨーロッパ、ヨーロッパ連邦のための宣言書を起草しようとしていた。当時の絶望感がなければ、ドン・キホーテのような無意味な試みだと思えただろう。ヒトラー率いるナチ軍が西ヨーロッパを制圧し、ソ連に侵攻して指導部や国民を震撼させていた時期だ。アメリカはまだ参戦しておらず、イギリスが事実上、ファシストのヨーロッパ制圧に抵抗する最後の砦となっていた。たしかにヨーロッパはひとつになろうとしているようにみえた。ただし、民主的にみずから決めたわけではなく、ヒトラーの帝国として統一されようとしていたのだ。このような状況下で、刑務所で起草されたスピネリの宣言書は、理想の表明ではなく、より良い世界の実現を夢みながら死に行く者の幻想にすぎないと思えた。

しかし、スピネリは、それまで何度も危機を乗り越えていた。刑務所での暮らしは十四年目に入っていた。スピネリは、独裁者ムッソリーニが権力を掌握した一九二四年、ファシスト政権と戦うために、誕生したばかりのイタリア共産党に入党している。二七年、反体制活動を組織した容疑で、有罪判決を受けた。転向を誓えば実刑を免れたかもしれないが、スピネリはそれを拒否した。三七年、刑務所内で手に入れたスターリンに関する本を読んで嫌悪感をおぼえ、共産主義を捨て、民主的社会主義を標榜するようになった。

その後まもなく、スピネリの身柄はベントテーネ島の刑務所に移された。約二千年前にローマの皇帝ネロが追放されたこの島には、多数の政治犯がファシストによって収容されていた。スピネリは、秘かに持ち込まれた本や雑誌、小冊子を読むようになった。その多くが、ヨーロッパはアメリカの独立に倣い、連邦を設立するべきだと主張するイギリス人の論者によるものだった。アメリカの北部連盟支持者の論文や独立の父と呼ばれる人たちの考え方からも、強い影響を受けた。

スピネリは、これらの「アングロ・サクソン」の論文のなかに、世界をおおう政治的混乱への解決策を見いだした。そしてエウゲニオ・コローニとエルネスト・ロッシというふたりの囚人の協力を得て、その考えをまとめたものが、のちにベントテーネ宣言と呼ばれるようになる。その主張は、つぎのようなものだ。国民国家は、ナショナリズムを生み、独裁政治、経済危機、ひいては戦争という悪につながる点で、自己破壊的な性格をもっている。こうした悲劇を防ぐには、ヨーロッパ連邦を結成し、各国がアメリカの州のようになるしかない。経済面では、社会主義型の混合経済を採用する。コローニの妻が、この宣言書を秘かに持ち出し、地下新聞、ヨーロピアン・ユニティ紙まで創刊している。しかし、当時、こうした考え方が関心を集めるとは思えなかった。生き残れるかどうかなど、もっと切実な問題があったからだ。

二年後の一九四三年、戦況は大きく変化した。ソ連が東部戦線を制圧し、ナチ軍は退却しはじめた。連合軍がイタリアに上陸し、ムッソリーニは降伏した。スピネリは解放され、イタリア本土に戻った。ポケットにはベントテーネ宣言、頭のなかにはいくつかのアイデアがあり、自分を指導者と仰ぐ数人の支持者もいた。刑務所で、ともに宣言書を書いたエウゲニオ・コローニは、ローマ市内の路上で、ファシストに襲われ死亡した。スピネリは後に、かつてベントテーネから宣言書を持ち出したコローニの妻と結婚している。また、スイスに移り、おなじような考えをもつ人たちに接触し、ヨーロッパ統合と呼ばれる運動を開始した。ベントテーネ宣言が、この運動の中心になった。

戦争末期の数か月と終戦後の数年間は、ヨーロッパ統合への関心は低く、復興という大問題と、新たにはじまった冷戦が、最大の関心事だった。しかし、政治犯として捕らわれていた十五年間に、スピネリの心に深く刻まれたものがふたつあった。決意と忍耐である。そして一九四七年、マーシャル計画によって、ヨーロッパ統合の最初の礎が築かれた。

四十年後の一九八〇年代には、欧州経済共同体（ＥＥＣ）が現実のものになっていた。ヨーロッパは、第二次大戦直後には考えられなかった所得水準と繁栄を謳歌し、冷戦下でも、大陸の平和は保たれていた。とはいえ、経済を管理するのは、依然として各国政府だった。「ヨーロッパの父」と呼ばれたジャン・モネが死に、いまやアルティエロ・スピネリはヨーロッパの長老となった。しかし、ヨーロッパに落胆し、幻滅を感じるようにもなっていた。ヨーロッパ統合に向けて前進してはいたが、その後は何年も停滞していたからだ。ＥＥＣは宣伝文句こそ華々しいが、実態は関税同盟にすぎない。アーネスト・ヘミングウェイの『老人と海』の物語が、スピネリの頭から離れなかった。八三年に欧州議会で、つぎのように演説している。「ヘミングウェイの短編を読んだことがあるはずだ。ある年老いた漁師が、生涯で一番大きな魚を釣り、浜まで引っぱっていこうとした。魚は鮫に少しずつ食われ、浜に戻ったときには、骨だけになっていた」。スピネリは、これこそヨーロッパ連邦の運命ではないかと危惧していたのだ。最後の活動への準備を整えていた。八十歳近くになっていたが、先頭に立って、ヨーロッパ連合の条約成立に向けた戦いを開始した。この活動に触発されて、ヨーロッパの統合は新たな段階へと移行する。スピネリがベントテーネで抱いた夢、ヨーロッパ連邦の夢に一段と近づくものだった。(1)

二重の撤退

二十世紀が終わろうとしている現在、混合経済と現代的な福祉国家が生まれたヨーロッパでは、政府の経済的役割が、ふたつの面で大きく後退している。第一に、欧州連合（ＥＵ）と名称を変えた共同体の権限が拡大し、「市場統合」が実現し、単一通貨への準備が進むなかで、各国政府が経済を管理する余地が、大幅に制限されてきた。* 第二に、政府が民営化や規制緩和を実施して介入を減らし、経済活動から撤退している。市場の競争に任せる分野が拡大している。同時に、福祉国家の膨張に歯止めをかけ、縮小を迫る圧力が高まっている。ヨーロッパの統合が進むにつれて、国境の壁を低め、飛び越える制度を、企業や労働者が活用するようになった。企業は、自国の規制当局に気を配るのではなく、大陸規模で資源を調達できる他の企業との競争に備えなければならない。それができなければ、完全に敗北することになる。政府による救済というこれまでの安全網は、もはや存在しないからだ。

各国の企業は、競争激化への対応を急いでおり、一九九九年には、単一通貨のユーロが導入され、ヨーロッパ統合の影響があからさまになる。君主、大統領、首相、蔵相、将軍、英雄の肖像が印刷された紙幣は、一国のアイデンティティの象徴であり、貨幣の管理は、国の主権の中核のひとつであった。

＊――「共同市場」とも呼ばれる欧州経済共同体（ＥＥＣ）は一九五七年に設立され、八七年に欧州共同体（ＥＣ）となった。そして、九二年に、現在の欧州連合（ＥＵ）に改称された。

ある。その管理を国際的な機関に委ねるのだから、国の主権はたしかに縮小する。

この動きは、スピネリらが連邦構想を復活させようと試みた一九八〇年代半ばにはじまった。しかし、それ以前に、市場での政府の役割が大胆に見直され、まったく新しいタイプの社会主義者、社会主義を標榜しない社会主義者が台頭していた。ヨーロッパ大陸で、この動きがとくに劇的だったのはフランスである。フランスは、コルベール主義（ルイ十四世時代に権勢をふるった財務総監の名前にちなんでつけられた）と統制経済《ディリジスム》（フランスでは、中央集権主義と政府による経済管理の制度がこう呼ばれている）の国なのだから。フランスの変化が、ヨーロッパ全体の変化の先駆けとなった。

フランス——「資本主義との訣別」

フランスの政治を変える決定的な出来事はいつも、パリの街頭がその舞台になる。一九八一年五月十日は、まさにそんな日だった。その夜、パリの街は、昔と変わらぬ熱狂と歓喜に酔いしれる群衆で溢れていた。第五共和制ではじめての社会党の大統領になるフランソワ・ミッテランの当選を祝う人びとである。大統領選挙は激戦になったが、ミッテラン候補が僅差で当選を果たした。数日後、ミッテランは、カルチェラタンにある英雄を祭った霊廟を訪れ、故人に敬意を表した。とくに時間をかけて祈ったのは、今世紀初頭のフランス社会主義運動の偉大な指導者であり、非共産主義の左派を代表するジャン・ジョレスの壮麗な墓だった。ミッテランは、自分こそジョレスの後継者だと主張したことになるが、そう主張する根拠は十分にあった。大統領に就任するにあたり、社会主義国家の建設を掲げ、「カネの壁」に宣戦を布告し、長らく公約にしてきた「資本主義との訣別」を果たすと宣言した。

大統領をはじめとする新政権の社会主義者は、国民のために、フランスの伝統である統制経済を継承・拡大し、国有化などの管理を通じて経済への直接関与を強める姿勢をとった。これこそ、街頭でミッテランの当選を祝った支持者が待ち望んだ政策であり、ミッテラン大統領が少なくとも当初、採用した政策であった。こうして、フランス社会党政権は、「政府の役割の拡大」に向けて、最近数十年の先進工業国のなかではもっとも大胆な政策に着手したのである。当時、サッチャー首相やレーガン大統領が、まったく逆の方向へ進もうとしていたことを考えれば、フランスの動きはいっそう際立っている。ミッテラン大統領の政策は、ケインズ流の経済運営、国有化、政府による管理を組み合わせたものだった。しかし、イデオロギーは、経済の冷徹な現実に抗しきれなかった。

ミッテラン大統領は、フランス政界を生き抜いてきた達人である。その後一九九五年まで大統領をつとめることになるが、第二次大戦直後の四七年にはすでに、三十歳の若さでラマディエ政権の閣僚に就任している。第四共和制の時代は、中道左派の急進派に属していた。シャルル・ド・ゴールのように、自分のイメージを演出することの大切さを認識しており、長い間、思想家、著述家のイメージを演じていた。その文才を考えれば、根拠がないわけではなかった。不屈の挑戦者でもあった。六五年、最初の大統領選でド・ゴールに敗れた後、七四年にはバレリィ・ジスカール・デスタン候補に僅差で敗れている。そして、八一年、ジスカール・デスタン大統領との雪辱戦に挑み、勝利したのである。

一九八一年の勝利は、ミッテラン陣営が、フランス左派の大転換をはかろうと十年にわたって努力してきた成果だといえる。ミッテランらは、七一年から八一年にかけて、第四共和制の失敗を引きずった脆弱な党に代えて、組織力の強い社会党を作り上げた。さらに、共産党と協力協定を結んだ。共産党は、階級闘争を主張し、広範囲にわたる国有化などの政策で、政府が経済管理を強化する政策を掲げていた。

共産党の協力なくして、社会党の躍進がありえなかったのはたしかだ。フランス共産党は、一九七〇年代末でさえ有力な政治勢力で、選挙で二〇パーセントの得票率を獲得することも少なくなかった。スターリン時代の陰鬱で狭量な性格をもちつづけ、内部の改革や議論を避け、イタリアやスペインの共産党とは違って、ユーロ・コミュニズムと呼ばれる穏健派に変わることはなかった。新政権の四十四の閣僚ポストのうち、ミッテラン大統領が共産党に割り当てたのは、わずか四つだった。しかも、すべて次官級のポストである。大統領は、同時に世界各国に向けて、懸念する必要はないというメッセージを送った。共産党の閣僚が誕生したのとおなじ日に、アメリカのブッシュ副大統領を来賓として迎えたのである。

ミッテラン政権は、政府が経済管理を担う姿勢を明確にし、低迷する景気を刺激する広範囲の政策を実行に移した。古典的なケインズ政策をとり、景気の呼び水として、政府支出を大幅に拡大した。同時に、主要産業が「正しい行動」をとるよう、政府の管理・調整機能を強化した。預金残高のシェアで合計九六パーセントにのぼる銀行や、大企業の多くを国有化した。大企業上位二十社のうち十三社が国有化されている。そのほかにも、政府が過半数株式を取得した企業が多い。社会支出は大幅に拡大した。週の労働時間を一時間短縮する一方で賃金は据え置き、有給休暇を四週間から五週間に増やした。政府職員も十万人増やしている。これらの政府支出の拡大、国有化、高額所得者に対する課税の強化の政策は、「再興《ラ・ルラーンス》」と呼ばれるようになった。

しかし、この政策によって資本市場はパニックに陥り、フランがたえず攻撃されるようになった。そして、景気を刺激するどころか、インフレをもたらし、資本逃避と国庫からの資金流出を加速した。失業率も急上昇した。新たに国有化された企業は巨額の赤字を生み、財政赤字の肥大化につながった。フランスは破綻への道を突き進み、社会党は破滅の道を突き進んでいた。ミッテラン政権は、みずからの政策が招いたこの難局を切り抜けなければならなかった。[2]

ドロールと第二の左派

危機打開の任を担ったのは、ジャック・ドロールであり、「同世代で、もっとも成功したヨーロッパの社会主義者」と評された人物である。父親はフランス銀行の集金係で、エリート校として名高いグランドゼコール出身者とは違って、労働者階級の出身であるのはたしかだ。ドイツ軍がパリに侵攻した一九四〇年、幼ないドロールと母は、列車とトラックを乗り継ぎ、ときには徒歩で逃げ延び、ようやく地方の祖父母の家に身を隠した。戦争とその余波の影響で、大学での勉学は断念せざるをえなかった。夜間大学に通いながら、フランス銀行で下級職として働き、持ち前の知性と勤勉さで昇進を重ねていった。ドロールは独学の人で、学ぶことをやめなかった。若いころの後見人のひとり、政治家のピエール・マンデス・フランスは、ドロールについてこう語っている。「ドロールは馬車馬のようによくはたらく。自力で学んでいるので、しっかりした知識を身につけている点が財産になっている」。アメリカのジャズと映画をこよなく愛し、映画クラブを主宰するほどだった。

ドロールは社会主義者にはなったが、マルクス主義者ではなかった。「フランス左派のなかで、一度もマルクス主義や共産主義に惹かれたことのないのはわたしだけだ」と語ったことがある。ドロールは、カトリック左派、なかでも一九五〇年に四十五歳の若さで亡くなったエマニュエル・ムーニエの哲学に傾倒していた。ムーニエは、「人格主義」と呼ばれる考え方を広めた。結束と親睦を訴え、政治の刷新とともに、内なる精神の刷新を訴える考え方だ。マルクス主義や全体主義を批判するとともに、自由主義的資本主義の個人主義も批判している。長年にわたって、ドロールはムーニエの著書を何度も読み返し、そこから政治信条とヨーロッパ型の社会福祉国家建設に向けた考え方の支柱を得た。

ドロールは、フランス銀行での仕事を続けながらカトリック系労働組合で活発に活動するようになり、やがて組合の調査部門の指導者として頭角をあらわした。複雑な事柄を単純化し、わかりやすく説明できる才能によって表舞台に立つようになった。何年も後になってミッテラン大統領が、ドロールの明快さに触れ、「どうやって身につけたのか」と質問したことがある。

ドロールはこう答えた。「わたしの説明がわかりやすいとすれば、それは教育を受けていないからです。頭がよくないので、なにかを理解しようとするときには、人一倍努力しなくてはなりません[3]」

一九六〇年代初め、ドロールは、ジャン・モネがフランスの再興を目指して第二次大戦後に設立した総合計画委員会ではたらくようになった。そのはたらきぶりが、ド・ゴールら政府首脳の目に留まり、昇進するようになった。このころ、いわゆるジャコバイト左派の伝統をくむマルクス主義の教義を否定し、国家統制主義と官僚制に批判的な「第二の左派」で積極的に政治活動を行なうようになった。六〇年代末、改革を主張するド・ゴール派の首相の経済顧問に就任したが、他の社会主義者から不信感を買うことになる。反対陣営についたように見えたのだ。それでも、一九七〇年代に社会党の再編が進むにつれ、経済より政治にはるかに関心を抱いていたフランソワ・ミッテランは、助力が必要であることを認識し、政治的に孤立していたドロールを呼び寄せ、社会党の国際経済部長に抜擢《ばってき》した。そして、八一年、社会党が選挙で勝利を収めると、ドロールはミッテラン政権の蔵相に就任した。

「現金の焼却炉」

ドロールは、他の社会党員とは違って勝利に酔いしれていなかった。社会党のなかで、政権に加わった経験があるのは、ドロールひとりだったからだ。蔵相就任後ただちに、社会党の経済政策が引き起こした資本市場のパニックの沈静化に乗り出した。国有化の動きを最小限にとどめようとしたが、これは失敗に終わっている。蔵相の立場でできることは限られていた。本物の社会主義者なのかどうか疑問だとする者も少なくなかった。大蔵大臣だが、閣僚の順位では十六番目にすぎず、予算権は、ミッテラン大統領の秘蔵っ子で社会党の政策を熱心に追求するロレント・ファビウスに委ねられていた。ファビウスの社会支出のばらまきを止める力はない。こうした社会支出に加え、国有化した企業の株主に対する数十億フランにのぼる補償金の支出を承認しなければならなかった。国有企業の赤字を補塡するために、さらに数十億フランが必要だった。ある実業家の言葉を借りれば、国有企業は「現金の焼却炉」と化し、政府の赤字は増えつづけた。経済は急速に悪化し、一九八一年から八二年にかけて、フランはたえず下落圧力にさらされていた。

ミッテラン政権の路線を大幅に変更する戦いがはじまった。指揮をとったのはドロールである。「ミッテラン政権という機関車に乗り合わせた者のなかで、炉に入れる石炭を減らすべきだと主張したのは、わたしだけだ」と語ったことがある。ドロールはついにピエール・モーロワ首相を味方にすることができた。首相は、政府支出を拡大しても、約束した結果はもたらさないことを理解するようになった。首相とドロールは力を合わせ、財政に節度をもたらし、緊縮政策を採用するよう努力し、政権を支配する左派の「ジャコバイト」と戦った。昼間にミッテラン大統領の同意を取り付けることができても、夜になると、影響力のある「夜の訪問者」(有名なフランス映画のタイトルにちなんで、こう呼ばれた)が、エリゼ宮に大統領を訪ねて圧力をかけ、決定が覆されることも少なくなかった。夜の訪問者は、保護主義を唱え、フランを他国通貨、とくにドイツ・マルクとの連動から切り離す必要があると訴えた。経済問題は政治によって解決できると考えていた大統領は、前言を翻し、訪問者たちの意見にしたがった。

内閣でも、戦いが繰り広げられた。ドロールと対立する閣僚のひとりが、閣議でこう発言したことがあった。「経済成長以外に選択肢はない。貯蓄を総動員しなくてはならない。大々的な借り入れキャンペーンを打とう」

ドロールは、こう切り返した。「口を開けば借り入れの話だ。しかし、ＩＭＦの支援を受けるようになれば、わたしを責めるだろう。カネは底をついた。これ以上、借り入れなどできない」

モーロワ首相が、「消費を減らし、購買力を削減しなければならない」と語ってドロールを援護する。

それまで黙っていたミッテラン大統領が、突然、口をはさんだ。「サッチャー流の政治を行なうために、君を指名したわけではない[4]」

とはいえ、経済の現実を前に、政治にできることはごくわずかだった。国際収支は悲惨な状態で、悪化の一途をたどっていた。フランは、投機筋の容赦ない攻撃にさらされた。フランを投機から守るためには、屈辱的ではあったが、サウジ・アラビアに緊急融資を要請しなければならない有り様だった。

路線の大転換

一九八三年三月は、フランスにとって、またある意味ではヨーロッパにとっても、重大な転換点となった。社会党が地方選挙で惨敗し、緊張が高まった。どうやってインフレの悪循環を断ち切るのか。どうやってフランを防衛するのか。なにをなすべきなのか。この陰鬱な時期こそ、ドロール蔵相が、モーロワ首相とともに、大転換と呼ばれる政策を推し進めた時期である。

最大の問題は為替だった。一九七八年、ジスカール・デスタン大統領と西ドイツのヘルムート・シュミット首相の交渉によって、欧州通貨制度（EMS）の発足が決まった。フランス・フランなどの通貨をドイツ・マルクに連動させ、為替レートの変動を一定の幅に抑える制度である。それから五年近くたった当時、フランはたえずEMSの下限にはりつき、「夜の訪問者」をはじめ、EMSからの離脱を主張する者も少なくなかった。これに対しドロール蔵相は、EMSが解体すれば、ヨーロッパ統合に大きな痛手となると考えていた。そこで、しぶるミッテラン大統領を、こう説得した。EMSを離脱すれば、フランは二〇パーセントも下落して、金利の高騰を招き、経済はさらに打撃を受け、国際収支も悪化する……。その後、週末にブリュッセルで開かれた会合で、西ドイツを威嚇して妥協案を承諾させることに成功した。マルクの切り上げとフランの切り下げを同時に実施して、フランスはEMSにとどまるという案だ。ミッテラン大統領は、ドロールの功績を讃え、経済、金融、予算を一括して担当する閣僚に任命し、閣僚順位も十六番目から二番目に格上げした。

ドロールの成功によって、フランの下落に歯止めがかかった。これ以降フランスは、フランをマルクにほぼ連動させるようになった。マルクが強いので、フランも強い通貨になる。こうして、新たな経済政策と、それを象徴する「強いフラン政策《フォート・フラン》」が誕生した。強いフランを維持するには、人為的な輸出の拡大や、保護主義政策、政府支出の無節操な拡大による経済成長は追求できない。生産性の上昇によってのみ成長が達成できる。社会党政権は、EMSの維持を再確認することで、政策目標を需要サイドから供給サイドに移した。フランスは、市場と欧州経済共同体にしっかり根を下ろした。もはや、これまでの国民国家的な観点は通用しなくなった。

ＥＭＳを通じたフランの安定化が、政策の大転換の第一歩になった。ＥＭＳの再建で、当初の社会主義政策は放棄された。為替相場の維持と整合性がとれないため、実行できなくなったのだ。国際金融市場が、一国の経済政策に対して重要な拒否権をもつようになった。通貨制度に関するヨーロッパの協力を維持するには、経済を現代化し、効率を高めなければならない。生産性向上を妨げていたのは、フランス経済に深く根ざした時代遅れの構造である。たとえば、銀行業務や証券市場を制約する規制がある。嵐のような十五か月に、ドロールは、現代化の難事業に着手したが、これは後継者に受け継がれることになる。経営が行き詰まった企業を救済する政府の従来の政策にも、強硬に反対した。一九八四年、世界経済の環境の変化と競合企業の台頭で、かつてはフランス産業界の花形だった鉄鋼・重電グループのクルーゾ・ロワールが経営破綻の危機に瀕していた。経営陣は、二万五千人の雇用がかかっていると訴え、政府に救済を求めた。ドロールの答えはノーだった。その理由をこう語っている。「クルーゾ・ロワールは三度目の救済を求めていた。わたしは救済計画に反対した。利益は関係者が分け合い、損失は社会が負担することになるからだ。経営破綻と雇用喪失の脅しに屈しなかったのは、そのためだ」[5]

「政府が目立たないようにする」

政策大転換の後、社会党政権は、市場改革の新路線を堅持した。政府支出を抑制し、金融セクターの現代化を継続し、国有企業が政府からだけではなく資本市場からも資金を調達できるようにした。また、国有企業の子会社を売却して、民営化を「裏口」から一歩進めた。「資本主義との訣別」に代わって、「現代化」「産業の活力」「効率性」「競争力のある技術」といった言葉が使われるようになった。ミッテラン大統領の発言にすら変化が明瞭にみられる。「政府は、目立たないようにする方法を習得しなくてはならない」と語ったのだ。

しかし、一九八三年以降、フランス蔵相としてのドロールの立場は悪くなる一方だった。政策の正しさが証明されたことや、社会党の他の政治家にくらべて依然として人気が高いことも、裏目に出た。ミッテラン大統領は巧妙で才知に長けた政治家だ。裏工作と策略を好む大統領は、カトリック社会主義者で、人道主義を唱え、仕事に並み外れた意欲をもつドロールとは馬が合わない。あるとき、こう不満を述べたことがある。「ドロールは、宗教臭い」。それに、ドロール人気で自分の影が薄くなるのを恐れていた。首相にしない理由を、十世紀のイスラム王朝の例をひいて、こう説明している。「君を首相にすれば、君はイスラム王朝の首相のようになり、わたしは怠け者の王になるだろう」

一九八四年七月、モーロワ首相が辞任した際、ミッテラン大統領はドロールを首相にする意思がないことをあらためて伝えた。悪いことに、大統領が次期首相に指名したのは、ドロールの宿敵で三十九歳のローラン・ファビウスだった。しかし、ドロールが興味を抱いていたポストがひとつだけあった。欧州委員会の委員長である。欧州経済共同体（ＥＥＣ）の執行機関である同委員会の委員長ポストは空席になっていた。ドロールは、自分がほんとうに活躍できる場は、国境に囲われた国ではなく、ヨーロッパだと考えるようになった。

新委員長の選出は、ＥＥＣの中核をなすフランス、西ドイツ両国の意向に大きく左右される。ドイツには候補者がいなかった。ドロールの働きぶりに感銘を受けたコール首相は、ミッテラン大統領に、フランスから委員長を選ぶとすればドロール以外にありえないと伝えた。ミッテラン大統領にとって、ドロールの指名には、ひとつの明確な意図があった。パリから追い出すことだ。一九八四年七月十八日、ＥＥＣ加盟国は、欧州委員会の次期委員長にドロールを選出した。ドロールは、大蔵省の壮麗な玄関ホールで、職員の見送りを受けたが、大統領に重要な置きみやげを残した。ドロールが去っても変わることのない現代化と市場への信頼を、フランス経済に定着させたのだ。社会党内でドロールのライバルだった政治家によると、ドロールは、「フランスの社会民主主義に市場経済の理想を吹き込む、基本的な役割を果たした」。その政策によって、社会党と共産党の決裂が決定的となった。ミッテラン大統領は、共産党を必要としなくなった。一九八四年、共産党は「これ以上、与党にとどまれない」と宣言して政権を離脱している。共産党にとって政権への参加は失敗だった。有力な党から、弱小な党に転落してしまったのだ⑹。

停滞とユーロ・ペシミズム

ドロールは、二十年あまりも停滞を続けてきたヨーロッパ共同体（ＥＣ）の委員長に就任するため、ブリュッセル入りした。ＥＣの起源は、マーシャル計画にまで遡る。第二次大戦後、経済崩壊の危機に瀕するヨーロッパの復興を進めるため、アメリカが数十億ドルの資金を援助した計画だ。アメリカ政府は、援助の条件として、各国が協力して経済復興に取り組み、ヨーロッパ全体という観点で問題点を検討し、復興計画を共同で策定するよう求めた。マーシャル計画は、ヨーロッパ統合運動がはじまる契機にもなった。アルティエロ・スピネリが語るように、「マーシャル計画に関する議論のなかで、ヨーロッパ統合の考えが再浮上した」。そして、マーシャル計画によって、EECの前身である欧州石炭鉄鋼共同体（ECSC）の基礎が築かれた。ECSCでは、フランスとドイツが、石炭などの資源を共同管理した。ジャン・モネこそ、この共同体の構想を描いた人物であり、フランスのシューマン外相、西ドイツのアデナウアー首相とともに、構想の実現につくした。

一九五七年、西ドイツ、フランス、イタリア、ベルギー、オランダ、ルクセンブルクの六か国がローマ条約に調印し、ECSCをうまく組み込んだ欧州経済共同体（EEC）が誕生した。これが、「欧州の再出発」の第一段階となった。ECSCのさまざまな機関が、EECの中核機関となった。しかし、EECは、どのような共同体を目指すべきか。問題の核心に迫る激しい論争が繰り広げられた。フランスのド・ゴールは、各国が協力しあうが、主権を維持する形でひとつのヨーロッパを実現するよう主張した。共同体の意思決定機関である欧州委員会は、各国政府の上に立つのではなく、各国政府の決定にしたがうべきだと考えていた。意思決定は、過半数の賛成では十分とはいえず、全会一致が必要である。そうでなければ、一国の主権、とくにフランスの主権がそこなわれると考えたのだ。

モネとスピネリは、さらに進んだものを求めた。ヨーロッパ連邦である。国民国家（もともとヨーロッパで生まれたものだ）は、最終決定権をもつ国際政府に従属するものになる。国は敬うべきだが、主権国家ではなく、アメリカ合衆国の州に似たものになる。こうした変革は一度に進めるのではなく、個別の権限をもつ機関を設立することで達成する。そうすれば、徐々にではあるが、現実が変化していくと考えたのだ。しかし、ド・ゴールがこれを拒否し、みずからの案を通した。その結果、一九六〇年代後半以降、ヨーロッパ連邦に向けた動きは止まった。七三年には、イギリス、デンマーク、アイルランドが新たに共同体に加盟したが、石油危機と経済危機で、停滞が続いた。唯一の大きな前進は、七〇年代末の欧州通貨制度（EMS）の設立であった（すべての加盟国が参加したわけではなかった）。それ以外の点でEECは、権限、予算、各国政府の拠出金（税金を直接に徴収できないため）をめぐって、膠着状態を続けていた。印象深い出来事がある。非効率だが政治力のある農家にEECが巨額の補助金を支給している事実に、イギリスのサッチャー首相が激怒し、「拠出金を返還してほしい」と要求したのだ。ヨーロッパは、「欧州硬化症」に苦しみ、アメリカと肩を並べることができず、日本をはじめとするアジア諸国との競争に脅かされ、衰退を余儀なくされているように思えた。現実的でもあったジャン・モネの楽観主義に代わり、悲観主義の蔓延が、一九七〇年代から八〇年代初めにかけての特徴になった。[7]

市場統合——ヨーロッパの再出発

ドロールがブリュッセル入りし、欧州委員会の委員長に就任したときは、まさにこのような状況だった。ドロール委員長の在任中、執務室には肖像画が一枚だけ飾られていた。コニャックのセールスマンから政治家に転身したネットワークの父、ジャン・モネの肖像画である。ヨーロッパ内の戦争を終わらせ、ヨーロッパという観点からドイツ問題を解決する必要があることがモネを駆り立てた動機であったが、ドロールにもこの点は共通していた。ドロールの父は、第一次大戦のベルダンの戦いで重傷を負い、生涯、ドイツに対する憎悪を忘れなかった。ナチ軍がパリを占領して、ドロールが母とともに地方に避難したとき、レジスタンス運動の連絡係と親友になったが、この友人は、ナチに捕らえられ、アウシュビッツ収容所で死んでいる。これこそ、ドロールが二度と繰り返さないようにしたい過去だった。

やがてドロール委員長は、「新しい」ヨーロッパ、ヨーロッパ市場統合への動きを代表する人物になる。理想をもった実務家、不可能と思える問題に飽くことなく解決策を見いだし、ヨーロッパを統合し、真に開かれた市場へと導く人物として歓迎された。その一方で、傲岸不遜で、尊大で、自分自身とヨーロッパを混同するようになったとの批判も受けた。フランスの官僚の代表であり、規制、硬直性、書類の山というフランスの統制主義的な傾向を、経済の管理ではなく経済の自由を必要としているヨーロッパ大陸全体に、不必要に持ち込んでいるとも非難された。

ドロール委員長は、ヨーロッパの再出発で主導権を握ろうと決意をかためた。そのためには、広範囲に衝撃を与える壮大な構想が必要だった。それ以外に、この職を引き受ける理由なぞあるだろうか。委員長に就任する直前の秋、ドロールは、構想を求めてヨーロッパ各地を訪問したが、「市場統合」こそが、その構想であると考えた。市場統合とともに、通貨統合の必要を訴えた。このふたつが、ドロール委員長の仕事になった。成功すれば、ヨーロッパ連邦の結成はほぼ確実になり、ヨーロッパ大陸の経済を統合できる。

ドロール委員長は、時間を無駄にしなかった。委員長に就任してわずか二週間後の一九八五年一月十四日、欧州議会で、市場統合の実現のため、九二年末までに、「域内の国境」をすべて撤廃するよう呼びかけた。五七年のローマ条約で、関税は撤廃されていた。これをいっそう進めて、ヨーロッパを単一の開かれた市場に統合する際に障害となるあらゆる障壁を廃止することを目指したのだ。八五年六月に欧州委員会は、障壁を廃止するための必要事項として、二百九十七の提案を発表した。国境の物理的障壁を撤廃しなければならない。加盟国間の国境には税関は設けない。技術面の障壁も撤廃しなければならない。各国は、製品やサービスに関する他国の規格を受け入れる。この「相互承認」の原則がカギになり、銀行、証券取引、投資信託、保険の分野にも適用する。企業が、ひとつの加盟国で営業を認可されれば、他の加盟国でも営業できる。政府は、国策企業を優遇できなくなり、活動の場は、公平になる。各国政府の権限をさらに制限する手段として、主要な政府調達案件では、自国企業を優先させるのではなく、ヨーロッパのどの国の企業にも入札への参加を認めなければならない。

ドロール委員長は、一九八六年一月一日に正式に加盟したギリシャ、スペイン、ポルトガルからも支持を受けた。この三か国にとって、ＥＥＣへの正式加盟は、現代化の過程を一歩進める歴史的な出来事になった。独裁政権が支配し、長らく農産物と安価な移民労働者を供給してきた欧州の貧しい国が、民主制に移行し、経済統合の動きに完全に参加する国になったのである。さらに、当時、三か国はいずれも、フランスの政治動向に大きな影響を受けた「新」社会党が政権を握っていた。カリスマ性を備えたスペインの若き首相、フェリペ・ゴンザレスがその代表格だ。

市場統合に必要な手続きは、単一欧州議定書にまとめられ、一九八七年七月一日、ECに加盟する十二か国が揃って調印した。九二年末までに、市場統合に妨げとなる域内の障壁をすべて撤廃することになった。この議定書を遂行するにあたり、ド・ゴールが固執した全会一致の原則は、さまざまな点で覆された。各国政府の過半数の承認が得られれば、新たな政策が実施できるようになった。これは、きわめて大きな変化である。十二か国は、共通の外交政策の策定にも取り組んだ。

しかし、単一欧州議定書は、期待されたような注目は集めなかった。ヨーロッパの統合をうたったさまざまな動きのひとつにすぎないとされ、高級紙の読者でさえ、わずかに関心を示しただけだった。アルティエロ・スピネリは、人生の最後でようやく、形になりはじめたヨーロッパ統合を目にすることができた。しかし、生涯のほとんどを、ヨーロッパ統合にかけてきた後でさえ、一九八〇年代に自分が先鞭をつけた「再出発」キャンペーンがもたらした成果への失望を隠さなかった。八六年に亡くなる直前、スピネリは、この計画は大した意味をもたず、「奇妙な鼠」にすぎないと切り捨てた。単一欧州議定書によって、どの程度の権限が、各国の首都からブリュッセルの共同体に、とくに法律の提案権を握る欧州委員会に移るのかが認識されるまでには時間がかかった。

議定書を実現するには、ヨーロッパ各国で大量の法制化が必要だった。ECでは、一九八八年前半だけで、七四年から八四年の十年間よりも多くの決定がくだされている。あらゆる財やサービスが「ヨーロッパ化」されなければならず、中身や安全性、ラベルに関して、共通のルールをつくらねばならない。ビールの場合のように、障害が多すぎるものもあった。アルコール分をまったく含まないノン・アルコール・ビールを販売している国もあれば、アルコールが一パーセント未満であればノン・アルコールとして販売している国もあった。ドイツには、数世紀の歴史のあるビールの「純粋性に関する法律」があり、他のどの国のビールも、この基準には合わなかった。ビールを域内各国で自由に取引できるようにするには、ルールを収斂させる必要がある。ビールの場合、各国の当局が妥協しなければならなかった。他国のビールの基準を尊重するよう加盟各国に義務づけるのが精一杯だった。

チョコレートの統一市場をどのようにつくるかについて、製菓会社とEUの間で戦わされた論争も、これに劣らず激しいものだった。イギリスとアイルランドの製菓会社は、チョコレートにミルクを大量に加えるため、「高濃度ミルク入りミルク・チョコレート」あるいは「家庭用ミルク・チョコレート」と表示を変えるよう命令される可能性がある。国民性の根幹にかかわる問題だと主張するイギリスの製菓会社の答えは、甘いものではなかった。ある専門家はこう主張する。「イギリス国民は、紅茶にミルクを入れるのを好むように、ミルクがたくさん入っているチョコレートを好む」。この論争の後味の悪さは、調和への道が決して平坦ではないことを示している。(8)

歴史を無視した暴走なのか

市場統合に向けた動きで、激しい論争に火がついた。サッチャー首相らにとって、単一市場は、それが巨大な自由貿易地域であるかぎり、大歓迎だった。同首相は各国首脳とともに、一九八七年の単一欧州議定書に調印している。しかし、統合に反対する人たちは、選挙で選ばれた議会のある各国首都から、だれに対しても責任を負わないブリュッセルの巨大な欧州委員会の官僚組織に主権が移っていくことに気づくようになった。欧州委員会は容赦なく権限を行使し、各国政府からも直接民主制からも切り離されている。ドロール委員長がブリュッセルの皇帝と呼ばれたことでも、反対の声が強まる結果になった。

欧州委員会の権力が拡大すれば、サッチャー首相が掲げたイギリスの政策目標が後退する恐れがあった。首相は後にこう語ったことがある。「ヨーロッパ連合（EU）は、歴史を無視して、先走っている。これではうまくいかない。これでは成功しない」。ヨーロッパ統合とは、ブリュッセルの統制主義的な官僚組織が権限を強めて、本来なら介入すべきではないあらゆる分野に介入しようとすることだと、サッチャー首相は見ていた。サッチャー革命とも対立する。当時、首相はつぎのような演説を行なっている。「イギリス国内で政府の境界を後退させてきたのは、ヨーロッパの国際組織が、ブリュッセルで新たな権限を行使して領域を拡大できるようにするためではない」。ドロール委員長はECを運営する「だれに対しても責任を負わない新手の政治家」の代表であり、「昔ながらの国家、異なる言語、多様な経済というデコボコの基礎の上にバベルの塔を」築こうとしていると、サッチャー首相は語った(9)。

しかし、サッチャー首相は、その後まもなく首相の座を追われ、三百にのぼる法制化や規制などからなる市場統合計画は、予定通り一九九二年末に完了した。競争環境が変化した。各国の市場は開かれた。単一欧州議定書によって、管制高地のかなりの部分に及んでいた政府の影響力は排除された。しかし、ひとつだけ主権の砦として残されたものがあった。通貨である。

ドイツ連銀は万能か

単一市場の誕生で、ヨーロッパは統合をさらに進める準備が整った。一九八八年には早くも、ドロール委員長が、通貨統合の実現を検討する委員会を設立し、議長をつとめている。単一市場に単一通貨が必要であることは論理的にあきらかだった。楽観的なムードが漂い、ヨーロッパ統合への道のりは順調に見えた。

しかし、「驚異の年」の一九八九年、もうひとつの統合が、ヨーロッパ統合の前に立ちはだかった。スケジュール通りに進められるヨーロッパ統合と違って、この統合は計画されたものでも、予想されたものでもなかった。八八年、西ドイツのヘルムート・コール首相は、自分が生きている間にドイツが統一されることはないだろうと予想していた。東ドイツのエーリッヒ・ホーネッカー社会主義統一党議長の予想はこれより長く、八九年一月、ベルリンの壁は五十年から百年は続くだろうと語っていた。しかし、そのころすでに、こうした見通しを覆す事態が進行していた。この年、ポーランド、ハンガリー、チェコスロバキア、東ドイツ、ブルガリア、ルーマニアで共産主義政権が倒れ、ベルリンの壁が崩壊したのだ。(10)

冷戦の時代は終わり、これまでの前提が根底から揺さぶられた。ヨーロッパを統合へと駆り立てた要因のひとつは、東側の共産勢力に対抗することだった。しかし、いまや、西ヨーロッパ諸国は、ワルシャワ条約軍の戦車が押し寄せてくる恐怖ではなく、経済難民が押し寄せてくる恐怖に脅えるようになった。団結して共産主義に対抗するのではなく、東ヨーロッパ諸国の問題に対応する共通の経済政策を策定しなければならなくなった。共産主義を掲げてきたこれらの国が、すぐにECとの交流と加盟を求めるようになると予想されたため、事態は急を要した。しかし、東ヨーロッパ諸国がどうして市場統合に参加できるだろうか。市場経済制度さえ確立されていないというのに。このため、共通外交政策の必要が緊急のものになった。

第二の大前提は、ドイツの役割、長年の懸案であるドイツ問題に関するものだ。共産主義の崩壊によって、ドイツに関する前提は大きく変わった。戦後の基本的な枠組みは、ジャン・モネと欧州石炭鉄鋼共同体（ECSC）に遡る。西ドイツを民主主義の西ヨーロッパに統合していくことが、西ドイツの国益の点でも、近隣諸国の国益の点でも望ましいと考えられてきた。そうすればフランスとの勢力均衡を保つことができ、イギリスがヨーロッパ統合の動きに加わった後は、イギリスとも勢力均衡を保てると考えられていた。しかし、共産主義の崩壊によって、戦後のドイツで建前の上では神聖な目標となっていた再統一に、実現の可能性がでてきた。統一が実現すれば、ドイツはヨーロッパで圧倒的な力をもつようになり、大陸全体にとって大きな脅威となる。

ドイツ自身も難題に直面していた。東ドイツ経済は、一人当たり国民所得で世界第十位の工業国だと喧伝されていた。共産主義をうまく運営できる民族があるとすれば、ドイツ人しかないともいわれていた。しかし、東ドイツが崩壊すると、その経済は錆びついていたことがあきらかになった。

壊滅的な状態で、きわめて非効率で、無駄が多く、西ドイツからの援助と信用供与で辛うじて崩壊を免れていたことがわかったのだ。では、東西両ドイツをどのように統一するのか。どのように「東《オッ》ドイツ《シーズ》」の壮大な目標の達成を助け、「西ドイツ《ヴェッシーズ》」並みの生活水準に引き上げるのか。いずれにせよ、答えは通貨にたどり着いた。ルードビッヒ・エアハルトの時代の一九四八年の通貨改革で、ドイツ経済の奇跡と四十年にわたる成長の基礎が築かれた。西ドイツと東ドイツの通貨の取り扱いが、将来の経済発展の中心的課題となった。

西ドイツの通貨の番人である西独連銀《ブンデスバンク》のカール・オットー・ペール総裁は、きわめて慎重に進めるのが正しい道だと考えていた。西独連銀は、ヨーロッパで経済の正統的考え方を代表する役割を果たしていた。西ドイツの中央銀行であり、法律上の性格がしっかりしていることから、西独連銀(通貨トレーダーの間では、ブバと呼ばれている)は、ヨーロッパのなかでも圧倒的な力のある中央銀行だった。西独連銀と肩を並べるのは、アメリカの連邦準備制度理事会だけである。連銀はドイツ経済だけでなく、ヨーロッパ全体の金利を決定する。各国の中央銀行が、為替レートを安定させるために、ドイツの政策金利に合わせて自国の金利を調整せざるをえないからだ。目先の利害にとらわれた政治の介入から守るため、連銀には、かなりの独立性が付与されている。その義務は、設立を定めた一九五七年法に記されている。インフレ抑制である。フランクフルト郊外の黒い現代風の城に隠れた連銀は、その権限があまりに大きいために、雇用や社会の安定を犠牲にして、インフレ抑制にとりつかれている「政府のなかの政府」だと批判されることが少なくない。これに対して連銀は、インフレこそ社会を不安定にする最大の原因であり、病であり、インフレを抑制しなければば、経済の生産力を破壊し、その過程で雇用も社会の安定も損なわれると主張する。

連銀の正統的な考え方は、ドイツの過去に深く根ざしたものだ。歴史に刻まれたふたつの記憶が基礎となっているが、いずれもインフレに関するものである。第一は、一九二〇年代初めのハイパーインフレーションだ。ほとんど価値のない紙幣を乳母車に満載して買い物に行く女性の写真がこの時代を象徴している。このハイパーインフレで中産階級の貯蓄と安定が吹き飛び、ワイマール共和国の崩壊とヒトラーの台頭を招いた。第二は、第二次大戦後のインフレだが、このインフレは、四八年の通貨改革で一夜にして撃退され、ドイツ経済の奇跡の条件が整った。歴史の教訓は単純明快である。インフレは社会の基礎を破壊するのだ。

ペール総裁の金融政策は正統的なものだが、連銀ではたらくようになるまでの経歴は変わっている。間もなく徴兵されて戦場に送られるはずだった一九四五年、第二次大戦が終わり、十五歳だったペールは、他の多くの人びととおなじように、荒廃した国のなかで目標を失った。通貨改革までの年月の記憶が、ペールの基礎をつくった。「問題はきわめて切迫していた。食べる物がなかったのだ」。十八歳のとき、社会主義系新聞社ではたらくようになる。その後に知的な関心は移っても、心情的には、社会主義への忠誠心をもちつづけている。「わたしは、社会民主党の人びとを尊敬した。強制収容所や亡命先から帰ってきた人びとだ。共産主義者を除いて、ナチに抵抗したのは、社会主義者だけだ。東ドイツの実状を知っていたので、共産党員になろうとする者はだれもいなかった。わたしは、一九四八年、十八歳で社会民主党に入党したが、さまざまな形で援助を受けた。大学に進学できたのも、党の援助があったからだ。党には恩義を感じている」

大学に進んだペールは、著名な経済学者のカール・シラー教授の下で経済学を熱心に学んだ（戦後初の社会民主党出身の蔵相となったシラーは、ケインズ主義と新自由主義の融合を目指すと宣言している。新自由主義は、戦後復興期の社会主義市場経済を形作った経済理論である）。一九七〇年代初め、ペールはヘルムート・シュミット首相の顧問として政権入りし、その後、蔵相に就任している。七四年、ウィリー・ブラントに代わって首相に就任した社会民主党右派のシュミットによって、七七年にペールは西独連銀の理事になり、八〇年には総裁になった。

一九八二年、キリスト教民主同盟を中心とする連立政権が誕生し、同党のヘルムート・コールが首相になった。以後、十五年あまり、コール首相は、ヨーロッパで絶大な影響力をもつ政治家となった。「ヨーロッパの巨人」と呼ばれているが、身体が大きいばかりでなく、ドイツの強大な経済力を背景としているからだ。ラインラント州の税務署員の息子として生まれたコールは、政治に人並みはずれた関心を抱いていた。四六年、十六歳で、キリスト教民主同盟に参加している。首相になれるかどうかはわからなかったが、あくなき野心はだれの目にもあきらかだった。七九年、党内でコールへの反発が強まり、本人によれば、「屈辱の谷間」を通らなければならなかった。しかし、コールは策略で負けたわけではなく、四年後、首相に就任した。自分とおなじラインラント州出身のカトリック教徒で、ドイツ連邦共和国の初代首相、コンラート・アデナウアーの姿に自分を重ね、「アデナウアー首相の孫」だと自称するほどだ。ライバルには、鈍くて頼りないと、つねに過小評価されていたが、コールにとってかえって好都合だった。ライバルはつぎつぎに落伍していくうち、そのことに気づいた。コール首相には、政治の流れを嗅ぎわける才能もある。しかし、東西ドイツの統一は、遠い目標に思えたので、現実的な政治家として、熱心に取り組んではこなかった。ところが、八九年の一連の動きがベルリンの壁崩壊で最高潮に達し、すべてが変わった。

問題の核心は突如として、「いつ」統一が実現するのかから、「どのように」実現するのかという、はるかに現実的で切実なものに変わった。このため、為替レートが中心問題になった。西独連銀のペール総裁は、東西ドイツの為替レートが、将来の経済動向のカギになることを認識していた。一対一の交換レートを採用するよう主張する人びともいたが、これはくだらないと総裁は考えた。連銀では、四対一、すなわち四東独マルクが一西独マルクに相当すると見ていた。東ドイツの労働者の生産性は、高めに見積もっても西ドイツの四〇パーセントにしかならない。一対一の交換レートを採用し、西ドイツの社会制度や労働法規を押しつければ、東ドイツ経済は完全に競争力を失う。企業は破綻し、東ドイツ全体が福祉に依存することになると考えたのだ。ペール総裁は、ポーランドの事例に正しい政策のヒントがあると考えていた。ポーランドの賃金は、生産性の低さを反映して、ドイツより低くなっている。これは悪いことではなく、好ましいことだ。世界市場でポーランド製品が競争力をもつようになり、雇用や投資が増加し、現代化が進み、機会が広がるからだ。

ペール総裁は、こうした点をすべて認識していた。政治的な統一を急ぐのが望ましいのか、確信がもてなかったほどだ。東西ドイツの統一が、国家目標として過大に評価され、歴史を無視していると感じていたのだ。当面の間、東ドイツを民主的な独立国家として扱う方がいいのではないかと考えていた。東ドイツの経済、社会、政治問題（秘密警察の力が強く、極端なまでに密告者が横行する体制を築いてきたという問題もあった）は、東ドイツが独自に解決する方がいい。その後、欧州共同体（EC）という大きな枠組みのなかで、統一を実現すべきだと考えていた。

「西独マルクが来る」

政治家の考え方は違っていた。四十年にわたる分断が終わった後、怒濤のような歓喜の波が押し寄せた。コール首相は、次第にもうひとつの波を恐れるようになった。金《きん》がしきつめられた道路を探して、西ドイツに大挙して押し寄せる東ドイツ労働者の波だ。「しばらくして、生活できないとわかれば、東に戻るだろう」とコール首相は語った。しかし、その数はすでに膨らんでおり、東ドイツ国民は、共産政権に反対するのではなく、西独マルクを求めて街頭でデモ行進していた。「西独マルクが来るのなら東にとどまる。来ないのなら西に行く」。繰り返されるシュプレヒコールに、コール首相は警戒を強め、東ドイツは崩壊すると確信した。九〇年には五十万人の難民が西ドイツを目指し、社会の大混乱が起こると予想した。通貨統合以外に、この難民を食い止める政策があると進言する者はだれもいなかった。別の要因もあった。四八年から四九年にかけての通貨改革の後、西側の三つの占領地域が統合され、西ドイツが誕生したように、通貨統合によって、東西ドイツの統一が実現すると考えたのだ。コール首相は、偉大な事業を成し遂げ、とくに東西ドイツの統一という国家的使命を遂行して、歴史に名を刻もうとしていた。これに成功すれば、アデナウアーと同等か、ビスマルクにさえ並び称せられる首相になれる。

一九九〇年二月五日の夜、ペール総裁は、東ドイツの中央銀行総裁との会談に臨む途中、ボンに立ち寄り、テオ・ワイゲル蔵相と会談した。総裁は、拙速な通貨統合に反対する議論を繰り返した。蔵相は、事態が違う方向に進み、連銀が東ドイツの金融政策に責任をもたなくてはいけなくなるかもしれないと、遠回しに伝えた。それも、テレビ・ドラマの『スパイ大作戦』のドイツ語吹き替え版で使われる有名なセリフ、「コブラ、管理せよ」を使って伝えようとした。流れを見失わないよう警告したのだが、総裁はヒントを逃してしまった。ワイゲル蔵相は、もともと冗談を好んだからだ。

その後すぐに、ペール総裁はベルリンに赴き、東ドイツの中央銀行総裁との会談に臨んだ。一九九〇年二月六日、ペール総裁は、東ベルリン市内で、通貨統合は夢物語であり、検討していないと言明した。しかし、その数時間前、ボンでは、ワイゲル蔵相やグラーフ・オットー・フォン・ラムスドルフ経済相ら数人がコール首相を執務室に訪ね、西独マルクを東ドイツにも流通させることを決定していた。なにかが決まるときには大抵そうだが、このきわめて重要な決定も、たいした議論もなく決められている。緊迫した状況のなかで、その後の莫大な経済的負担を予想した閣僚はひとりもいなかった。この決定は、その日の午後、ボン市内で発表されたが、ペール総裁には後から知らされた。

発表直後、大部分の人はこの決定に酔いしれていた。コール政権の閣僚は、通貨統合が、経済学者の処方箋通りの政策であり、東ドイツ経済はすぐに成長軌道に乗ると確信していた。どのような結果をもたらすかは、想像ができなかった。この時点で、通貨統合は東ドイツ経済を破滅させる決定であり、産業が壊滅的な打撃を受け、ドイツ全体にとって大きな負担となるとの懸念をあえて表明した高官は、ペール総裁ただひとりだった。その直後の閣議で、総裁は自分の立場を明確にしている。「連銀は相談を受けていない。これは政治的決定だ」。総裁は、連銀の力に対する批判を十分に承知していた。連銀は第二の政府ではない。金融政策に責任をもつ一機関であり、政府の一部として任務を遂行しなければならない。総裁は最後に「連銀は、通貨を管理できる」と語ったが、この言葉に熱意がこもっているとは言い難かった。[11]

コール首相の予想通り、通貨統合は国家目標の達成に貢献した。通貨統合が、政治統合を促したのだ。ベルリンの壁が崩壊してから一年足らず、通貨統合から三か月後の一九九〇年十月、ドイツは統一され、ひとつの国になった。新生ドイツは、ヨーロッパの大国となり、ドイツ連銀は、大陸全体にいっそう影響を及ぼすようになった。しかし、統一は、想像よりはるかに難しく、痛みを伴い、旧西ドイツにとって負担になることもわかった。

疲れ果て、憤りを感じたペール総裁は、その後まもなく辞任している。統一後のドイツ経済は、総裁が予想したとおりになった。旧東ドイツ経済は崩壊した。旧西ドイツの著名な経済学者は当時こう説明している。「われわれは、心臓移植の方法なら知っているし、腎臓移植の方法も、肝臓移植の方法も知っている。しかし、ここでは、あらゆる臓器を一度に移植しているのだ」。旧東ドイツの賃金は、旧西ドイツ並みの水準に上昇した。産業の大部分は競争力を失い破綻した。政府は、旧東ドイツに巨額の補助金を支給しなければならなかった。その額は、一九九〇年から九七年までで総額七千億ドルに達している。かなりの部分は失業保険などの社会保障費だ。旧西ドイツの企業にとって、統一は追い風になった。旧東ドイツの老朽化したインフラストラクチャーの更新需要が発生し、旧東ドイツ国民が活発に消費したからだ。しかし、以前の壁の両側で、九一年の熱狂的な喜びは、まもなく痛みへと変わった[12]。

一九九〇年以降、連銀は、政策金利を高めに維持して、通貨統合によるインフレのリスクを防ごうとした。この影響は、ドイツを超えて広範囲に広がった。金融を引き締めた結果、西ヨーロッパ全体で景気が低迷し、失業率は第二次大戦後最悪の水準にまで上昇した。こうしたドイツでの動きが、ヨーロッパ統合の過程に決定的な影響を与えた。

王国の硬貨

一九九一年十二月、オランダの商業都市、マーストリヒトに、EC各国首脳が集まり、通貨統合、共通の外交・安全保障政策、域内政策を定めたマーストリヒト条約を締結した。共産主義の崩壊やドイツ統一が経済に与える影響は完全にはあきらかになっていなかったが、ヨーロッパ統合の動きに影響を与えるには十分だった。各国首脳は、情勢が変わったことを認識していた。マーストリヒト条約の規定は、二十一世紀初めにいたるまでヨーロッパ統合の道のりを決めることになる。政治面では、外交・安全保障政策で各国がいっそう緊密に協力することで合意した。しかし、もっとも重要な決定は、単一通貨のユーロを発行し、ヨーロッパ中央銀行が管理することを決めた点だ。九九年一月、ユーロが正式な通貨になる。政府、中央銀行、企業は、業務の遂行、会計、請求処理などでユーロを使うようになる。日常生活では、使い慣れた各国の硬貨や紙幣が引き続き使用できるが、ユーロとの交換レートが固定され、ユーロの「単位のひとつ」にすぎなくなる。こうして、請求書や銀行預金がユーロ建てになる一方、個人は慣れ親しんだ紙幣や硬貨で、クロワッサンやソーセージを買うことになる。紙幣や硬貨が実際にユーロに交換されるのは、二〇〇二年の一月から七月の間である。その時点で、財布の中の硬貨や紙幣もユーロになり、各国の通貨は流通しなくなる。

ユーロが登場すると、欧州中央銀行（ECB）がそれを管理する。ECBは、ドイツ連銀をモデルにし、断固としたインフレ抑制政策を受け継ぐ。ドイツ連銀がヨーロッパで指導的な役割を果たしており、ECBの役割を決めた委員会の議長がペールであったことを考えれば、これは意外とはいえない。ECBの基本的な任務として、インフレ抑制がドイツ連銀のもの以上に強い文言で明記されているほどである。ECBが立ち上がると、各国政府の金融政策の権限を劇的に狭めることになる。国際レベルの銀行が、金利や通貨に関する基本的な決定を下し、実行することになり、情勢は一変し、ペール総裁によれば、「貨幣の非国有化」が進む。

通貨統合の実現には、経済の収斂が不可欠であり、政府債務残高、財政赤字、インフレ率などの点で、各国が足並みを揃えなければならない。このため、マーストリヒト条約では、ユーロに参加する際に遵守しなければならない条件として、きわめて厳しい「収斂基準」が定められた。主な基準はつぎのとおりである。インフレ率が、最低から三か国の平均を一・五パーセント以上上回らないこと。一般政府財政赤字が対GDP比で三パーセント以下であること。政府債務残高が対GDP比で六〇パーセント以下か、六〇パーセントに向けて低下していること。過去二年間に通貨を切り下げていないこと。最初の段階で、十五か国のうち基準を満たしてユーロへの参加を選んだのは、十一か国である。当面、参加を選ばなかった国のなかでは、イギリスがもっとも重要である。少なくとも数年は、ヨーロッパはふたつのグループに分かれるだろう。

基準が非現実的で恣意的だとの批判もあるが、マーストリヒト条約では、その解釈や適用に柔軟性をもたせている。ユーロの準備段階で、ドイツは文言通りの厳密な解釈を主張した。マーストリヒト条約の厳しい基準は、「強いマルク」が「社会化」されて弱いユーロにとって代わられ、インフレを招きかねない政策を求める政治家の意向に左右されやすくなるとのドイツの懸念を反映したものだ。ドイツは、ユーロに参加した後に、これらの条件に違反する国に対して罰則を設ける協定づくりを強力に推し進めた。一九九七年六月、アムステルダムで開かれた欧州首脳国会議で、「安定・成長協定」が正式に採択された。制裁金はGDPの最高〇・五パーセントであり、かなりの額になりうる。たとえば、フランスで失業者がデモ行進しているまさにそのとき、フランクフルトのECBがフランスに対して八十億ドルもの制裁金を科すことになりかねない。欧州委員会のイブチボー・ドジルギー通貨担当委員は、安定・成長協定が「金融面の核兵器」であり、強力すぎて使用できないと語っている[13]。

マーストリヒト条約で定められた厳しい条件を守るために、失業率の悪化と低成長が続けば、通貨統合への国民の反対の声は高まるだろう。ヨーロッパ統合は成長率の高まりと繁栄ではなく、停滞に結び付くとする意見が少なくなく、統合への反対が増加している。規制の撤廃が、勤労者に利益をもたらすとしても、資本の側の方がはるかに早く利益を得ているとも見られている。一九九七年のフランスの選挙であきらかになったこうした国民の不安に対応して、アムステルダム首脳会議では、失業対策が最優先課題とされた。ユーロが失敗すれば、「ヨーロッパ連邦」の実現は危うくなるため、政治や選挙民の要望によって、こうした再検討が行なわれている。

きわめて皮肉なことだが、ドイツ国内ではマルクが「社会化」し、つまりユーロに吸収されて、自国の経済運営を管理できなくなるのではないかとの危惧がある一方で、EU諸国のなかには、ユーロとECBによって、ドイツ連銀とその政策が、ヨーロッパ全体を支配するのではないかと危惧する国もある。もちろん、こうした見方がすべてではない。たとえばフランスは、こう考えている。現在でも、ドイツ連銀はヨーロッパの事実上の中央銀行だが、フランスなどの他国はその決定に関与できない。しかし、ECBの上部機関にあたる欧州中央銀行制度（ESCB）に加盟すれば、ECBに対して発言権をもてるようになる。また、ドルに代わる有力な準備通貨をつくるというフランスの大目標に合致している。ECBの設立は、マルクの社会化ではないとしても、ドイツ連銀の力を弱めることになる。しかし、いずれにせよフランクフルトは、ドイツ連銀の本拠地、今後はECBの本拠地として、ヨーロッパの金融政策を支配することになろう。ただ、これまでと明らかに違うのは、ECBは、公用語である英語で政策を実施することになる。

民営化

マーストリヒト条約の基準達成のために財政赤字を削減する必要があることから、ヨーロッパでは民営化の動きが加速している。この結果、混合経済の典型的な管制高地から政府が大規模な撤退を進めるようになった。その規模はきわめて大きい。一九八五年以降、ヨーロッパ各国で、一千億ドルを超える資産が売却されている。各業界を代表する国策企業のフォルクスワーゲン、ルフトハンザ、ルノーや、石油会社ではフランスのエルフ・アキテーヌやイタリアのＥＮＩが、大がかりな事業再編の後に、部分的に、あるいは全面的に民間に売却された。政府所有の電信電話会社の株式の売却もはじまった。先陣を切ったのはドイツ・テレコムで、株式の二六パーセントが百三十億ドルで売却され、ヨーロッパ最大の民営化となった。二〇〇〇年までに、さらに三千億ドルの政府資産が売却される予定だ。各国の蔵相は、さまざまな点で、民営化に魅力を感じている。まず、巨額の売却収入が得られるので、財政赤字の削減に役立つ（マーストリヒト条約では、売却収入自体は、財政赤字基準の対象にならない）。補助金の垂れ流しに歯止めをかけ、多額の税収を得られる可能性がある。また、賦課方式の年金負担を政府から切り離すこともできる。社会の高齢化が進むので、これはきわめて重要になっている。しかし、理由はこれだけではない。

考え方の根本的な変化も起こっている。通貨統合で競争圧力は増す。国境は、聖域にも保護にもなりえない。企業は、事業再編を進め、合併により規模を拡大している。大企業は、「フランス」や「ドイツ」、「イギリス」の企業ではなく、「ヨーロッパ」の企業となるだろう。しかし、それには、これまでにあまり例のない経営幹部の大規模な国際化が必要だ。すべてではないが大部分の場合、国有企業に対する畏敬の念はなくなった。かつて国有企業は、現代化の手段、チャンピオン、成長の牽引役、技術進歩の手段、国益の象徴とみられていた。実際、国有企業は長年にわたり、その役割を果たしてきた。しかし、次第に非効率になり、柔軟性に欠け、国際競争の激化に対応できず、技術革新を妨げているか、その傾向があるとみられるようになってきた。政府が所有しているため、政治的な圧力で物事が決まりやすく、政治家が介入せずにはいられないからだ。フランスのジスカール・デスタン元大統領は、こう語っている。「国有企業には理解できない点がある。経営者は、エリートのなかのエリートといえるほど優秀だ。しかし、効率的な経営ができず、変化に抵抗し、現実から遊離している。じつに奇妙なことだ」

市場統合の力学によっても変化が促されている。欧州委員会は、政府と民間のどちらが企業を所有するかという点で、中立的な立場をとっているが、競争や市場参入の障壁は撤廃するよう主張している。この方針が、国有企業による市場独占と対立するのはあきらかであり、電力会社のように、かつては自然独占だと考えられた事業も、周辺部分から侵食されている。保護された「国内市場」がなくなれば、国有企業であることが事業を進めるうえで障害になる。そして、国内市場を独占している国有企業には、国外で事業機会が与えられない可能性がある。イタリアのアルベルト・クロ元工業相は、こう語る。「イタリア企業が将来に備えるには、競争にさらされ、成長市場で戦わなくてはならない。そして、こうした成長市場で活躍している企業も、イタリアに参入すべきだ。イタリアの大手電力会社ENELは、世界でも大手の企業だが、電力使用量の伸び率がわずか年一パーセントの国内だけで事業を行なっている。将来は、アジア、中欧、中南米で電力需要が増えていく。ENELが、これらの市場で競争できるようにしなければならない。そのためには、イタリア市場を開放して、外国投資を受け入れなければならない」

民営化を促進するもうひとつの要因がある。技術だ。ノルウェーのイエンス・ストルテンベルク前蔵相は、こう回想する。「一九七三年、労働党に入党したとき、生産の変化が、どのように社会構造を変えるのか、マルクス主義の考え方を一週間かけて学んだ。変化をもたらす力は技術だと考えられていた。技術の進歩で社会主義が実現するのは時間の問題だと教えられた。今日、技術によって変化が起きてはいるが、社会主義は実現していない。技術の進歩は、資本主義を奨励し、競争を促進している。一九八〇年代末まで、ノルウェーにはテレビ局がひとつしかなく、新たな開局は禁止されていた。八五年の選挙では、この問題が大きな争点になった。労働党は、テレビ局の解禁に反対した。あまりに商業主義的で国民のためにならないと主張した。しかし、衛星放送が受信できるようになり、この政策は無意味になった。われわれは、技術の進歩のために、変化を受け入れざるをえなかった」

この「民営化の波」は各国共通だが、その進め方には、大きな違いがある。フランスでは、大型案件の場合、長期間にわたってその企業の経営を任せられると政府が判断した「中核」投資家に、過半数株式が譲渡される。イタリアでは、民営化とは、中央政府の持ち株会社、産業復興公社（IRI）を解体することだ。民営化の過程で、イタリア実業界と政界の複雑な司法取引、金融取引が明るみに出た。ドイツでは、民営化が地域の工場閉鎖や雇用喪失につながるとして地方政府が反対する場合もあるが、連邦政府は意欲的である。旧東ドイツの産業や企業を民営化した実績も、民営化を進めるうえでの強みになっている。わずか五年の間に、ドイツ信託公社は、旧東ドイツの一万三千七百社を総額約二百五十億ドルで売却した。最後の仕事は、在庫の棚を空にした後、公社自身を民営化することだった。

ヨーロッパでは、民営化によって、新たな大型の成長産業が誕生している。規制である。政府が企業を所有していた時代には、独立した規制は必要なかった。各省庁が、電話、水道、天然ガス、電気などの料金を決定した。しかし、こうした事業を担う企業が民営化された後は、企業自身が価格や営業の条件を決定する。このため、政府の役割が変わった。消費者を保護するために、価格に競争原理がはたらくようにし、安全と品質の基準を定めることが仕事になる。そのためには、価格や取引慣行を規制する新たな機関を設立しなければならない。イギリスは、いち早く民営化に取り組んだことから、最初に規制制度を整備したが、現在も調整を進めており、当初に予定されたものより、はるかに大きな制度になっている。さまざまな種類の独立規制委員会が、ヨーロッパ各国でつぎつぎと誕生している。

民営化を進めるなかで、いまでも労働組合との厳しい交渉が必要なうえに、EU加盟国の間で、各産業の将来の競争に関するルールについて、複雑な利害調整が行なわれる。しかし、ヨーロッパで、かつてほとんど考えられなかった民営化が、各国政府に共通の政策となり、受け入れられている。ヨーロッパの社会契約の核心に迫るはるかに複雑で難しい戦い、福祉国家の将来にかかわる戦いが、前途に待ち受けている。[14]

福祉国家のコスト

マーストリヒト条約によって、産業の再編に加えて、社会保障費の抑制が不可欠になった。西欧諸国の社会保障費は長期間にわたって拡大し、対GDP比で平均四二パーセントに達している。第二次大戦後、マーストリヒト条約よりはるか前に、ヨーロッパは、福祉国家と混合経済の組み合わせによって、収斂を達成していた。混合経済は、完全雇用と経済成長をもたらすと考えられた。経済成長の成果のかなりの部分が、社会保障を通じて国民に再分配され、社会の安定と平和をもたらした。福祉国家は、ヨーロッパを代表する成長産業のひとつでもあった。少なくとも最近までは。

ヨーロッパの社会制度に誤りがあるとの警告を発しているのが失業である。一九九〇年代半ば、インフレに代わって失業が、ニュースの大見出しになり、警告信号になり、選挙の争点となった。工場の閉鎖、事業の縮小・再編、海外企業との競争によって、古くからの雇用が失われていった。雇用を維持するために、政府が赤字企業に補助金を交付する傾向は減っている。一九七〇年代、フランスの失業者は二十六万二千人から百万人強に増加した。八二年、フランス社会党は、失業者が二百万人の大台を超えるのではないかと懸念していたが、九七年時点で、三百万人を突破している。中途退学者の失業率は二九パーセントに達している。西欧の工業国の平均失業率は、一〇パーセントから一五パーセントの間で推移している。南ヨーロッパではさらに悪い。完全雇用は、混合経済が第一に保障する目標だったはずだ。しかし、現実には、失業手当を支給する政府機関に頼る人の数が増加している。

失業の増加は、福祉、社会保障、労働市場の保護などのこれまでの体制全体を大きく揺るがすものになっている。人口構成の変化によって、年金と補償の制度が財政面で破綻し、危機に陥っているのである。ジスカール・デスタン元フランス大統領は、こう回想する。「ヨーロッパの福祉制度は、それがつくられた当初、きわめて公正で優れた制度だった。しかし、現在では平均寿命が当初の見込みを上回っている」。今後も、人口構成の変化で、問題が難しくなる一方だ。二〇三〇年の時点で、十五歳から六十四歳の生産年齢人口に対する六十五歳以上の高齢者の割合は、フランスとイギリスで四〇パーセント、ドイツで五〇パーセント近くに達する見込みだ。

大陸諸国のなかで、オランダは周辺諸国にくらべて積極的に福祉国家の問題に取り組んでいる。一九八〇年代、オランダは経済不振に喘いでいた。「オランダ病」と名づけられたように、その背景には、オランダ特有の事情がある。天然ガスの生産が急速に増加し、巨額の収入が入っていた。ルドルフス・ルベルス前首相によれば、「政治的に正しい判断ができなかったことに加え、天然ガス資源による国民所得の急増で、ばらまき体質になり、福祉国家が『成熟しすぎた』」。社会保障給付が増額され、簡単に支給されるようになった。失業手当は、賃金に限りなく近く、はたらく意欲を損なうほどになった。短期間のうちに、労働者の約三分の一が、失業手当や身障者手当などの社会保障費の給付を受けるようになった。

このような病める事態に直面して、政府は正統的なケインズ流の処方箋を捨て、経済の方向を修正しはじめた。財政赤字を削減し、減税を実施し、「賃金の行き過ぎを是正し」、雇用と解雇、パートタイムの活用を容易にした。これらの改革を実施して以降、周辺諸国にくらべて失業率が低下して、福祉国家の緩やかな改革のモデルになるとされている。しかし、実際の失業率は、公式発表の数字よりはるかに高いとの批判もある。それに、オランダの福祉国家が、寛大ではなくなったという人はだれもいないだろう。

「朝は温泉」

アメリカとヨーロッパの考え方の違いは、際立っている。アメリカで「福祉」という言葉は、ほとんど悪い意味の言葉だ。これに対して、ヨーロッパ人にとって福祉国家は、ヨーロッパ大陸の偉大な成果のひとつであり、文明社会の重要な要素であり、社会的合意の基礎であると考えられている。福祉国家が批判される場合は、概念そのものではなく、行きすぎが批判される。右派か左派かを問わず、どの国の政権も、福祉国家の維持を公約している。たとえばドイツ人にとって、一八八〇年代に現代的な年金制度をはじめて創設したのは、鉄血宰相、ビスマルクであり、社会主義者ではなかった。スペインの著名な実業家はこう語る。「ヨーロッパでは、福祉国家がきわめて尊重されている。社会契約に基づいて、政府が安全網を提供している。しかも、安全網はきわめて高いところに張られている」。現代的な福祉国家は、国のアイデンティティの一部であり、ヨーロッパ人が国民の「連帯」というときは、階級闘争やイデオロギー対立の克服だけではなく、福祉国家の制度も意味している。

しかし、社会福祉制度は、その寛大さによって立ち行かなくなっている。ドイツでは、通常、有給休暇が六週間もある。失業手当は賃金に近い額にのぼり、年金ははたらいた期間に関係なく支給される。ある実業家はこう語る。「今日のドイツは、驚くべき状況になっている。三十年間はたらいて生産に寄与した人でも、三十年間失業していた人、まったくはたらかなかった人と年金の額が変わらない。何かがおかしくなっている」。気前の良さは、制度の対象になる手当やサービスにもいえる。ドイツ人は、ゲーテの詩に登場するほどの温泉「治療」好きで、医者もこの治療を奨励する。社会保障制度がこの費用を負担する。とくに人気のある治療がファンゴと呼ばれる泥の温泉だ。納税者負担で行なわれるこうした楽しい治療は、「朝は『ファンゴ』で、夜はタンゴ」と揶揄されるまでになった。

肥大化した社会福祉制度を機能させるための支出が急増し、「社会的費用」、つまり、納税者や雇用者が制度を維持するために負担しなくてはならない費用が大幅に増加している。こうした負担が重くなりすぎて、雇用者が新たに従業員を雇おうとする意欲が減退している。労働者保護に貢献した多数の労働関係法は、いまや制度の硬直化をもたらし、雇用者はみずから抑制できない問題の費用を負担するようになり、新たな雇用を創出する意欲が減退している。手厚い失業手当が支給されるため、はたらく意欲も妨げられている。労働組合が法的、制度的な力を背景に、変化や技術革新を阻止し、経済の硬直化をもたらしている面もある。ドイツのある大手企業では、労組を説得してボイス・メールを導入するまでに三年もかかっている。これらのコストや規制は、とりわけ創業段階の企業やベンチャー企業に負担となる。しかし、ベンチャー企業が雇用創出の重要な牽引役となることは、アメリカで実証されている。これらの影響は、雇用統計にあらわれている。一九九三年から九七年の間に、アメリカの雇用者数は八パーセント増加したが、この間、ヨーロッパでは横ばいだった。

しかしいままでは、これまでの社会モデルを大幅に修正する必要があるとの認識が、ヨーロッパ人の間に広がっている。給付、規制の両面で肥大化した福祉国家を後退させ、再編しなければならないとの考え方が広がっている。ペール元ドイツ連銀総裁は、こう語る。「西欧諸国が直面している問題は、古典的な形の福祉国家が終焉を迎えたことだ。これまでの流れを完全に逆転させることはできない。過去百年間の成果は無にはできない。しかし、再編する必要がある」

社会保障部門の構造を変革し、福祉国家を再編して、サービスを低コストで提供し、効率をはるかに高めなければならない。これを、国民の合意のもとで進めなければならない。そして、これらすべてを、連帯の基本的価値を見失うことなく実行しなければならない。これこそ、欧州委員会の元委員長で、世界貿易機関の初代委員長、ピーター・サザランドが言う「低インフレ率と健全財政の新しい合意」を実現するうえで、中道左派、中道右派を問わず、ヨーロッパの政治家が直面している問題である。とくに社会民主党にとって、この政策転換は難しい。政府による大規模な管理を断念したいま、同党の主な任務は、福祉国家の保護、改革、再活性化になっている。そして、雇用はいまでも、政策の是非を示す基準になっている。ノルウェーのストルテンベルク前蔵相は言う。「一九七〇年代の社会民主党の誤りは、雇用を創出できなかったことだ。現在の市場寄りの政策で雇用が増えなければ、有権者は、他の政策を求めるだろう[15]」

「苦境」

「ヨーロッパには、十分な活力があると信じている」。一九七四年から八二年まで八年にわたって西ドイツの首相をつとめたヘルムート・シュミットはこう語る。首相になる前には、国防相と蔵相をつとめた政治家だ。現在の苦境を考えるうえで、類をみない権威と歴史感覚をもっている。第二次大戦が終わったとき、イギリス軍の捕虜だったシュミット元首相は、戦後、社会主義政治に身を投じ、ハンブルク市で昇進した。社会民主党の右派に属し、党内で西側の一員としての立場を代表する人物であり、北大西洋条約機構（NATO）を強く支持している。政治にも経済にも精通しており、当時、もっとも実力のある政治家だと見られていた。欠けていたのは、自分の発言に理解力が追いつかない人に対する忍耐力だった。

シュミット元首相は、ドイツの権威ある週刊誌であり、発行人をつとめているツァイト誌のオフィスで、ヨーロッパ情勢について語ってくれた。その日、ハンブルクは非常に寒かったが、窓から明るい日差しが差し込んでいた。インタビューの最中、時折、プラスチックの容器を取り出し、吸引していた。「そう、ヨーロッパ各国は、現在の構造問題から抜け出す力をもっている。しかし、問題があり苦境に陥っていることを、国民が理解しているとは限らない。国民に理解されれば、社会サービスの負担を削減し、税負担を軽減し、世界市場で競争力のある新製品の開発方法を見つける必要があろう。一九七〇年代、わたしは欧州共同体（EC）の自由化の進展に自信をもっていた。七八年以降の中国の大きな変化と、その後の成果には注目していなかった。日本やアジアの虎の成功も信じてはいなかった。いまやアジア諸国が世界経済の牽引役になった。ヨーロッパは、優位性を失ってしまった」

こう続ける。「ヨーロッパの衰退の根本的な原因は、福祉国家による搾取だ。福祉国家は考え方としてはいいが、スウェーデンやフランス、ドイツなどヨーロッパ各国で極端になりすぎている。社会は高齢化しており、平均死亡年齢は上がっている。支給期間が延びた年金を支払う必要があるので、財政は悪化する一方だろう。このため、すべての国で、税率が上がり、財政赤字が膨らむ。あまりに長い間、財政は健全だと思ってきたが、いまやそうではないことがわかってきた」。少し間をおいてこう言った。「少なくとも、一部の人はわかっている」

シュミット元首相が主張するように、ヨーロッパが現在抱える問題は、過去の克服に成功した結果なのだ。「ヨーロッパの成長が鈍化している理由のひとつは、イギリス、フランス、イタリア、ドイツなどヨーロッパの国はどこでも、ヒトラーや第二次大戦、占領の苦難を体験していない世代が、いまの政界、実業界、労働組合、官庁で実権を握っている点にある。その前の世代は、過去百年の悲劇を繰り返さないように社会を再建することを原動力としてきた。現在の指導者はまったく異なった環境で育っている。両親の世代は三年から五年たてば生活水準が大きく向上してきたため、生活水準が向上するのは当然だと思ってきた。学問、社会、政治でもおなじ考え方がある。社会を建設し、つくりなおすという動機をもっていない。いまや市場の動きは、政界の指導者が追いつけないほど速い。ヨーロッパ政界の指導者は、市場の考え方に後れをとっている。政治家は、いまだに場違いの経済認識をもっている。自分が知っている過去にしがみついているのだ(16)」

しかし、その過去はすぎ去った。福祉国家の改革、政府と国民の責任分担の見直しが、ヨーロッパにとって主要な課題として浮上している。福祉国家から撤退するのではなく、「連帯」の意味を見直し、これまでの基本原則の権利と資格に、個人の責任という考え方を付け加えることで、社会契約を結び直そうとしている。つまり、国民が社会サービスのコストの一部を負担し、引退後の生活費に対してこれまでより責任を負うようにしようとしている。「公共の利益」に関して、従来の考え方と新しい考え方がぶつかることになる。今後の労働のあり方、つまり、はたらく期間、柔軟性、規則についての疑問、そして、世代間のバランスについての疑問もでてくるだろう。

こうしたことから、かなりの動揺と不安が起こっている。生活水準の高さと行き届いた保障は、ヨーロッパの混合経済の最大の成果である。しかし、ヨーロッパの人たちは、「いまほど恵まれた時代はなかった」とは考えていない。福祉制度が行きすぎて、それをまかなうために必要な富を生みだす能力が損なわれているのだ。現在の制度の背景には、政府には国民に対する義務があるとの根強い感覚がある。現在ではこうした不安に加えて、アルティエロ・スピネリが第二次大戦の絶望的な時代にベントテーネ島で夢見た連邦構想をヨーロッパが実現していくなかで、政府自身が侵食されていくという感覚がある。

一九九八年の終わりになって、アジアの経済危機が、ヨーロッパの成長ときわめて複雑なユーロの誕生、さらにその運営を直撃したことがあきらかになるまで、通貨統合の実現で、ヨーロッパには成長への活力が生まれると考えられ、前途は洋々に思えた。しかし、現在の社会契約が、欧州市場統合とグローバル化がもたらす競争の激化によっても、今後に予想される政府の役割の変化によっても、変容することを疑う者はいない。世界の二大通貨制度のひとつを政治的な枠組みなしに運営することは、少なくとも大きな実験だといえる。成功すれば、社会契約が刷新され、二十一世紀のヨーロッパの結束を強固にすることができるだろう。

第12章

遅れて起こった革命

アメリカの新たな均衡

chapter 12

THE DELAYED REVOLUTION:

America's New Balance

一九九五年十二月十六日、世界最後の超大国が窓口を閉鎖した。アメリカ連邦政府の資金が底をついたのだ。クリントン大統領の民主党政権と、ギングリッチ下院議長、ドール上院院内総務が率いる共和党議会との間の交渉が行き詰まり、政府支出をまかなう予算が成立しなかったからだ。

数十万人の連邦職員が自宅待機を命じられた。給与が一部支払われなかったり、まったく支払われない職員も数十万人以上にのぼった。国防省は予算が成立していたので業務を続けていたが、他の政府機関の多くは違った。気象局は安全面で重要なので平常どおり業務を行なっていたが、給与を支払う手だてはなかった。「必要不可欠な」職員だけが出勤した省庁もいくつかあったが、他の職員がいなければ仕事にならないので、クロスワード・パズルを持参するよう勧められていた。上院の食堂さえ営業を停止した。ワシントンの通りに通勤する職員の姿はなく、連休のさなかのようだった。ワシントン記念塔、リンカーン記念館をはじめ、ほとんどの博物館や美術館も休館になった。オランダ絵画の巨匠フェルメールの有名な作品三十五点のうち二十一点を公開するユニークな美術展は、警備員の給与を民間からかき集めて、ようやく続けることができた。

三百九十七の国立公園をはじめ、全米の国営施設も閉鎖された。フロリダ州のエバーグレード国立公園ではバリケードで塞がれた入り口に、「予算交渉の行き詰まりのため閉鎖中」とデカデカと書かれた看板が掲げられていた。観光客には責任者の名で予算問題を釈明する文書が手渡されたが、入場できない怒りがおさまるわけがない。ペンシルベニア州から車でフロリダまで来て、結局、公園に入れなかった観光客のひとりは、「政治家は九六年の選挙で有利な立場を築こうと、国民生活をもてあそんでいる」と怒りをあらわにした。連邦住宅局には最低限の職員しかいなかったので、住宅ローンの承認は滞った。パスポートの発給も止まった。世界中の在外公館も閉鎖したので、訪米を予定していた人はビザを取得できなかった。クリントン大統領の地元のアーカンソー州では、連邦予算で運営する障害者認定局が閉鎖され、八千五百人分の申請が未処理のままになった。『北西部でキスに最適な場所』というガイド・ブックでキス・マーク四つを獲得したワシントン州の海岸沿いのロッジは、国立公園内にあるため閉鎖せざるをえず、新婚旅行のカップルを落胆させた。

アメリカ連邦政府の窓口閉鎖は、混乱と当惑、怒りを巻き起こした。政府職員は給与が支払われるメドがたたないので住宅ローンや歯科治療費の支払いを延期したが、それだけでなく雇用の先行きに不安を抱いた。冷戦を制したばかりの国にしては、まったく奇妙な光景だった。(1)

一九九三年、ビル・クリントンが、さまざまな政策を寄せ集めたあいまいな「ニュー・デモクラッツ」政策を掲げてワシントン入りした。「増税と放漫財政」と批判されるようになった正統リベラリズムにくらべ、政府の力を抑制する点に重点がおかれていた。九三年、クリントン大統領は激しい反対を受けながら、財政赤字削減計画によってこの政策の推進にみずからの威信のすべてをかけた。その一方で、経済のもっとも大きいセクターである医療に連邦政府が責任を負い、国民健康保険制度を確立する大胆な計画に取りかかった。しかしこの計画は、あまりに複雑で頓挫してしまった。

九四年の中間選挙で、上下両院の過半数を獲得した共和党が反撃にでた。共和党の選挙公約の「アメリカとの契約」は、犯罪や「家族の価値」、財政赤字に対して中間層が抱いている不安を緩和する政策を列挙するとともに、規制や政府介入の縮小を約束している。全体として政府の縮小をうたった内容だ。その主張の核心は、政府支出を抑制し、財政均衡を実現することにある。年度予算の大幅な削減を提案しただけでなく、憲法を修正して財政均衡を義務づけようとした。財政赤字を違法とするよう求めたのである。しかし、民主党が正統リベラル派と財政赤字反対派に分裂していたように、共和党も、減税と財政赤字削減のどちらを重視するかで意見が分かれていた。それでも共和党には、予算案を盾にとって、連邦政府の抜本的改革を迫る心づもりがあった。政府の窓口閉鎖で、民主・共和両党は抜き差しならない攻防を繰り広げていた。一歩進むたびに、両党は神託を仰いだ。とはいっても、ギリシャのデルフォイ神殿の神託ではない。現代版の神託、世論調査の結果に注目したのだ。

両者の攻防は、一九九六年の大統領選挙の前哨戦だったのはたしかだが、政府の役割をめぐる戦い、つまり政府を拡大するか、現状を維持するか、縮小するかの戦いでもあった。クリントン大統領自身は側近の多くよりも保守的な姿勢をとろうとしているようにみえることが多いが、合意は成立しなかった。共和党の目標は、連邦政府の赤字を七年以内にゼロにできる予算案を成立させる点にあった。とくにメディケア（老齢者医療保険制度）やメディケイド（貧困者医療保険制度）などのさまざまな福祉制度予算の伸びを抑制し、福祉政策とメディケイドを州政府の管轄に戻すよう提案した。また、大幅な減税を求めた。大統領が議会の予算案に拒否権を発動したため、共和党は継続決議（政府の機能を維持する暫定予算にあたる）を拒んでこれに応酬した。このため九五年十一月、政府窓口は六日間の閉鎖に追い込まれた。そして、十二月にふたたび、おなじ事態に陥ったのである。窓口閉鎖はクリスマスから正月にかけて続き、大統領と議会は互いを非難した。

一九九五年の前半には、ギングリッチ下院議長が事実上の首相になり、クリントン大統領の再選はもはや不可能だと思われていた。しかし予算案をめぐる攻防のなか、クリントン大統領は支持率を回復し、ギングリッチ議長は急速に支持率を落としていた。議長の不支持率が急速に上昇した。下院共和党は国民の共和党離れに驚いた。連邦職員に対する国民の深い同情を過小評価していたのだ。それでも、政府を債務不履行の危機に追いやれば、クリントン大統領を妥協に追い込めると考えていた。債務不履行が引き起こす事態の深刻さを考えれば、クリントン政権が降伏すると踏んでいたのだ。しかし、大きな誤算があった。共和党は数か月にわたってみずからの意図をほのめかしていたため、ウォール街のころから交渉の達人として知られているルービン財務長官が、債務不履行の危機に備える時間が十分にあったのだ。九〇年の法律により、財務省には連邦政府のさまざまな年金基金から資金を借り入れる権限が与えられており、十二月の窓口閉鎖までには準備は万端整っていた。財務省は、政府が債務不履行に陥らないよう、数か月分の資金を信託基金から調達した。ルービン財務長官が共和党を出し抜いたことを知り、弾劾しようと憤慨した議員もあった。

共和党は、もうひとつ重大なミスを犯した。クリスマスと正月の間に、クリントン大統領は、側近の何人かの反対を押し切って共和党がいくつか提示した提案のひとつを受け入れた。しかし、ギングリッチ議長は下院共和党をまとめることができず、大統領の提案受諾を拒否したのだ。クリントン政権の高官のひとりはこう語る。「共和党はイエスという答えすら拒否した。歴史はささいなことで動く。共和党が大統領の提案を受け入れていれば、ギングリッチ議長にとって大きな勝利になった。アメリカとの契約で掲げた目標を一年以内に達成できたと誇ることができ、連邦政府はもっと縮小し、クリントン大統領は一九九六年の大統領戦で敗れていただろう。しかし、共和党は提案を受け入れなかった」

年が明けた一九九六年の初め、ようやく妥協らしきものが成立した。連邦予算の削減幅と減税幅はともに緩和されたが、クリントン政権は、議会予算局の試算に基づき、七年以内に財政赤字をゼロにする予算案を大筋で了承した。この点こそ、共和党にとってもっとも重要な目標だった。九六年一月の第一週の末、記録的な大雪がワシントンを襲った。交通は麻痺し、両者の代表が交渉を継続するために、会うことすらできなかった。しかし、大雪の影響はあったが、窓口閉鎖は解除された。

現時点で振り返ると、政府の窓口閉鎖と予算をめぐる混迷では、民主党が勝利したとされる。しかし同時に、アメリカにとっても民主党にとっても転換点になった。それがあきらかになったのは、窓口閉鎖の数週間後、クリントン大統領が一般教書演説で「大きな政府の時代は終わった」と語ったときである。大統領はこの言葉を二度も口にしている。アメリカの経済政策は、他の多くの国と同様に、世論だけでなく、数兆ドルにのぼる年金資金などの金融市場が政策の信頼性について下す判断にも影響されるようになった。巨額の財政赤字を容認しないという市場の判断はきわめてはっきりしている。アメリカの政治の潮流は変わった。この変化は実際には二十年前にはじまっており、クリントン大統領はその流れを受け継ぐ立場に立っているのである。(2)

アメリカにおける政府と市場の関係の見直しは、他のどの国とくらべても劇的ではない。第二次大戦後、他国とおなじように政府が拡大したが、企業の国有によるものではなかったからだ。アメリカで政府活動が大幅に拡大した際に、市場の失敗という概念が根拠になっていたとするなら、それから数十年たって政府と市場の関係が見直されることになったのは、意識の変化という背景があったからだ。つまり、市場の失敗を是正する政府の能力に対する信認が低下し、市場がみずから是正する能力に対する信認が高まったことが背景にあった。しかし、この変化のうち、主に表現が変わり、信条が変わっただけだといえる部分がどれだけあるのだろうか。そして、実際に政府と市場の間の境界が変わったといえる部分がどれだけあるのだろうか。

共産主義と資本主義の対立というマニ教の二元論のような世界では、アメリカこそが資本主義の本国だと考えられてきた。起業家精神、技術革新、リスク負担、機会の国であり、市場の「創造的破壊」の国なのである。しかし、政府が介在しなかったわけではない。政府の介入が企業の国有の形をとる国が多いなかで、アメリカの特徴は規制によって介入した点にある。また、福祉大国として成長を続け、社会保障制度を発展させてきた。この結果、アメリカでの戦いは、過去も現在も、規制、税制、財政支出、社会保障制度、民営化（目に見えにくいが）の場で繰り広げられている。規制自体はふたつの方向に向かっている。ひとつは市場での経済的な介入を弱める方向であり、もうひとつは社会的価値を守るために、介入を強める方向である。しかし全体として、財政節度をめぐる戦いを続けている点では、二十一世紀を目前に控えた他の大半の国とおなじである。この戦いは二十年前にはじまっている。

アウトサイダー

一九八〇年、ロナルド・レーガンが大統領候補に指名された共和党大会の期間中、レーガンが政治の本流からあまりにかけ離れていると思えたため、フォード前大統領を副大統領候補に担ぎ出そうという緊迫した交渉が秘密裏に行なわれていた。通常の副大統領ではない。外交や予算の権限をもつ事実上の共同大統領として、はるかに重い責任を負い、さらに「大統領府の最高責任者」になるというものである。この案が真剣に検討されていたことは、だれあろう外交の達人、ヘンリー・キッシンジャー、金融の達人でのちの連邦準備制度理事会議長、アラン・グリーンスパンが、フォード陣営を代表して（したがって、共和党主流を代表して）交渉にあたった点からあきらかである。

しかし数日後、この案は立ち消えになった。そもそも奇策にすぎず、憲法に抵触するという理由だけではなかった。こんなジョークがあった。レーガンは九時から五時までの大統領で、週末と平日の夕方五時から朝九時まではフォードが大統領をつとめると。カーター大統領との選挙期間中、自分が知事と呼ばれ、フォードが大統領と呼ばれるようになることをレーガンが喜ばないという事情もあった。(3)

このような突拍子もない案が飛び出したこと自体、レーガンが信頼性と経験に欠けるとみられていたことを示している。アメリカでもっとも人口の多いカリフォルニア州（当時の人口は二千万人）の知事を八年もつとめており、一方のカーター大統領は、ジョージア州（当時の人口は四百五十万人）の知事を四年間つとめただけなのだが。レーガンは、アメリカの政治の本流とはかけ離れた超保守派の陽気な人物とみられていた。フランクリン・ローズベルト大統領のニューディール政策ですたれた言葉を操る空想家だった。政府の縮小と政策の削減を訴え、自由企業と市場の魔術を唱道した。これが、ゼネラル・エレクトリック社の広報担当者の発言ならわかるし、テレビ番組『デス・バレー・デイズ』のホスト役「オールド・プロスペクター」（レーガン自身が政界入りする前に俳優として最後の時期に出演していた）の後任の発言なら理解もできる。しかし、アメリカの大統領に期待されるたぐいの論調ではなかった。

レーガン大統領は、過小評価されるのは気にしていないとよく語っている。かえって好都合だったのだ。そして結局、レーガン大統領とレーガン政権が、アメリカの政治の言葉を変え、政府と市場の関係を見直す戦いに先鞭をつけることになる。

「現実にうちのめされて」

レーガン主義の背景にはある考え方があった。そのなかでシカゴ学派が大きく台頭してきた。一九七〇年代の経済的苦境で生まれた政策への不信によって、政府の政策は解決策ではなく問題そのものだとするシカゴ学派の影響力がいっそう大きくなった。そして、そう考えたのはシカゴ学派だけではない。レーガン政権で一時期、大統領経済諮問委員会の委員長をつとめたハーバード大学のマーチン・フェルドスタイン教授らは、高い税率の経済的コストを、それで失われた投資やインセンティブによって計算する重要な研究を行なった。バージニア大学で生まれた公共選択理論は、利益団体がみずからの利益のために政策を誘導することをあきらかにし、政府の問題を解きあかす有力な手段となった。さらに、「サプライサイダー」と呼ばれて短期間で有名になる評論家や経済学者のグループも登場してきた。サプライサイダーは、インフレこそが社会の最大の敵で、インフレを撃退する最善の方法は通貨供給量の管理であると考えた。為替については、理想的には金本位の固定相場制を採用すべきだと強く主張した。しかし、サプライサイド政策でもっとも有名な考え方は、減税による税収の減少が、成長率の上昇による税収増で十二分に補われるというものだ。

経済学者のさまざまなグループが、アメリカの経済に関するそれまでの想定をくつがえしていった一方で、政府と市場の関係の見直しを迫る別の潮流が、政治、社会、さらには文化を同時に批判していた。新保守主義《ネオ・コンサーバティズム》である。新保守主義運動は、一九六〇年代後半から七〇年代初めにアメリカで台頭した。当初数十人だった中核グループは、幻滅したリベラル派だった。リーダーのひとり、アービング・クリストルによれば、「現実にうちのめされたリベラル」だ。多くは極端な左派から移ってきており、若いころはマルクス主義のいずれかの理論を信奉していた。クリストル自身、妻と最初に出会ったのはブルックリンで開かれたトロツキー派の青年集会の会場で、五十年をへて、元トロツキストと呼ばれることに抵抗を感じていない。

新保守主義は、一九六〇年代後半、「カウンター・カルチャー」の爆発や若者の反逆で、新左翼の学生が大学当局を攻撃し、戦闘的な過激主義がもてはやされたのに対抗して活気づいた。敵は、社会主義、マルクス主義、共産主義、国家統制主義だが、それだけではなかった。もうひとつの敵は、アメリカの政治やメディア、大学に広く浸透し、異議を唱えるのが不可能だと思えるほど優勢なリベラリズムの精神だった。新保守主義の信奉者は、リベラリズムが規律を乱し、腐敗や道徳的退廃を生み、最終的にはアメリカの衰退をもたらすと考えるようになった。そして、政府は大胆な政策を掲げているが、約束された成果をあげておらず、政府に依存する文化を生み出し、事態を好転させるどころか悪化させていると批判した。とくに強力な議論の多くは、予期せぬ結果の法則を根拠にしている。たとえば公共住宅は、スラムを根絶するのではなく生みだしており、その過程で低所得の労働者層が入居できる住宅を押しつぶしてきたという。「ネオコン」と呼ばれるようになった新保守主義派は、「第三世界主義」にも異を唱えた。「第三世界主義」とは、ソ連が社会主義の慈愛に満ちた国であるのに対し、アメリカは開発途上国を苦しめる病理の根源で、第三世界を搾取、抑圧し、邪悪な野望を抱く国だとする考え方だ。ネオコンはこれらすべてが、罪を背負いみずからをむち打つことを好むリベラル派の傾向や、謝罪して許しを乞うリベラル文化と結び付いて、国内では悲惨な政策を生み、対外的にはアメリカの降伏につながっていると考えた。

ネオコンは知識人であり、ハイエクやフリードマンとおなじように、自分たちの戦いが考え方をめぐるものだとみていた。何十年にもわたってアメリカの思潮の管制高地を制圧していた有力な考え方に対抗して、イデオロギーの戦いに従事していたのだ。七〇年代半ば、クリストルはこう書いている。「ほんとうのところは、考え方はなににもまして重要なのだ。どの社会でも、経済団体、政治団体、宗教団体などの巨大で強力だと思える集団でも、構成員の頭の中の考え方が変われば、いとも簡単に変わってしまう。思想の力は絶大である」。そこで、ネオコンはみずからの考え方を説明し、体系化する運動を展開した。運動の場になったのは、選挙ではなく、パブリック・インタレスト誌、コメンタリー誌などの雑誌や、ウォール・ストリート・ジャーナル紙のコラムなどである。ウォール・ストリート・ジャーナル紙は、ネオコンの考え方を伝える媒体のなかで唯一メジャーなもので、きわめて重要だった。ネオコンには、アメリカを代表する知識人が少なくとも一時期、名を連ねていた。ネイサン・グレイザー、ジェームズ・Q・ウィルソン、ノーマン・ポドホレッツ、ジーン・カークパトリック、マイケル・ノバーク、ベン・ワッテンバーグ、ピーター・ベルガーらである。学者で政治家のダニエル・パトリック・モイニハンもそのひとりといえるだろう（ダニエル・ベルも一時ネオコンと評されたが、実際にはこの運動から距離をおいていた）。正確に把握するのは容易でないが、ネオコンの影響はかなり大きかった。政治的な議論の枠組みを変え、保守派に新たな考え方をさずけた。クリストルはこう回想する。「リベラル派の社会政策の弱点があきらかになっていた。われわれは社会政策や経済政策を批判する方法を保守派に提供した。ネオコンが大きな影響力をもった一因は、われわれが作家や随筆家ではなく、社会科学者のグループだという点にある。研究の成果を議会が理解できたし、マスコミもニューヨークの知識人の産物だとして無視することはできなかったからだ」

ネオコンは少なくとも当時、自分たちを民主党支持者だと考えていた。その多くは、ニューディール政策の申し子だった。共和党はカントリー・クラブに所属する人のための政党であり、シティ・カレッジで教育を受けた人びとのための政党ではなかった。クリストル自身若いころ、人はそもそもなぜカントリー・クラブに所属したがるのかという疑問を抱き、カントリー・クラブにおける差別に関する記事を書いている。しかし、一九七二年の大統領選でジョージ・マクガバンが民主党の候補に選出されると、ネオコンの大半は、民主党に拠り所はないと感じるようになった。共産主義やソ連の力に対しあまりに無邪気で、国防に及び腰のリベラル左派が民主党を支配したからだ。*「われわれのなかにはひとりも共和党員はおらず、知り合いさえいない者がほとんどだったが、政治的状況は変わりつつあった」とクリストルは回想している。

ネオコンは政府の縮小を求めた。そして、資本主義と市場を積極的に自信をもって肯定する論調を強めていった。コメンタリー誌の編集者であるノーマン・ポドホレッツは、「資本主義」はやや「汚れた」言葉なので、「自由企業」か「自由市場」と書くようクリストルに忠告したが、クリストルは受け入れなかった。「ある体制の名誉を挽回する戦いは、その名称についた悪評を拭い去らなければ、完全に勝利したとはいえない」と考えていたからだ。後にこう語っている。「これはいい言葉だ。使おう」

こうも語っている。「パブリック・インタレスト誌の元々の執筆者には経済学者はいなかった。当時、わたしはシカゴ学派をそれほど評価していたわけではない。依然としてリベラル派だった。懐疑的なリベラルだ。八〇年前後に、自由市場の思想と新保守主義の思想が融合した。おそらくレーガン大統領の功績だろう(4)」

皮肉なのは、当時、市場システムが正常に機能しなくなってきたように見えていたことだ。しか

*——大統領選に敗れ、一時モーテルを経営していたマクガバンは何年か後、自分の事業が失敗した原因は政府の行きすぎた規制にあると非難した。

し、保守的な経済学と新保守主義の社会批判の影響を受けて、アメリカで政府の役割に関する考え方が大きく変容しはじめた。変化には長い時間を要した。変化が実際にはじまったのは、レーガン政権以前の危機、一九七〇年代後半のインフレによる混乱の時期であった。他の先進工業国とおなじように、当時の経済体制の欠陥にインフレが警鐘を鳴らし、やがてその体制の変容をもたらしたのだ。

中央銀行家

一九七九年八月六日、ホワイトハウスで行なわれた宣誓就任式は、いつになく厳粛な雰囲気に包まれていた。インフレ率は、戦後のアメリカにみられなかった水準、おそろしいほどの高水準に達していた。アメリカ経済のすみずみにまでインフレが根づいたように思えた。経済に対する信認は低下していた。三週間前、カーター大統領は国の「信認の危機」を訴え、閣僚五人を更迭していた。国民に決意を示し、落ちつかせるのが狙いだったが、かえって動揺が広がった。大統領は、新しい財務長官に、実業家で連邦準備制度理事会（ＦＲＢ）議長をつとめていたウィリアム・ミラーを任命した。このため、新たにＦＲＢ議長を指名しなくてはならなかった。法に基づいて一国の中央銀行として独立した機能をもち、インフレとの戦いで決定的な役割を果たすＦＲＢの議長を指名するのは、きわめて重要な選択だ。一体、だれを指名すべきか。カーター大統領は、金融政策のベテランで、当時ニューヨーク連銀の総裁をつとめていたポール・ボルカーが、金融の柱をうちたてるにふさわしい力量と評判を備えていると聞かされた。じつのところ、大統領はボルカーの名を知らなかったが、経済運営に対する信認と権威をいささかでも取り戻せたらと望みをかけた。こうして、ボルカーがホワイトハウスのイースト・ルームで宣誓就任式を行なうことになったのである。ボルカーの金融政策がアメリカ経済に大きな影響を与え、それが八〇年の大統領選での敗北につながったことを考えると、カーター大統領は後年、ボルカーなど知らない方がよかったと、ほぞをかんだかもしれない。

ともかくも八月のその日、ボルカーはみずからの任務を正確に認識していた。もっとも、どのようにして任務を達成すべきか、明確な考えがあったわけではない。宣誓式では、その場にふさわしく厳粛な表情でこう語った。「われわれは過去に経験したことのない経済的苦境に直面している。経済の運営方法はすべてわかったという十五年前の陶酔感は失われてしまった」。後にみずから語ったように、ボルカーの任務は「インフレという龍を退治する」ことだった。失敗すれば、中南米のように際限のないインフレが続くか、大恐慌の再来になりかねない。政治面ではさらに深刻で、アメリカの民主主義の根幹を揺るがす結果になりかねない。ボルカーが確信している点がもうひとつあった。漸進主義や中途半端な政策では効果がないという点だ。

ホワイトハウスでの宣誓式の後のパーティーで、ボルカー新議長は記者のひとりにこう打ち明けた。「わたしは退屈な人間だ。中央銀行家の仕事は、できるかぎり退屈な人間になることだ」。大方の予想を覆してインフレの撲滅に成功し、アメリカ経済を新たな進路に導いた人物にしては、きわめて厳しい自己評価だ。

ボルカーはその役柄にふさわしかった。二メートル近い長身で、いつも口の端に葉巻をくわえたその姿は、国際金融界では長年知られた存在だった。噛んで含めるように話しながら、相手をけむに巻ける唯一の人物だといわれている。ややはにかんだところもあるが、金融と政治に関する並みはずれた手腕と、市場に関する強い直感、だれもが認める誠実な人柄に裏打ちされた自信があり、指導力がある。ボルカーは公職が長く、生活は清廉そのものだった。週末だけ家族のいるニューヨーク市に戻り、平日はワシントンの小さなアパートで過ごす毎日だった。部屋には古新聞と釣り用の擬餌鉤が散乱していた。週に一度、スーツケースいっぱいの洗濯物を洗ってもらうため、バージニア州北部に住む娘の家に通った。仕事のスタイルは謎めいている。意外性や秘密保持の重要性など、中央銀行の手法を長年の間に身につけてきたため、深遠さや陳腐さ、脈絡のない事柄を織りまぜながら、本音を悟られないようにあいまいな独白を続ける術は完璧だった。

ボルカーは、早い時期からインフレを警戒することを学んでいた。プリンストン大学で教えをうけた教授の何人かは、ハイエクらを輩出したオーストリア学派の流れをくむ経済学者であり、オーストリア学派の考え方に決定的な影響を与えたのは、第一次大戦後のインフレとそれによってもたらされた惨状だったのである。ケインズ主義の分析手法も習得したが、経済のように複雑なものを管理できる能力については、つねに疑問をもっていた。ボルカーはこう語っている。「ケネディ政権とジョンソン政権初期にかけて、経済学者の傲慢が頂点に達した。経済に対する処方箋をもち、操縦桿の操作法を知っていると考えていたのだ。わたしはまったく信用せず、いつもうぬぼれが強いものだと思っていた」。FRBでの経験も、考え方に影響を与えた。「わたしは中央銀行の人間なので、つねにインフレを警戒していた。一九五〇年代でさえもそうで、当時はインフレ率が二・五パーセントになれば警戒水準だと思われていた」。ニクソン政権では、財務次官としてブレトン・ウッズ体制の固定為替相場制から変動為替相場制への移行に中心的な役割を果たした。(5)

ボルカーはFRB議長に就任して、アメリカ経済に根づいたインフレ期待の根絶を固く決意していた。ボルカーによれば、国全体が「インフレに賭けている」といえるほど、インフレ期待が強くなっていた。武器は修正マネタリズムだ。金利の水準を設定するのではなく、準備預金を調節して、通貨供給量を管理するのである。貨幣の価格ではなく、量を管理する政策である。乱暴な政策だが、他に方法はない。効果は劇的だった。FRBが通貨供給量を絞ると、短期金利は二〇パーセント以上に急騰した。経済は減速から収縮へと転じ、ついには大恐慌以来の深刻な不況に陥った。失業率は一〇パーセントにまで上昇した。住宅は売れ残り、企業は資金繰りに窮し、自動車ディーラーの駐車場には売れ残った車が並んだ。この不況はイランのアメリカ大使館員人質事件とならんで、一九八〇年の大統領選で現職のカーター大統領がレーガン候補に敗れる大きな要因となった。レーガンが大統領に就任した後、政治的な反発をおそれた政治家は、FRB、なかでもボルカー議長に怒りの矛先を向けた。しかし、レーガン大統領自身が同議長を攻撃することはなかった。ボルカー元議長はこう語っている。「ホワイトハウスや財務省のスタッフは、わたしを非難するよう圧力をかけたが、大統領はそうしなかった。たしかに、少しは考え込んだかもしれない。しかし、インフレ撲滅は好ましいと心底思っていたのだ」。インフレ撲滅について、レーガン大統領はシュルツ国務長官にこう言った。「われわれ以外にだれがやるのか。いまでなくて、いつやるのか」

一方、ボルカー議長とFRBに対する国民の怒りは募るばかりだった。高金利に抗議して農民がFRBの建物を取り囲んだこともある。自動車ディーラーは、高金利で自動車が売れ残ったことに抗議して、キーを入れた棺を送りつけた。議長自身、国民の手紙を読んで胸を痛めた。両親に家を建てるために貯蓄してきたが、高金利のために建てられなくなったといった手紙だ。動揺は大きかったが、やはり選択肢はなかった。*インフレを根絶しなければ、経済はもっと悪くなるだろう。そしてようやく、インフレ退治への支持が高まってきたともみていた。「過半数ではないが、多くの票を得た感触があった。国民は脅えている。なにか対策を講じなければならない。しかし、ここまで厳しい戦いになるとは、われわれも考えていなかった。予想もしない事態も起きていた。金利が二〇パーセントに達していたのだ。二〇パーセントの金利など、だれが予想しただろう。しかし、ここまでくれば、後戻りはできない。後戻りしたいとも思わない。休んだりあきらめたりは、わたしはできなかった」

それまでに、三年かかった。一九八二年の夏には、インフレの鎮静化が射程内に入ってきた。そして、その年のインフレ率は四パーセントを下回った。ボルカー議長の功績がたぐい稀だといえるのは、敗北主義が横行する時代にインフレを克服したからだ。そして、アメリカ経済を新たな軌道に乗せた。不成功に終わった場合のリスクがたえずボルカー議長の胸のなかにあった。そして、歴

*――しかし、ボルカーらのアメリカ高官がインフレとの戦いをはじめた勇気を称賛したドイツのヘルムート・シュミット首相が、後に「キリスト誕生以来もっとも高い実質金利」だと揶揄したとき、ボルカー議長は腹を立てている。

史をつねに考えていた。西独連銀のようだとの非難に対しボルカー議長はこう答えた。「それは非難ではない。誉め言葉と受け取っている。ドイツには素晴らしい仲間がたくさんいる」(6)

増税と放漫財政を超えて

ボルカーの努力によって、金融面の節度はレーガン政権のごく初期に確立された。一九八一年、航空管制官のストライキでレーガン大統領が断固とした姿勢を示して、労使関係を変化させる契機となり、インフレ心理の抑制に間接的に貢献した。しかし依然として、財政政策、つまり政府が財源を調達し、使途を決定する際の姿勢をどうにかしなくてはならなかった。福祉の要求、社会保障の拡大、中間層や貧困者、とくに高齢者に対する政府の義務が増して、選挙で票を獲得するには、政府支出の拡大が必要になっていた。問題が、その財源をどうまかなうかであったのは言うまでもない。

レーガン政権は当初、減税と政府支出の削減の両方を実施する意向だった。しかし、政府支出の削減にくらべて減税が実施しやすいことがすぐにわかった。理由は簡単、政治である。減税は国民の受けがよいのだ。税率は大幅に引き下げられた。最高税率を七〇パーセントから二八パーセントに引き下げる一方、課税基盤を拡大し、さまざまな控除や抜け道を廃止した。しかし、政府支出の削減は不人気で、民主党議会が大統領の提案した削減幅を縮小した。レーガン大統領は、中間層の社会保障費にメスを入れなかった。また、国防予算は削減の対象外とし、二期目には「スター・ウォーズ」宇宙防衛計画をはじめ国防予算を大幅に増加させた。

政府支出総額の削減に失敗しても、レーガン陣営の何人かは楽観的な見方を続けていた。共和党支持の主流派経済学者、ハーバート・スタインが、当時流行の音楽用語をもじって名付けた「パンク」のサプライサイド経済学を提唱する人びとである。その主張は、経済成長率の上昇によってもたらされる税収の増加が、減税による税収の減少を十二分に補うというもので、またたく間に広がった。しかし、現実にはそうはならなかった。減税に歩調を合わせて政府支出を削減することはできず、とくに国防費は急増した。また、減税が期待されたほどには景気刺激効果をもたなかったため、連邦政府の債務と財政赤字が急増した。さらに、一九八一年から八二年にかけて、アメリカ経済は深刻な景気後退に陥っている。レーガン政権は、「史上最大の減税」の翌年の八二年九月、打撃を抑える最初の動きとして「史上最大の増税」を実施した。しかし、それでも追いつかなかった。レーガン政権の一期目の終わりには、サプライサイド経済学の論理はほぼ信用を失っていた。ボルカー議長がインフレの抑制に成功したのとは対照的に、政府が減税と政府支出の削減を同時に実施できないことがあきらかになった。レーガン政権下で最初の行政予算管理局長をつとめたデビッド・ストックマンは、サプライサイド経済学に幻滅し、政治の意思決定の現実にうちのめされて政権を去った。ストックマンはこう書いている。財政政策を変更できなかったことは、「政治の勝利」のなによりの証拠である。社会保障が緊縮財政を打ち負かし、冷徹な経済論理よりも、ばらまき型の政治の伝統が優先される。「わたしは急進的な改革論者としてレーガン革命に参加した。しかし、そんな革命は不可能だという絶望的な事実を知った」

政治の勝利と、ストックマンが言う「財政の失敗」が生みだした新たな怪物、財政赤字と政府債務が、政策論議の中心の座を占めるようになった。レーガン政権が終わったとき、年間の財政赤字額は、就任当時の約三倍に膨らんでいた。債務残高も、九千九百五十億ドルから二兆九千億ドルに急増した。レーガン、ブッシュ両政権に加わったリチャード・ダーマンによれば、「レーガン政権下で、それ以前の赤字をすべて足し合わせたより多い赤字が生みだされた」

政府支出をただちに削減する方法はなかったが、別の論理で減税を提唱する人物も何人かいた。減税を実施して税収が落ち込めば、やがて財政赤字がとてつもなく大きくなり、財政が破綻の危機に瀕するので、政府支出を削減せざるをえなくなるというのだ。このように考えたのは、熱心なサプライサイダーだけではなかった。この見方は最終的には正しかったのだが、当初の数年にはそうはならず、少なくともレーガン政権下ではそうはならなかった。

一九八九年、ジョージ・ブッシュが大統領に就任したとき、年間の財政赤字は千五百二十億ドルに達していた。政治的に壊滅的な打撃を受けかねないため、大幅な増税は不可能だった。ブッシュ大統領が「わたしの唇を読め」という言葉で「新税を導入しない」と約束していたが、この公約を破ったことが、最大の政治的な失点になったからだ。このため、赤字を削減するには、政府支出を抑制する以外になかった。幸いにも国際情勢の変化によって、支出削減に取りかかる好機がおとずれた。ベルリンの壁が崩壊し、ソビエト帝国が崩れさったため、国防予算の漸次削減が可能になったのだ。しかし、これでは不十分だった。九〇年代初めの景気後退で税収が落ち込み、ブッシュ大統領の任期が終わる九二年には、年間の財政赤字が二千九百億ドルになって、ピークに達した。

そのころには、財政の完全な保守派（誇りをもってみずからをこう呼んだ）が、民主・共和両党で主流を占めるようになっていた。「レーガン革命」の柱となった考え方が、幅広い人びとの共鳴を得たのだ。「税金と財政支出」は、いかなる財政政策でも基本となるふたつの機能だが、「税金」が「増税」を、「財政支出」が「放漫財政」を意味するようになり、忌み嫌われる合い言葉になった。民主党では、ニュー・デモクラッツと名乗る人びとが、従来の民主党の政策を批判し、党の政策決定に影響力をもつようになった。

ニュー・デモクラッツのなかでもとくに注目を集めていたひとりがアーカンソー州のビル・クリントン知事であり、一気に大統領にのぼりつめることになる。民主党内部の考え方の違いが、クリントン政権内にもあらわれていた。ロイド・ベンツェン財務長官と新たに設立された国家経済会議担当のロバート・ルービン大統領補佐官は、成長率を高める最善の方法として、財政赤字の削減を主張した。財政赤字が縮小すれば、長期金利が低下する。赤字削減の直接的な効果に加え、債券市場で政府が財政赤字削減に本格的に取り組みだしたという信認が生まれ、金利に織り込まれているインフレ・プレミアムを低下させる間接的な効果があるからだ。金利の低下は投資主導型の経済成長を促進するのに最適の手段であり、従来のケインズ型の財政出動による景気刺激策にくらべてははるかに好ましい。政府が景気刺激策を打ち出しても、市場の反応によって金利が上昇するため、効果が損なわれて、むしろ逆効果になる。こうした考え方は、一九八七年にボルカーの後任としてFRB議長に就任していたアラン・グリーンスパンの見方とも、かなりの部分で共通するものだった。同議長は、財政赤字の膨張に懸念を強めていた。財政赤字が増え続ければ、増税が必要になり経済成長が減速するだけでなく、アメリカ経済が破滅に陥りかねないと危惧していたのだ。クリントン政権の高官や側近のうち正統リベラル派は驚いた。「共和党の経済政策」を推進するために選挙を戦ってきたのではないというのがその言い分だ。民主党は、富裕層のご機嫌をとるために、古くからの支持者を裏切ろうとしている。リベラル派は、政府支出の拡大による景気刺激策と、とくに高額所得者への課税強化を求めた。しかし、大統領の決意は固まっていた。現在は財務長官をつとめるルービンはこう回想する。「政権の移行準備中、大統領は、財政赤字の削減を最優先課題にする明確な意思を示していた」。財政赤字が最大の敵になった。政府支出を削減するしかない。

一九九三年、クリントン大統領は、政府支出の削減と多少の増税を含む財政赤字削減計画の推進に全力をあげて取り組んだ。政治的な駆け引きは「非常に難しかった」と関係者のひとりは回想する。大統領案はかろうじて下院を通過した。上院では賛否が同数になり、議長をつとめるゴア副大統領の一票でようやく可決された。ルービン財務長官は後にこう語っている。「当時わたしはこう言った。財政赤字が削減されると市場が納得すれば、金利は低下する一方になるだろう。それまでに、どのくらい時間がかかっただろうか。市場は、われわれが考えていたよりはるかに早く、財政赤字削減策を信認した」。そして九三年八月、法案の成立が転換点となった。債券市場では、財政赤字の削減が進むとの見方が広がり、長期金利は低下しはじめた。アメリカ経済は、適切な経済成長と低インフレの軌道に乗ることになった。

しかし、新たな方向づけは、政治的空白のなかで起きたわけではない。それをなにより明白に示しているのは、一九九二年の大統領選で第三党からロス・ペロー候補が出馬したことだ。政府支出削減への動きは、九〇年代初めに圧倒的な支持を集め、アメリカとの契約を掲げた共和党が九四年の中間選挙で上・下両院で多数派を占め、ニュート・ギングリッチ下院議長が力をもつようになって最高潮に達した。そして第百四回議会で、クリントンの民主党政権と、改革を強硬に訴える共和党が激しく対立し、連邦政府が窓口閉鎖に追い込まれたことで、アメリカの経済政策の中心が変化したのである。共和党は、財政均衡を義務づける憲法修正に踏み切れば泥沼の闘いになるとの懸念を利用して、年度予算に関する議論を活発に行なった。それまで「聖域」とされてきた部分まで、政府支出の文字通りあらゆる分野に異議を唱えた。この過程で、いくつかの省を廃止するか再編し、閣僚の数を減らすべきだとさえ提案した。こうした流れのなかで、予算問題が、ホワイトハウスと議会の関係で主要な焦点となった。クリントン大統領は、リベラル派の側近の意見を退け、財政均衡などの提案を大筋で受け入れた。しかし、共和党の提案をそのまま受け入れることはしなかった。この巧みな動きにより、共和党は政策の大半で独自性を主張できなくなった。

予算をめぐる攻防で、アメリカの経済政策や政治の中心すら変化した。その後、予算協議が比較的円滑に進むようになったことをみれば、新しい中道の勢力がいかに大きくなったかがわかる。

あまり知られていないが、アメリカの景気が回復し、拡大しはじめたのはブッシュ政権の時代だ。しかし、好景気持続のカギを握ったのは、その後の財政赤字削減である。この点から、アメリカも新興市場諸国と変わらぬほど、資本市場によって毎日審判を受けていることがわかる。ルービン財務長官はこう説明する。「最重要の問題は財政赤字であり、いかに速く市場の信認を得られるかだ。最終的に景気を左右するのは金利なのだから」

財政赤字減少のペースにはだれもが驚いた。一九九二年に対GDPで五パーセント近くあった財政赤字が、九七年には一パーセント以下になった。九三年の予算攻防ではクリントン政権も議会予算局も、九七年の財政赤字が二千億ドルを超えると予想していたが、実際は十分の一の二百二十六億ドルで、七〇年代初頭以来の低水準になった。このような劇的な変化はどのように達成されたのだろうか。政府支出の削減（主に国防予算）と増税の効果もあるが、景気の好調が続き、税収が増加した影響が大きい。要因はなんであれ、経済学者、ベンジャミン・フリードマンが言うように、この結果は「偉業であり、これで信認が高まった」。つぎの段階は、予想される財政黒字をめぐる攻防、つまり減税で国民に還元するか、五兆七千億ドルにのぼる政府債務の返済に回すか、支出するか、の選択になった。税収の減少と移転支出の増加をもたらす景気後退が起きないことを前提にしているのは言うまでもない。一方で、財政赤字減少で困った点が、少なくともひとつは指摘されている。ある上院議員は、九七年にこう語っていた。「赤字減少のペースがあまりに速いので、これはすべてわれわれの政策の成果だとは主張できないかもしれない」。九八年には、財政収支は七百億ドルの黒字に転換した。

しかし、財政赤字は減少したが、社会保障がその分、減額されたわけではない。これは、今後に大きな課題を残している。ハーバード大学の産業・政府研究所のロジャー・ポーターは、こう語る。「二十一世紀の最初の十年には、人口構成の変化によって社会保障の調整が避けられない。いまからはじめれば、段階的に進めることができるが、後回しにすれば、はるかに厳しい調整に直面する可能性がある」

アメリカが主催してヒューストン・サミットが開かれた九〇年、財政赤字と景気後退、自信喪失が広がって、アメリカ経済は低迷していた。国民は、競争力や雇用、技術力について思い悩んでおり、世界経済での日本のひとり勝ちを懸念し、その成功の秘密をさぐろうと躍起になっていた。アメリカの「衰退」が当時の関心事で、アメリカの経済的繁栄からの転落(当時はそう思えた)に焦点を合わせた学派が「衰退主義」と呼ばれたほどである。九七年のデンバー・サミットのときには、状況がまったく変わっていた。先進国経済のなかでもっとも好調なのはアメリカ経済だった。ヨーロッパと日本を合わせて百万人の雇用が失われた間に、アメリカでは一千二百万人の雇用が創出されている。失業率は五パーセントを下回り、インフレ率は半分になり、財政赤字は劇的に減少している。アメリカの景気拡大は七年目に入っていたが、日本の景気はその間ずっと低迷している。アメリカ産業界は、苦しい自己変革の過程を乗り越えた。「シリコン・バレー」(こう呼ばれる地理上の地域だけでなく、シアトルやヒューストン、ボストンのルート128にまで拡がっている)が、世界経済の変化をリードしている。こうした流れがあって、アメリカの市場経済体制が再評価され、国民は自信を取り戻すことになった。

ローレンス・サマーズ財務副長官は言う。「一九九〇年以降の動きは信じがたいほどだ。経済という観点からみれば、別世界のようだ。九〇年当時、経済を牽引するのは自動車産業だったが、現在はサービス産業、ソフトウエア産業、『コンテント』産業になっている。アメリカの変化をもたらしたのは、なによりもアメリカ産業自体の再編だ。他のほとんどの国と違って、金融界がなんの縁もない事業家に投資する点がアメリカの強みのひとつであることが証明された(7)」

遅れて起こった革命

レーガンが大統領になってから、政府の政策でケインズ理論の影響が薄れるまで、金融政策が安定したものになるまで、民主・共和両党が政府支出と税金の大幅削減について話し合い、合意できるようになるまでには、十五年以上を要した。レーガン革命の本質が実現するようになったのは、本人が政界から引退し、サプライサイド経済学の論理が信用されなくなってから、かなりたった後のことである。したがって、レーガン支持者が思い描いていたような革命的な変化にはならなかった。しかし、政府が痛みを伴いながらも真剣になって経済活動への介入範囲を縮小した点から考えると、長期的には革命と変わらぬ効果をもっていたといえる。

おなじことは、規制にもあてはまる。アメリカではニューディール以降、経済活動を監督し不正を防止する点で、網の目のように張り巡らされた規制機関と司法当局の激しい反トラストの伝統に厚い信頼が寄せられてきた。一九三〇年代半ばから七〇年代半ばまで、規制制度に大きな変更はなく、規制当局と裁判所は与えられた任務を遂行してきた。両者は、手続きや形式面で次第に似通うようになった。しかし七五年以降、規制は変化しはじめた。しかも、劇的に。いわゆる規制緩和で、経済活動を制限する規制の多くが撤廃された（もっとも、新たな規制が設けられる場合が多かった）。しかし、経済以外の分野、とくに健康、安全、環境、雇用者や消費者の権利、差別是正措置の分野では、多数の規制が新たに設けられている。規制と撤廃のバランスが明確になっていないか、変化している分野もある。しかし、総体的には、アメリカで政府が市場や個人の行動を大きく変えようとするとき、規制がいまでも主要な手段になっている。

虜から競争へ

経済的規制は、一八八七年、州際商業委員会の設立とともに登場した。その後の数十年間、規制の理論的根拠が徐々に整備されていった。経済開発の推進、公平と公正、独占に対抗する力の必要性、経済的な価格でのユニバーサル・サービスの提供などである。ニューディール以降、市場の不完全性と失敗が規制の有力な根拠となった。そして第二次大戦後は、ほとんどすべての企業が、政府の関与を感じるようになった。

経済的規制の削減を公約に掲げて政権の座についたのはレーガン大統領だが、実際の規制緩和の動きは、一九七〇年代半ばから後半にかけて、フォード政権とカーター政権の時代にはじまっている。経済学者などの社会科学者が経済的規制の研究をはじめてからすでに十五年が経過しており、規制に対するしっかりした批判が確立していた。規制批判の先頭に立ったのはシカゴ学派であり、とくに、アメリカ型の規制を批判したジョージ・スティグラーの功績によるところが大きい。スティグラーは六〇年代の大半をかけて、電力業界の規制や証券取引法、反トラスト裁判に関する膨大な資料を丹念に分析した。「驚くべき発見が多々あった。電力業界の規制は地域住民の利益にはなっておらず、株式発行に関する規制は、株を購入する未亡人や孤児には役立っていない」

これらの研究結果から生まれたのが、スティグラーの有名な「規制の虜」理論である。規制当局よりも規制を受けている業界の方が、自分たちの企業活動を熟知しており、その情報格差を利用して、業界に有利になるように規制を変えるというものだ。そして、もともと企業活動の抑制を目指して確立された規制が、業界に有利にはたらくようになる。後年、スティグラーの教え子がこの理論を発展させ、利益団体や業界団体がこの過程でいかに主導権を握るかについて研究した。スティグラーの「規制の虜」理論は、規制が純粋で公平な公共の利益を守るものだという見方に異議を唱え、ジェイムズ・ランディスが理想とした「利害関係のない」規制に真っ向から挑戦するものである。スティグラーによれば、規制はあまりに「利害関係にとらわれた」ものになっている。

シカゴ学派は、ほぼ百年にわたってアメリカの政治の中心になってきた問題、とくにシオドア・ローズベルト大統領やルイス・ブランダイスらの活動の原動力になった問題、つまり、独占と市場の力のリスクについても、実際の危険はきわめて小さいと論じた。それより、政府の管理がもたらす負のコストが大きいと強調した。一九七〇年代半ばには、こうしたシカゴ学派の議論が支持を集めるようになった。賃金・物価統制によるインフレ抑制の失敗、ジョンソン政権とニクソン政権下での規制の急拡大、根強いインフレ、さらには、七三年の石油価格高騰後の深刻な不況といった事態が重なって、規制制度全体に対して根本からの疑問がだされるようになった。規制はあまりに硬直的で対応が遅く、経済を歪める厄介な存在になっている。そして、技術革新や経営革新の妨げになっている。インフレに対してなんらかの対策を講じる必要があり、規制緩和がとりわけ緊急の課題になった。規制は価格を固定するだけでなく吊り上げており、規制が緩和されれば、競争が促進され価格は低下すると主張された。また、技術の変化によって経済問題が複雑になっていき、規制機関は対応に苦慮するようにもなっていた。一方、貿易が増加し世界的な競争が高まってきたため、反トラストはそれまでほどの意味をもたなくなってきた。

こうして時間がたつにつれて、規制より競争が好ましいと考えられるようになっていった。自然独占（供給者が複数になると費用が逓減せず逓増する場合に当然とされる独占）については、概念そのものに疑問がもたれるようになった。参入を禁止されている企業が、参入したいと切望していて、たとえ小規模であっても事業が成り立つのであれば、市場は自然独占的ではないことになる。その市場は「競合可能」であり、競争にさらされうる。おそらくは、規制で達成するはずの目標は、競争によって達成され、消費者は価格低下によって利益を得られるだろう。

規制批判を展開したのは、スティグラーとシカゴ学派だけではない。たとえば一九六九年、政治的には中道のブルッキングズ研究所が、規制制度に対する批判をはじめ、最終的にその成果が何巻もの報告書にまとめられた。報告書の影響は大きく、規制に対する批判は高まる一方だった。何人かの経済学者と政治学者が新しい規制理論をうちたてており、この理論で基礎になっているのは、規制を受ける業界がそれぞれの利益を追求する合理的な主体であり、政治制度や規制制度を市場の一種ととらえ、規制を「売買される」ものだと考えるとの見方である。また、規制制度の組織的な欠陥や技術変化への対応力の欠如を調査する者もあった。市場の失敗が規制を生みだす契機になったとするなら、今度は「規制の失敗」が批判の的になった。失敗の原因として、全体的な構想の不十分さ、時代の変化、技術革新による陳腐化、行き詰まりや硬直性などがあげられる。これらのさまざまな批判のなかには、手法の違いや対立する点もあった。しかし、いずれも、政府の規制機関には本質的に欠陥があり、公共の利益ではなく「私の利益」によって規制が決まることが多すぎるというおなじ結論にたどりついた。

最初に行動を起こしたのは、保守派の共和党員ではなかった。一九七四年、エドワード・ケネディ上院議員が、新たに設立された「行政慣行手続き」小委員会の委員長に就任した。議員は、主任顧問に、ウォーターゲート事件を捜査したこともあるハーバード大学法学部のスティーブン・ブライヤー教授を引き抜いた。ブライヤーは、ケネディ議員の要請で、調査の対象となるリストを提出したが、なかでも教授がもっとも関心をもっていたのが航空業界に関する規制だった。ケネディ議員もこの調査に賛成した。こうしてアメリカでの規制緩和がはじまったのである。(8)

「プラム」と「ドッグ」

ブライヤー教授は、ハーバード大学で反トラスト法と行政法を教えていた。自由市場を信奉し、競争を通じて市場の機能を確保すべきだと考えている。そもそも競争的にできている市場を規制する理論的根拠は理解しがたいと主張し、「市場でうまくいくなら、なぜ規制するのか」と問いかけている。同時に、ジェイムズ・ランディスが目指した「行政管理理論」にも、懐疑的になっていた。ブライヤー教授は言う。「ニューディールの時代には、大恐慌の影響で、国民は市場に強い不信感を抱き、行政管理理論や法理論に多大な信頼をおくようになった。規制は科学的な方法であり、これらの理論をしっかり適用すれば、正しい結果が導かれ、業界に歯止めをかけられると考えられていた。しかし、そんな科学が存在しないことがあきらかになった」。教授はさらに、ブルッキングズ研究所が発表した規制に関する何巻もの報告書からも影響を受けた。「規制が機能していないという疑念を経済学が実証していた。国民は自由市場もそれほど悪くないと考えるようになった」

航空業界の規制はとくに攻撃の対象として魅力があった。一九三八年、民間航空委員会（CAB）が設立された目的は、「混乱状態に近く」「非経済的で、破壊的な競争状態にあり、サービスが重複して無駄が多い」とされた航空業界を改善することだった。当時の問題は、誕生したばかりの航空業界がきわめて不安定な状態にあった点にある。とくに問題となったのは、航空郵便事業である。航空郵便契約が新しい航空事業に対する補助金になっていたが、なんとしても契約を獲得したい航空各社は、入札の際に価格の引き下げ合戦を演じた。入札に敗れた航空会社は、郵政当局が不公平だと非難した。航空事業は公共サービスのひとつだと考えられていたので、業界にある種の秩序をもたらすために規制が導入された。国民のニーズにこたえる目的とともに、戦争が近づいていた当時、軍事力の重要な基礎となる民間航空業界の安定を確保する目的もあった。

しかし、年数がたつにつれ、規制機関と規制業界の馴れ合いによる政府主導のカルテルができあがった。その特徴は、「プラム」と「ドッグ」と呼ばれる路線の配分にあった。各路線の運賃を決めるのはCABなので、ひとつの路線では航空会社を問わず同一運賃になる。またCABは、州をまたぐ路線のそれぞれについて、運航できる航空会社を指定した。これは取引だった。たとえば小都市を結ぶ赤字路線（「ドッグ」と呼ばれた）の運行に合意すると、ドル箱路線（「プラム」と呼ばれた)での増便が認められ損失が埋め合わされる。ＣＡＢは、長時間にわたる退屈な公聴会を開いた。ブランダイス以来の慣習にならったもので、業界がおかれた実際の経済状況とはあまり関係がなかった。公聴会が終わると、委員が別室で協議し、プラムとドッグを航空会社に与える。

ブライヤー教授はこう語る。「民間航空委員会は国民を保護する役割を与えられていた。しかし、規制によって価格が上昇していた。九五パーセントの時間は、価格を引き下げるためではなく、価格が下がりすぎるのを防ぐために費やされた」。教授にとって、ケネディ小委員会の公聴会は、交響曲のように素晴らしいものになった。「完璧だった。予想されたとおりに、すべてが細部にわたってあきらかになった」。公聴会では、規制制度がいかに競争を阻害しているかがあきらかにされ、規制がなければ価格が下がって国民の利益になることが示された。

しかし、制度の欠陥を指摘するのは容易でも、航空業界の大半が反対するなかで、制度を変えるのは容易ではない。公聴会の波紋が広がり、フォード政権下のＣＡＢは規制緩和の進め方を検討しはじめた。しかし同政権は二年半しか続かず、カーター政権が課題を引き継いだ。これ以降、規制制度への攻撃の先頭に立ったのは、シカゴ学派とはまったく関係のない経済学者である。この学者は、リベラルな民主党支持者だが、ただ一点、経済理論に関してだけは姿勢が違っていた。

「翼をつけた限界費用」

その学者、アルフレッド・カーンは、天才的な人物である。十八歳のとき、最優等でニューヨーク大学を卒業した後、イェール大学大学院の経済課程に進み、二十四歳で博士号を取得している。のみこみが速く、ギルバートとサリバンのオペレッタをこよなく愛するカーンは、ときに冗談まじりの言葉遊びを好んだ。コーネル大学経済学部の教授をつとめていた七〇年、『規制の経済学』を発表しており、まさに時宜を得た名著だった。これは、「規制に関してもっとも影響力のある著作」だといわれている。

規制の多くが抱える問題は、市場の現実が反映されておらず、価格が本来の機能を果たせなくなっている点にあるとカーンは言う。「価格がもつ唯一の経済的機能は、人びとの行動に影響を与えることにある。つまり、供給を促し需要を調整することにある」。しかし、規制の大半は、逆の働きをしているようだった。つまり、需要と供給の現実とは大きく食い違う信号を発しているのである。規制当局は、規制している業界の経済状況や、みずからの決定がもたらす経済的影響を理解していないと思える場合が多い。規制は、限界費用に基づく価格決定を目指すべきだとカーンは考えた。財であれサービスであれ、産出量を一単位増加させるために必要な費用が限界費用であり、これに基づいて価格を決めるべきなのである。

カーンの著書は、エネルギーや電力を中心に、それまでの規制制度の重大な欠陥が見えはじめた時期に発表された。規制改革に着手する最初の機会がおとずれたのは、ニューヨーク州公益事業委員会の委員長に選ばれたときだった。このとき、電力料金の体系を限界費用に基づいて根本からつくりなおしている。これでカーンは、規制の改革者という評価を獲得した。一九七七年、カーター大統領は、カーンをニューヨーク州州都のオールバニーから呼び寄せ、民間航空委員会（CAB）

の委員長に任命した。就任当時、未決裁の運行認可申請が六百件もあり、重荷になっていた。しかし、目指す方向ははっきりしていた。競争原理を導入し、五人の委員が握ってきた経済の決定権を市場に委ねるのだ。市場に迅速に対応できる企業、少なくとも「定刻通りに」対応できる企業は、大きな利益が得られる。それができない企業は、競争に敗れ、倒産という究極の制裁を受けることになる。カーン委員長はこの過程で、長期間に及ぶ煩雑な公聴会を廃止する意向をもっていた。公聴会は、健全な経済的分析よりも、「ペリー・メイスン主義」の産物だからだという。ペリー・メイスンはもちろん、ガードナーの法廷推理小説の主人公で、テレビ・ドラマで有名な弁護士である。

カーン委員長は公聴会の手続きに我慢ならなかった。「経済政策を策定する際に必要な手続きは、刑事裁判での手続きとは違う」と言う。しかし、CABの運営方法をみると、この違いがはっきりしていない。CABが検討すべき課題の内容にも驚かされた。「短距離不定期便使用に五十席の航空機を購入できるか。フロリダから北西部のある地域まで、臨時便で馬を運ぶことは可能か。雪がなかった場合にスキー客に払い戻す特別料金を導入できるか」。なかでも極めつきは、「財務上の関連のある二社の制服が、似ていてもいいのか」というものだ。これらすべてを、そしてさらに多くの事柄を、規制当局が決めていたのである。カーンはこう語る。「これは必要なのか、こんなことをするために母はわたしを育てたのか、と自問する毎日だったのは、当然ではないだろうか」

カーン委員長が規制制度に加えた攻撃のなかでとくに大きかったのは、価格決定に柔軟性をもたせたことだ。割引運賃を認めたのである。一九七八年の夏には、エコノミー・クラスの座席マイルの半分以上が、「ピーナッツ」、スーパーサーバーなどの名称の割引運賃で運航されるようになった。

怒った利用者からの抗議には、委員長みずから答えていた。六四年の大統領選の共和党候補で、『保守派の良心』というベストセラーの著者でもあるバリー・ゴールドウォーター上院議員が、機内がすし詰め状態だと苦情の手紙を送ってきたときには、「カルテルのような制度」を解体すれば避けられない結果だと回答した。そして、こう付け加えた。「自由市場の効用に疑問をお持ちでしたら、遠慮なくおっしゃってください。また、ゴールドウォーターという名の上院議員による何年か前の演説や原稿のいくつかを謹んで推薦いたします」。友人のひとりが、機内でヒッピーの隣の席になって、いかに居心地が悪かったかを書いた手紙を送ってきたときはこう書いた。「ヒッピーからは不満の手紙はきていないので、互いに嫌がっているわけではないようだ」

カーン委員長の最大の敵は航空業界であり、規制とともに成長し変化を望まない人びとのグループだった。元宇宙飛行士で、イースタン航空社長のフランク・ボーマンが公聴会で、機種ごとの長所を説明しようとしたとき、こう応酬した。「わたしは機種の区別などに興味はない。わたしにとって飛行機とは、翼をつけた限界費用だ」。一九七八年十月、航空業界の規制緩和を定めた法律が制定された。プラムとドッグは廃止された。各社が運賃を自由に設定して競争できるようになった。市場への参入や退出、路線の決定や廃止も、各社が独自に判断できるようになった。新会社による参入も認められた。民間航空委員会は八五年に廃止され、安全面の管理は連邦航空局に委ねられた。

まさに規制緩和であり、ニューディール以来の制度が大きく後退した最初の例になった。その成果はどのようなものだろうか。一九九六年の旅客運賃は、規制が存続していた場合に推定される水準より平均で二六パーセント低くなっている。もっとも、ビジネス客がレジャー客にくらべて不利になったのはあきらかだ。大手航空会社のいくつかは倒産した。破産法に基づく会社更生手続きをへて、再建を果たした航空会社もある。以前に十社あった主要航空会社は、現在六社になっている。規制緩和がはじまった直後、小規模の都市や町では、航空サービスが廃止されるか、廃止の危機に瀕し、とくにジェット便が減少した。現在では、一日一、二便のジェット機ではなく、小型機を頻繁に運航するコミューター航空がこの市場に参入している。ジェット便が運行されなくなったことが、小規模の都市や町の経済開発に及ぼした影響はあきらかにされていない。しかし、大きな流れのなかでみると、航空業界の規制緩和は、それまで四十年にわたり推進されてきた規制の流れを変え、市場に回帰する転換点となった[9]。

航空業界の例はとくに有名だが、経済的な規制緩和ははるかに広範囲に進められており、日常生活のほかの分野にも影響を与えている。鉄道業界やトラック業界も規制緩和の対象になった。鉄道業界の規制は、自然独占の議論に基づいていた。一九三〇年代半ばには早くも、貨物輸送の分野でトラック業界と競争している事実をニューディール派の一部が指摘したが、無視されてきた。七〇年代になると、きわめて非合理な規制によって、鉄道業界は経営が成り立たなくなり、顧客にサービスを提供する能力を失ったことがあきらかになった。鉄道を効率的に経営するという観点を無視して、料金が設定されてきたからだ。

一九七〇年代、規制緩和運動の先頭に立ったのは、コンレイルのエドワード・ジョーダン会長だった。同社は、七〇年代初めに倒産したペン・セントラルなど数社の業務を引き継いで、政府の出資で緊急措置として設立された鉄道会社である。「規制があるために、経営者は企業をまともに経営できないような考え方に凝り固まっている。経営者には、売上高を管理する力がほとんどない。ワシントンの規制当局が決めるからだ。これでは、顧客のニーズに合わせて事業を進めることはできない。鉄道業界の経営者はたいてい、実業家ではなく鉄道員か弁護士だ。実業家よりも規制当局との交渉術を心得ているからだ。変化を起こしたのは、規制の考えに毒されていない外部の人間だった」。八〇年代初め、ほぼ完全な規制緩和が行なわれ、努力が実を結んだ。その成果は疑いようがない。規制緩和によって節約されたコストは、五百億ドルから七百億ドルにのぼると推定されている。鉄道業界は黒字転換を果たした。技術革新も促された。そして現在、貨物は規制当局が決めた遠回りのルートを通るのではなく、もっともコストの安いルートで運ばれている。

だれのための電話料金か

アメリカで最大の規制対象企業はAT&Tだった。従業員百万人以上を擁し、近距離、長距離の電話事業の大半を担い、アメリカ最大の企業でもあった。ゼネラル・テレフォン・アンド・エレクトリック（GTE）などの競合企業はあったが、規模がきわめて小さかった。AT&Tの経営は自然独占の考え方に基づいており、規制は公共の利益の保護という観点に基づいていた。

一八七六年にアレクサンダー・グラハム・ベルが発明した電話を事業化するために設立されたAT&Tは、十九世紀後半、特許の管理と水平・垂直統合戦略を基に、またたく間に優位に立った。経営の中心には、ユニバーサル・サービスを安く提供するというビジョンが掲げられた。一九一〇年の年次報告書には、「電気的な伝達によって、時間と空間を消滅させる」ことが目標だとされている。ウエスタン・ユニオン社が都市間の電報事業の方が利益が大きいと判断して（とんでもない間違いだったわけだが）、それと競合する電話事業から早い時期に撤退したことも、AT&Tにとって有利にはたらいた。買収による成長を財務面で後押ししたのはJ・P・モルガンだった。また、連邦、州、国民のいずれのレベルでも、電話事業に競争を導入すると二重投資となり、非効率で無駄が多く、サービスの質が低下するという考え方が浸透していたことも、AT&Tの性格を形作った。電話事業は独占事業であるべきだが、規制すべきだとされていたのだ。州レベルでは各州の公益事業委員会が規制を担当した。連邦レベルでは州際商業委員会に規制の権限が賦与されたが、ニューディール政策のもと、一九三四年通信法で新たに設立された連邦通信委員会（FCC）に権限が移された。フランクリン・ローズベルト政権下の商務長官が述べたように、電話事業は「その性質上、独占事業として行なえば、もっとも効率的で満足できるものになる」と考えられていた。

AT&Tは、長距離電話サービスから家庭内の電話機まで、あらゆる商品やサービスを提供した。その質はきわめて高く、加入者の電話に問題が起こると、トラックですぐに駆けつけ、原因を突きとめ修理した。管轄をめぐるトラブルも起きなかった。規制の歴史に詳しいリチャード・ビエトーはこう語っている。「全国的なネットワークをもつ事業のなかで、普及率や技術の質、価格の面で、電話事業がもっとも優れていたことは間違いない」。またAT&Tは、必死になって独占を守ってきた。「AT&T製以外の付属品」の使用を一切許可しなかった。たとえば、通話者のプライバシーを守るために通話口の周りにつける小さなカップ状の製品、ハッシュ・ア・フォンなどの競合製品をうまく撃退した。利用者が外部製品を使用すると、通話サービスが打ち切られる可能性があったのだ。

電話事業の独占は定着し、受け入れられた。AT&Tの揺るぎない地位にあえて挑戦し、そのために時間と労力を使うのは、よほど大胆で無鉄砲とさえいえる人物だけだったろう。ウィリアム・マクゴワンのような人物が必要だったのだ。マクゴワンはコンサルタントから起業家に転じた人物で、六〇年代後半に電話市場の周辺部で攻撃をはじめ、その後も強い姿勢を貫いた。マイクロウェーブ・コミュニケーションズ（のちのMCI）という会社の創業者が、セントルイスからシカゴまでをマイクロ波でつなぐ事業の資金を確保する方法について相談におとずれたとき、マクゴワンは、この絶好の機会を逃さなかった。助言を与えるかわりに、同社の経営権を買い取ったのだ。

マクゴワンは、AT&Tの独占を崩す聖なる戦いに乗り出した。第一歩は、長距離専用線サービスを提供する認可をFCCからとりつけることだった。六年間にわたって公聴会と審理、上訴が延々と繰り返された後（この間に一度は倒産しかけたが）、MCIは認可を勝ち取った。FCCの委員の票は四対三で僅差だった。認可に賛成の票を投じた委員のひとりは、その理由を「FCCとAT&Tが料理してきた、規制による保護という味のないシチューに、競争という塩と胡椒を少しまぶす方法」を求めていたからだと語っている。マクゴワンはこの後も、反AT&Tキャンペーンを法廷で繰り広げた。訴訟が、MCIの唯一の業務だと思える時期もあった。社内ではこんなジョークがとびかっていた。「当社は屋根にアンテナをつけた法律事務所だ」。しかし、マクゴワンの忍耐は報われた。

長年の規制制度をだれよりも混乱させたのはマクゴワンかもしれないが、AT&Tの独占とそれに伴う規制制度をほんとうの意味で崩したのは、技術の変化である。問題はハッシュ・ア・フォンのような小さなカップ状製品ではなくなった。コンピューター時代の到来である。コンピューター技術の進歩とデータ通信の飛躍的な成長によって、長距離通信の概念が崩れてきた。新たな需要が生まれ、競争を仕掛けるインセンティブが生まれたのである。大口ユーザーと大量のデータの通信という需要を満たすために、専用線が急速に発達した。電話交換機とデータ処理装置の違いもはっきりしなくなった。こうした技術の進歩が、AT&Tの独占に対する大きな圧力となったのである。既存の制度の有効性に疑問を抱く人が増えていき、それよりもなによりも、制度を侵食する動きが徐々に拡大してきた。そのうえ長距離通話の料金を高く設定して、近距離電話事業の赤字が補塡されていることが明白になっていた。それを知った大口の企業ユーザーは、独占を迂回して長距離電話やデータ通信のコストを引き下げる方法を求めるようになった。

AT&Tは変化の圧力に抵抗をこころみた。州規制当局者の全米大会でAT&Tの会長がこう語っている。「われわれはどのように確信しているのか。われわれはこう考えている。……公共の利益は……事業の重複によって損なわれざるをえない。これ以上競争が進入してくれば、事業はかならず重複する。……コモン・キャリアの原則には正しい点がある。規制にも正しい点がある。そして、この産業の性格を考えれば、独占にも正しい点がある。規制された独占ではあるが」。二十世紀初め以来、この言葉は当然のこととして受け入れられてきたかもしれないが、もはや正しいとはいえなくなった。一九七四年、司法省はAT&Tが反トラスト法に違反しているとして告発した。連邦裁判所のハロルド・グリーン判事がこの裁判を担当し、八一年に審理がはじまった。グリーン判事は「同社が、多くの面で長年にわたって反トラスト法に違反してきた」証拠が政府によって示されていると述べ、AT&T側の却下の訴えを退けた。この決定で同社は追いつめられ、経営陣はAT&T分割を受け入れる決断を下した。そして、ほぼ二年にわたって同社と司法省が交渉した結果、「産業界の歴史上、もっとも大がかりで複雑な事業再編」が行なわれることになった。同社は、ベビー・ベルと呼ばれる地域電話会社数社と、AT&Tの後を引き継いだ長距離専門の電話会社に分割された。AT&Tは現在、アメリカ国内でワールドコム（MCIよりも新興の巨大電話会社でMCIを買収した）やスプリントなど多数の企業と競争し、世界中の市場でも競争を繰り広げている。

アメリカでは、結果として、規制の一部を残し、一部を緩和した電気通信制度ができあがった。これは規制された競争とも評されている。長距離電話事業の規制はほとんど緩和された。これまで規制されてきた地域電話事業にも、競争が導入されるようになった。地域電話会社、長距離電話会社、規制当局、消費者団体は、長距離電話料金で地域電話料金をどの程度まで補塡すべきか、また補塡しないのなら低所得層に基本的な電話サービスを保証するにはどうすればいいか、言い換えれば、いかにユニバーサル・サービスを維持するかで議論を続けている。利用者からみれば、長距離通信の料金が低下し、爆発的な技術革新が起こり、選択肢の幅が広がり、柔軟性が増す結果になっている。その一方で、修理をどこに頼むかで混乱が生まれ、ノー・ブランドの公衆電話がきちんと管理されていないことにいらだち、夕食時にひっきりなしにかかる長距離電話サービスの売り込みに憤慨するようになっている。

カネはどこへ

金融セクターでも、ニューディール以来の規制が見直されている。一九九三年から九八年までアメリカの銀行システムの主要部分を監督する通貨監督官をつとめたユージン・ルードウィクは、こう語っている。「われわれは規制緩和ではなく、規制の適切な改革を進めていく」。一九三三年、フランクリン・ローズベルトが大統領に就任したとき、最初に行なったのが「銀行休日」の宣言だった。取り付けを防ぐために、一時的に銀行を閉鎖したのである。ニューディール以降、金融セクター——は厳しい規制のもとにおかれてきた。規制が及ぶ範囲はきわめて広く、最近まで銀行と証券の分離を定めていたグラス・スティーガル法から、新たにATM機を設置する際に連邦政府の承認を義務づけるものまでであった。ATM機を一台設置するのに、通常、三十五段階の手続きと三十七日間を要した。通貨監督局は、七十二の規制をすべて見直している。「われわれは、すべてを検証したいと思っている。そしてこう問うていく。意味があるのか。価値を生むのか。どの程度まで重要なのか。負担に見合う利益が得られるのか。規制のなかには、つくられた当初から意味がなかったものもある」

問題が深刻になりうることを裏付けたのは、一九八〇年代終わりから九〇年代初めにかけて貯蓄貸付組合（S&L）を襲った深刻な危機である。危機の原因は、部分的な規制緩和と、当時、連邦準備制度理事会議長だったポール・ボルカーの言う「規制と監督の失敗」にあった。S&Lの預金金利と、投資先に関する規制は撤廃されていた。ボルカー前議長によれば、これが「誘惑、すなわちそれ以前よりもはるかに大きい過ちを犯す動き」につながった。しかし、預金は連邦政府によって保護されており、S&Lは罪の意識をもたず大きなリスクを負うことができた。金融検査当局が警鐘を鳴らすべきだったが、大口の政治資金を献金しているS&Lの経営陣は、問題が表沙汰にならないよう、政治家に強い圧力をかけた。大規模な破綻と債務不履行が迫った段階になってはじめて、危機の全容があきらかになった。S&L救済のために、結局三千億ドルの税金が投入されることになった。S&Lの危機は、金融セクターの規制の複雑さをあらためて考えさせるものとなった。ルードウィク通貨監督官は言う。「規制の秘訣は、正しいバランスをとることだ。八〇年代の金融危機のいくつかは、規制の誤りによるものであることが明白な証拠によって示されている。その一方で、悪党もいれば愚者もいるので、市場を完全に信頼することはできない。金融システムは、ある程度の指揮、監督下におかれた方がよい。なかには高リターンを求めて極端なまでに高リスクに向かう者もいる。規制はこのような動きをみせた金融機関に正常に戻るよう促し、高リスク高リターンの金融機関の破綻がシステム全体の危機につながらないようにする。金融システムは、経済の中心になっている点で、他の業界とは異なる。金融システムは、操られることもありうる。バービー人形の噂を流してもトイザラスに取り付けは起こらないが、銀行の取り付け騒ぎを起こすことはできる。違法行為が破綻につながりかねない。金融業界を現在より公正なものにすることは、化粧品業界をそうするよりも、影響が大きい」

しかし、もっとも大きい規制緩和は、まだその過程にある。世界でもっとも資本集約的で、航空業界と電気通信業界を合計したよりも大きい産業、電力産業の変革である。これほど規制緩和を象徴するものはほかにない。電力業界の規制緩和は、すべての国民に、すべての国民の電気料金にかかわっている。[10]

電力——「協定」の崩壊

一九九三年、エリザベス・モーラーとウィリアム・マッセイは、アメリカでの天然ガスの規制緩和の成果について報告するためロンドンに向かった。当時モーラーは、電力と天然ガス事業の州際業務を規制する連邦エネルギー規制委員会（ＦＥＲＣ）の委員長で、マッセイはその委員をつとめていた。ＦＥＲＣは、一九二〇年に設立され、ニューディール政策で強化された連邦電力委員会の後身である。九〇年代初めに天然ガス業界のかなりの部分の規制緩和を完了しており、モーラーをはじめとする委員の関心は電力業界に移っていた。ふたりはイギリス滞在中、サッチャー政権がもたらした電力業界の変貌ぶりを調査した。かつての硬直した国有事業が、需要と供給に応じて価格をたえず改定し、競争しあう事業になっている点に強く印象づけられた。二人はイギリスの動きを目の当たりにして、アメリカでの電力業界の改革を早める勇気を得た。ワシントンに戻ると、ＦＥＲＣの委員は大胆な措置をとるべきだという点で合意した。非常に大胆な措置だった。電力業界を自由化するのだ。しかもできるだけ早く。

課題は山積していた。アメリカの電力業界は、保守的で迅速性に欠け慎重で、その経営は明確で厳格な規制に基づいていた。サムエル・インサルの帝国の崩壊を受けて、ニューディール政策で確立された制度は、いわゆる規制の協定のもとで機能していた。公益事業には自然独占の性格がある。一本の道に電線を二本走らせる意味はない。そこで利益率に限界を設け、政府がかなりの程度、監視し規制するかわりに、公益事業会社に独占権を与えることにしたのである。州際業務を監督するのは連邦電力委員会、後のFERCである。事業の大部分を占める州内業務を監督するのは各州の公益事業委員会で、この委員会が消費者が払う電力料金を決定していた。価格は、料金公聴会という面倒でお役所的、儀礼的な手続きをへて決められた。公聴会では、弁護士、ロビイスト、企業幹部、電力問題の専門家、調停者、環境保護の専門家、消費者運動の活動家、規制委員が、歌舞伎役者のように、決められた役割を演じる。ここで決められる料金は、電力会社の資本利益率が規制で定められた水準に達するように設定される。利益率はとくに高いといえるようなものではなかったが、予想可能で変動がなく、なによりも保証されていた。料金とともにきわめて重視されたのが、サービスの信頼性である。停電や電圧の低下を起こしてはならない。一九三五年公益事業持ち株会社法では、公益事業同士の合併、とくに州をまたいだ合併を厳しく禁止しており、全米規模の電力会社など考えることすらできなかった。電力会社は地域経済と地域社会のまさに中心的な存在で、CEO（最高経営責任者）が、地域の慈善活動の先頭に立つことが少なくなかった。

一九七〇年代まで、このシステムは見事に機能し、電力料金は下がりつづけた。インフレ調整後の価格でみると、三四年にはキロワット時当たり三十七セントだった電力料金が、七〇年には約五セントにまで低下している。消費者や経済にとって、驚くべき恩恵がもたらされた。規模の経済が効果を発揮したのだ。大型で新しい発電所ほど、コストは低下した。しかし七〇年代に入ると、インフレ率の上昇と投資額の巨額化、コストの増大で、この制度は曲がり角を迎えた。新規の発電所の投資額が、既存の発電所を上回るようになった。とくに原子力発電所の場合、建設中に安全基準が何度も変わり、それに合わせて設計を変更しなくてはならなくなったため、建設コストが急激に上昇した。原油価格とガス価格の上昇も、電力業界を直撃した。消費者は電力料金が引き下げられるどころか、上昇するばかりになり、ときには急激に引き上げられることに気づいた。「電力料金ショック」と呼ばれるようになったほどの衝撃だった。電力業界の状態は常識外れになっていた。たとえば、イリノイ州北部の住民は、隣接するウィスコンシン州南部の住民の二倍の電力料金を払っていた。電力会社の多くは高金利でますます重くなった巨額の債務にあえいでおり、何社かは経営破綻の危機に瀕していた。

一九八〇年代初めには、規制協定は破られた。これに対応した動きとして、一方では、「政府関与の強化」がはかられた。規制、指導、介入が強化され、州の公益事業委員会が事実上、基本的な経済的決定を管理するようになった。しかし他方で、これとは別の方向で、はるかに過激な対応がとられるようになった。根底には、公益事業は少なくともその機能のいくつかの面では、自然独占ではないのではないかという、異端の考え方があった。少なくとも事業の一部には、競争原理を導入できるかもしれない。このような考え方が最初に浮かびあがってきたのは、一九七八年公益事業規制政策法で、発電所の設立と地域電力会社への電力の売却を、新規参入企業に認めてからである。この規定の本来の目的は、環境の保全と浄化を進めることにあり、巨大な原子力発電所で発電能力を一挙に高めるのではなく、小規模な発電所を増やすことにあった。しかし、新しい政策にはよくあることだが、「独立系電力会社」の育成は、予期せぬ結果をもたらした。発電を低コストで行なうのは、電力会社にしかできないものではないことがあきらかになったのだ。発電所の設計、建設資金の調達、建設、運営は、電力会社以外の企業でも、既存の電力会社と少なくとも同程度のコストででき（たとえ安くはなくとも）、発電した電力を電力会社に売却することができるのだ。

一九八〇年代末には、競争を促進する要因が出そろった。とくにジェット・エンジン技術に基づいた新型タービンで大きな技術革新が起きたため、天然ガスの燃焼効率があがり、小型で環境にやさしい発電施設の建設が可能になった。野心に燃えた多数の起業家が、通常の電力事業に大規模に参入することを切望していた。市場もあった。大口の産業需要家は、電力コストを引き下げたいと考えている。そして、電力会社を比較してキロワット時当たりの価格がもっとも安い電力を購入できるようになれば、コストを引き下げられると考えている。それには競争が必要だ。電力業界自体、競争の導入に賛成するグループと、既存の仕組みが消費者にとって最善であり、競争を導入すれば電力供給の信頼性が損なわれると主張するグループに大きく分かれていた。

ブッシュ政権は、発電所建設の投資に関する規制緩和を提案した。しかし、すぐに第二の問題、送電の問題にぶつかり、これが決定的な問題であることがわかってきた。地域の電力会社は、競争相手に送電線を開放しなくてはならないのか。言い換えれば、送電線は高速道路のように、もっと正確に言えば有料道路のように、料金さえ払えば、だれにでも使えるものにすべきなのか。改革に取り組むリーダーのひとり、エド・マーキー下院議員にとって、戦いはひとつの問題に行き着いた。

消費者に選択を委ねることだ。この点にはきわめて大きな利害がかかわっており、その後の戦いは激しいものになった。この問題を扱った下院小委員会のフィリップ・シャープ委員長は、こう語っている。「われわれのうち一人でも問題の大きさを認識していれば、政治的にきわめて難しい問題なので、もっと慎重になっていただろう」。しかし、一九九二年エネルギー政策法が成立して、問題は解決された。原則として、最終消費者ではなく、電力事業者に限って送電線の利用権を認めることになったのだ。この法律は、電力業界のすべての関係者、そして市場への参入を目指す部外者に、真の競争時代が到来することを示すものだった。しかし、競争がどこまで、どのくらいの速さで進むのかはFERC、とりわけモーラー新委員長にかかっていた。

「学習意欲がある」

二十年ほど前、モーラーは、上院エネルギー委員会の若手民主党スタッフとして議会ではたらいていた。一九七〇年代後半の天然ガス法案をめぐる苦しい攻防は、モーラーらのスタッフにとって忘れがたいものだった。この法律は、天然ガスの価格統制制度を自由市場制度に移行させる過程を管理するために、苦心してつくられたものだ。モーラー委員長はこう語っている。「規制された市場から規制のない市場へ、少しずつ移行する仕組みをつくろうとした。民主党は公正を重視する。消費者が不当な価格吊り上げで被害を受けるのは避けたかった。しかし、市場を自由化してみると、市場参加者は多く、価格が上昇するのではなく低下することがわかった」。そして、こう語った。「民主党は市場の力を尊重するようになったと思う。競争の価値を認識したのだ。われわれには、学習意欲があるのだから」

ＦＥＲＣはモーラー委員長のもとで、一九九二年エネルギー政策法で定められた方針にしたがって、電力業界に競争を導入する実験的な決定をくだすようになった。三年にわたる作業の総仕上げは膨大なルール八八八で、ニューディール以来の制度を解体し、競争の導入に大きく踏み込む内容だった。八八八で、ある地域の電力会社が、別の地域の発電事業者から安い電力を購入できるようになった。この電力は、多数の電力会社の送電線を通り、地域電力会社が最終消費者に販売する。高コストの電力会社は、低コスト事業者の市場への参入を阻止できなくなる。現在、いくつかの州が、最終消費者の段階にも競争を導入する計画を進めている。これが実現すれば、産業需要家であれ一般家庭であれ、最終消費者が、価格競争を繰り広げる発電事業者から直接、電力を購入できることになる。電力事業のなかでいまでも自然独占と考えられているのは「電線事業」、つまり送電と地域内での配電事業だけだ。一本の道に二本の電線を走らせる意味はない。

競争が経済に及ぼす影響はきわめて大きい。電力業界が市場の力にさらされると、発電所、送電システムなど、すべての資産の価値が変化する。電力設備の資産価格は、アメリカの企業設備の一〇パーセントを占めているが、その価値は規制緩和によって大きく変動している。政府の撤退によって、電力業界は組織と企業文化の面でも、大きな変化を余儀なくされる。以前は法律や規制制度に事業の照準を合わせていたが、いまや競合企業と競争し、マーケティングを考えなくてはならない。発電、送電、配電、サービスのすべての事業を継続するか、事業のうちいくつかから撤退するかを決めなくてはならなくなる。コスト削減を目的に、合併する電力会社も増加するだろう。送電線を利用して、電力だけでなく、電話や映像、インターネットやホーム・セキュリティなどのサービスを提供したり、アメリカ以外の市場で新たな成長を模索する企業も多数出てくる。現在、電力事業を行なっていない企業も競って市場に参入し、こうした新規参入企業が、アメリカ各地で電力を販売するようになるだろう。

電力業界が従来の規制された独占から、市場に基づいた制度に移行していけば、規制当局の業務の内容も変化していく。新しい業務は、市場を競争状態に保つことである。モーラー委員長は言う。「規制当局はいまや審判になった。価格を決めるのではなく、ボールかストライクかを判定するのである」[11]

社会的規制――領域の拡大

経済的規制が概して市場への依存度を高める方向に進んでいるとすれば、いわゆる社会的規制の領域では、反対の動きが起こっている。環境、反差別、労働環境などに関する規制がこれにあてはまる。これらの領域では、「政府の第四機関」の力がますます強まっている。ニクソン政権以降の各政権は民主党・共和党を問わず、規制が多すぎるので思い切って整理する必要があると主張してきた。しかし、実際の流れは逆で、第四の機関がきわめて大きくなっており、「なにをやっても犯罪になる」と非難されるほどである。社会的規制は拡大を続けているため、全体像を把握するのはきわめて難しくなっており、規制制度のある部分に抵触してはじめて、そのような規制があったのだと気づくほどだ。さらに厄介なのは、議論が感情的になりやすいことだ。正義と公正、安全とリスクの考え方が基礎になっており、事実認識や理論が根本から異なっているので感情が高ぶる。また、イデオロギーの違いがあるとの見方もある。

視点の違いはあれ、健康や安全、環境のリスクに関する規制は、現在、最高裁判事をつとめるスティーブン・ブライヤーの言う「規制の行き詰まり」に陥っている。アメリカでのリスクに関する規制は十九世紀に遡り、もっとも直接的で重大な危険であった火災を防止するという切実な要請から生まれたものだった。ニューヨーク市やフィラデルフィアなどの過密都市では、市の条例で、木製や漆喰の煙突、藁や葦の屋根、干し草の使用が禁止された。消防士が地域を見回り、煙突が掃除されているかどうかを調べて回った。州当局が火薬の販売店を取り締まった。二十世紀に入ると、マックレイカーが悲惨な衛生状態を暴露したことがきっかけになって、食品や薬品に関する規制がつくられた。しかし、住民運動が活発になり、連邦、州、地域レベルで規制が大幅に増えるのは、一九六〇年代後半から七〇年代初めになってからである。環境保護庁（ＥＰＡ）と雇用安全健康局（ＯＳＨＡ）は、ニクソン政権下で設立されたものだ。都市の大気や全米の湖や川で環境汚染が広がったことからも、新たな規制が多数生まれた。効果は絶大で、いまではハドソン川で釣りや水泳ができるようになった。九七年、デトロイトの自動車工場の組立ラインから送り出される新車は、七〇年代初期につくられた自動車にくらべて、汚染物の排出量が約五パーセントにすぎなくなった。ロサンゼルスはスモッグという言葉を有名にした都市だが、当時にくらべ人口が三〇パーセント増加したなかで、大気は三六パーセントも浄化されている。[12]

アメリカなど先進工業国の環境は、二十年前よりはるかに改善されている。規制と住民運動、技術革新と意識の変化によって達成されたものだ。しかし同時に、徐々に発展してきた環境規制制度は、厄介で柔軟性がなく、命令的でありすぎるとみられるようになった。議会が法律の条文を詳細にわたるものにすることが、こうした事態が起きる一因になっている。一般的な指針や目標を示すことによってではなく、「指令と統制」によって目的を達成しようとする規制では、規定がきわめて厳格に定められる傾向があるため、革新や効率が阻害される。しかも、規制は自己増殖する習性をもっている。政府による細かな管理が広がって、さらに技術革新や創造性の芽がつまれる可能性がある。科学が議論の中心になり、危険性や緊急性を冷静に判断した結果によってではなく、マスコミ、国民、利益団体、政治家と、ブライヤー判事の言う「似非《えせ》科学」が作用しあって生まれた予想のつかない結果によって、優先順位がつけられることも少なくない。ブライヤー判事によれば、「市場に対する恐怖に代わって、煙突から出てくるものへの恐怖が、大きな関心事になった」。同判事は、規制に柔軟性を取り入れるのは簡単ではないと指摘する。「規制当局に裁量権を与えて、慎重に規制を行なえるようにすることには、問題がつきまとう。だれも他人を信用しないので、裁量の余地を小さくし、規則を増やし、硬直的な規制になる。規制を改善する唯一の方法は、当局に裁量を与えることだが、議会は裁量の余地を狭めるように、法律の条文を定めている。裁量の余地が大きくなりすぎると、濫用される恐れがある。しかし、裁量の余地をまったくなくすと、規則が細かくなり硬直化する。つねにそうなる。規則と裁量のバランスを見極めることが重要だ」

現行の規制制度に批判的な人びとは、規制の合理性と「最後の五〜一〇パーセント問題」を懸念している。環境汚染の九〇〜九五パーセントは、費用効率の高い方法で解決できる。しかし、最後の五〜一〇パーセントの浄化を達成するのは、ほとんど不可能であり、もっと緊急性の高い事業に回せるはずの資源を奪うだけになる。「完璧を求める動きで、とんでもない混乱が起こっている」とブライヤー判事は言う。最近の著書『悪循環を断つ――効果的なリスク規制に向けて』で、連邦判事として裁いたひとつの事例を取り上げている。ニューハンプシャー州のゴミ処理場の土壌汚染の浄化をめぐって、十年にわたって裁判が続いた事例だ。「土壌はほとんど浄化され、ひとつのグループを除いて和解が成立していた。最後のグループは、かなり濃度の低いPCBと『揮発性化合物(ベンゼンやガソリン化合物)』がわずかに残った土壌を焼却処理するための費用、約九百三十万ドルの支払いを求めて提訴していた。九百三十万ドルをかけて、どれほど安全性が向上するのだろうか。十年間の裁判の四万ページに及ぶ記録によれば、これ以上費用をかけなくとも、処理場はそこで遊ぶ子供が、少量の土を年間七十日食べてもとくに害にならないほど浄化されているという(この点では、すべての当事者が合意できているようだ)。土壌を焼却すると、年間二百四十五日、土を食べつづけてもとくに害にならなくなる。しかし、ここは湿地なので、子供が遊んで土を口にすることはありえないし、将来も住宅が建つ予定はなく、子供が来るとは考えられない。また、揮発性の化合物の少なくとも半分は二〇〇〇年までに蒸発することを、すべての当事者が確認している。どこにもいない土を食べる子供を守るために、九百三十万ドルの費用をかけるのが、ここで言う『最後の一〇パーセント』の問題だ」

規制制度全体が、リスクをどう測り評価するかという根本的な問題で苦闘している。規制にかかる費用とそこから得られる便益のバランスを分析する手法があるが、この費用便益分析の結果はまちまちである。規制によって人命を救う際のコストの厄介な問題をみれば、その難しさがわかる。可燃性の子供用パジャマの製造を禁止するコストは、それによって救える人間ひとり当たり百万ドルと推定される。これに対して、ホルムアルデヒドによる被害を抑えるコストは、それによって救える人間ひとり当たり九十三億ドルにのぼるとみられている。

環境保護に柔軟性や効率性を大幅に取り入れる新たな手法が発展してきている。これまでの官僚的な手法ではなく、経済的なインセンティブと市場原理を応用した手法であり、アメリカの環境保護行政で、あきらかに最先端の手法になっている。環境保護庁の次長補をつとめ、現在はイェール大学環境法コースの責任者のダニエル・エスティはこう説明する。「環境保護は二十五年が経過し、新たな段階に移行しようとしている。指令統制型から、市場に基づいた規制に移行することになろう」。その背景には、アメリカで以前にくらべて市場に問題解決を委ねる傾向が強まっているうえ、指令統制型の規制制度の硬直性に対する不満が強まり、効率性が求められるようになったことがある。

この新手法がもっともきわだっているのが、大気の浄化を促進する手段として登場した「排出権取引」である。取引権制度のもとで、企業はある量の排出権を政府から購入するか与えられる。割り当てられた量まで排出することもできるし、割当量の全部あるいは一部を他の企業に売却し、自社の排気を改善することもできる。この手法では、ある地域の大気汚染の許容量は政府が管理するが、その配分は市場に委ねることになる。その結果、環境の質が、個々の企業や工場のレベルではなく、地域全体で最適化される。このような市場アプローチの実験がはじまったのは一九七〇年代後半だが、制度として円滑に機能するようになったのは、九〇年に修正大気浄化法が施行されてからである。

これまでの成果は、非常に心強いものだ。環境保護基金のダニエル・デューデックによれば、「環境が大幅に改善され、そのコストが低下し、規制当局と企業の対立が是正されて、市場の力が環境に有利にはたらく」ことを示した点で、結果は「めざましい」ものだ。排出総量は、予想よりも速いスピードで、予想を大幅に下回る低コストで減少している。「これほど短期間に、劇的な成果をあげた環境保護計画がほかにあるだろうか」とデューデックは語る。企業にインセンティブと選択権を与えるこの方法を使えば、細かい点まで指示することの多い規制では生まれない技術革新を促せる。市場原理に基づいた制度には、もうひとつ将来性のある特徴がある。環境保護派と産業界の対立を抑え、問題の解決に向けて両者が協力する枠組みになる可能性を秘めているのだ。市場原理に基づいた制度は、国境を越えることができるだろうか。地球温暖化の対策として国際協力体制を構築しようとするとき、それが試されるだろう。[13]

「権利の激増」

社会的規制は、一九六〇年以降のいわゆる権利の激増によっても増えつづけている。この点がとくに明白なのは、差別とされるものの範囲が拡大していることであり、さまざまな要件、基準、罰則によって是正すべきだと主張されている。そして、これらはすべて増加している。権利に基づく規制でもっとも目立つのは、公民権運動から生まれた積極的差別是正措置《アファーマティブ・アクション》であり、現在、賛成、反対両陣営が激しい論争の火花を散らしている。賛成派は、過去の過ちをただし、これまで門戸が閉ざされていた人びとに機会を与え、根強い人種差別や性差別に対抗する手段だと主張する。一方、反対派は国民を利益団体にしばりつけ、機会の平等を損ね、受益者に能力が劣るという烙印を押し、人がそれぞれの実力で評価されるのを妨げ、その根拠になっている人種差別や性差別のとらえ方も問題だと主張する。人種間の不平等という根本的な問題の是正策として考えられた定員割当制などの手法が、いくつもの新たな問題にも使われるようになり、能力主義という常識に対抗する新たな価値が提唱されるようになって、論争は激しくなっている。権利の激増によって、規則とそれを取り締まる規制機関が多数生まれている。

政府が市場に対する規制と管理を拡大している例は、ほかにもたくさんある。企業が従業員を採用したり解雇する際に課される規制が顕著な例だ。採用時に、年齢や婚姻の有無、家族関係、健康状態を質問することは、差別の温床になるおそれがあると考えられ、禁止されている。しかし、応募者のことをよく知り、採用するかどうかを判断するには、これらは妥当な質問だと批判する人びともいる。企業が退職者について、もっとも基礎的な事項以外の情報を提供することも、きわめて危険である。企業は、「退職者の職場での肩書きと入社年月日、退職年月日」以外の点を公にしないよう勧告を受けている。もし公表すれば、訴えられる可能性があるからだ。

社会的価値に関する規制と法律の直接的な影響は、アメリカ特有の「敵対的法制度」、すなわち訴訟によってさらに大きくなっている。これはブルッキングズ研究所の上級研究員、ピエトロ・ニボラの言葉であり、訴訟を「私人の間の対立を解消する手段」としてだけでなく、「統治や社会的規制のための制度」としても使うことを意図した法制度を意味する。「対応の悪い企業に対し、数百万ドルの損害賠償支払いを命じる懲罰的判決を下す陪審員は、私人の間の対立以上のものを検討している。陪審による民事訴訟判決は、消費者製造物安全委員会や雇用機会均等委員会が下す命令とおなじように、社会の脅威を防止する効果があるとされている」とニボラ研究員は説明する。ドライブスルーで買ったコーヒーをこぼしてやけどした八十二歳の女性が、マクドナルドを訴えた裁判で、陪審員は、店側が注意を怠り、コーヒーの温度が高すぎたとして、二百九十万ドルの損害賠償を命ずる判決を下し、メッセージを送った(賠償額はその後、減額された)。大学は、任期を延長されなかった教授から差別訴訟を起こされることに慣れるようになった。企業の業績でさえ、訴訟の対象になる。数百人の雇用増に貢献した企業でも、株式を公開すると訴訟を起こされやすくなる。ある四半期の業績が不振で株価が下落すると、訴えられかねないからだ。

訴訟を促す仕組みが、意図的につくられてきている。一九九一年新公民権法は、罰則を大幅に強化し、懲罰的損害賠償の規定を強め、精神的損害を認め、弁護士報酬を引き上げた。フィリップ・ハワードによれば、これらはすべて「民事訴訟を促進する」という明確な目的にそって定められたものだ。「差別反対の原則は、暴行、傷害などの暴力行為を禁止する原則とおなじように重要だからだ」

そこで、議会は従業員ひとりひとりが「貴重な権利を主張する民間の検事」として政府の代理人をつとめる仕組みを構想した。この新法の主要な目的の少なくともひとつは達成されている。雇用差別に関する訴訟が急増しているのだ。規制・訴訟制度があまりに速く拡大しているため、連邦地方裁判所のスタンリー・スポーキン判事は「連邦裁判所が労働関係の裁判で満杯になる」と警告している。そして、こう語っている。「裁判所は、文字通り全米のすべての公共機関や民間企業の人事を左右する専制君主になってきている」[14]

アメリカ方式の民営化

一九八七年三月二十六日、投資銀行のゴールドマン・サックスの経営者、ジョン・ワインバーグは、連邦政府を受取人とする十六億五千万ドルの小切手にサインした。税金の支払いではない。ニューヨーク証券取引所開設以来もっとも巨額の株式公開の代金である。連邦政府がコンレイルの株式を売却したのだ。コンレイルは十年ほど前、大手鉄道会社二社の経営が破綻したとき、貨物輸送を存続させるために設立された鉄道貨物会社だ。株式公開をめぐる環境は、通常とは大きく異なっていた。アメリカはほかの国にくらべて国有化の例が少ないので、売却予定の資産はそれほどなかった。そのなかでコンレイルの資産価値はきわめて高く、売却代金が十六億五千万ドルにもなったことで、民営化という言葉がアメリカの政治でさかんに使われるようになる。

コンレイルを民営化するかなり前から、レーガン政権は、サッチャー政権下のイギリスでつくられた民営化という言葉を借用するようになっていた。年月がたつにつれ、民営化は、共和党だけでなく民主党でもさかんに使われる言葉のひとつになった。ゴア副大統領を代表とする行政改革作業委員会では、行政改革の重要な手段のひとつとして民営化に取り組んでいる。同副大統領によれば、民営化とは「政府よりはるかに優れた成果をあげる民間セクターに機能を移す」ことである。民営化では資産の売却だけではなく、政府の契約・調達慣行の変更、サービスのアウトソーシングなども対象になっている。その目的は、市場の力と市場の試練をつかって効率性を高め、コストと政府予算の膨張を抑え、サービスの質と効率を向上することにある。

冷戦の終結と財政支出削減政策を背景に、新たに経済面で検討の対象になっているのが軍事システムである。基地の閉鎖や転換、不要な設備の売却、研究開発部門の縮小はすべて、この流れに沿っているようだ。たとえば、アナポリスの海軍兵学校は、三百四十六ヘクタールの自前の牧場を所有する必要はない。海軍が牧場を建設するきっかけとなったチフスが兵学校で流行したのは、百年も前のことなのだ。カリフォルニア州エルク・ヒルズの油田を海軍が購入したのは、第一次大戦より前で、石油の世紀に入る直前のことである。その目的は、軍艦の燃料を石炭から石油に切り換える際に、石油が不足するのではないかとの懸念を払拭するためだった。しかし今日、この程度の油田では、国家の安全保障にはほとんど役に立たない。生産量が国内の全消費量の〇・三六パーセントしかないからだ。一九九七年、この油田は競売にかけられ売却された。ウラン濃縮工場も売却された。国防省は、施設の運営や兵站業務の支援でも民間企業に頼るようになっている。他の省庁でも似たような経費削減の取り組みが行なわれている。航空管制を担当する連邦航空局などの機関の民営化も議論されている。しかし、航空管制など、国民の安全が絡むサービスほど、政治家は民営化に慎重になるだろう。

実際の民営化の大半は、全米の各州、郡、市の当局によって進められている。公営企業の大部分は地方政府が所有しており、地方政府は幅広い公共サービスを監督、保証、提供しているからだ。アメリカの伝統では、地方政府が選挙民の一般的な要望に基づいて質の高い公共サービスを行き渡らせる責任を担っている。公共交通機関や港湾や空港などのインフラ整備、基本的な保健施設などがこれにあたる。そしてなによりも地方政府が責任をもっているのが公立学校である。

これらすべての分野で、政府の撤退が草の根の議論の対象になっている。地域社会の利害関係者は、サービスがまともに提供されるようにするには役所が管理するしかないという長年の考え方を再考せざるをえなくなっている。かつて地方政府がサービスを拡大したのは、民間サービスの不足を補うためだったのだ。ニューヨーク市が一八八一年、清掃局を設立したのは、都市化が進んでいた十九世紀のアメリカで公害の一番の原因だった馬の糞の処理を、民間受託企業が数十年も怠ってきたからだ。公共サービスの範囲は拡大され、汚職や縁故が入る余地のない公務員制度が整備された。しかし、質の向上を目指して地方政府が確立してきた公務員任用制度が現在、まったく逆の結果になっていると論じられている。民主党のエド・レンデル・フィラデルフィア市長はこう語る。「市職員に意欲がないのはあきらかだ。就業規則や慣習、集団交渉、公務員制度によって、われわれは、業績向上の意欲をすべてそぐような管理制度を作り上げてしまった。……フィラデルフィア市でもっとも難しい仕事は、中間管理職として部下の意欲を引き出すことだ[15]」

民営化がニューディール政策以前の革新主義の時代に遡る考え方に挑むものだとすると、地方政府がそれを担当している点は、民営化を進める過程で大きな利点となる。個々の民営化に関して賛成派と反対派の違いは、イデオロギーや政党によるものであることは少ない。たしかに根底にある考え方、つまり主要なサービスを担う組織と人びとの意欲がもっとも高まるのは、利益のためにはたらくときなのか、公共サービスや公共の利益のためにはたらくときなのかについては、依然として隔たりがある。収益性だけを徹底的に追求すれば、バス会社は民営化され、採算に乗らないサービスは削減されるだろう。しかし、夜間の便をなくす理由として、収益性だけで十分なのだろうか。病院で夜勤する看護婦が困らないのか。そして、バスの本数が減れば、自家用車が増加して、大気汚染や渋滞がひどくなり、いっそう時間がかかるのではないか。また、民営化を促進すると、公共サービスに献身してきた職員が意欲をなくすおそれがある。民営化をめぐる論争では、直接の利害関係者が対立しあうようになることが多い。制度変更に伴うコストをだれが負担するのか、民営化で生まれる事業機会の恩恵をもっとも受けるのはだれかが議論の的になる。通常、この議論でもっとも活発に発言するのは、公共セクターの組合である。組合は状況を正しく認識しており、民営化されれば組合員の仕事が失われ、雇用が脅かされ、業務について、現状より厳しい評価が行なわれるとみているからだ。

きわめて円滑に民営化されている事業もある。ゴミの収集の民営化は全米で広がっている。サンフランシスコでは一九三二年から民営化されている。もうひとつ民営化の対象になっているのが水道事業である。現在、全米の上水道の約二〇パーセントは、地方政府が保有する設備の管理を民間に委託している。今後、民営化を進めるうえで理論的根拠になるのは、大企業の方が市当局が運営するシステムにくらべて、技術や技能の点で優位に立っているため、コストを大幅に下げられる点である。現在、ピッツバーグ空港をはじめ、いくつもの主要空港が民間企業によって運営されている。港も民営化の対象になっている。インディアナポリスでは、市の公社と民間企業のグループを入札で競わせた。市の公社が交通サービスを続けるには、全米規模の企業三社を入札で破らなくてはならなかった。市職員は、コストを大幅に引き下げ、生産性を上げ、賃金や福利厚生費をカットする見返りとして、削減できた経費の一部をボーナスとして職員に還元する条件で契約を獲得した。ニューヨークやニュージャージーの航空当局は、ケネディ空港の国際線到着ターミナルビルがあまりに時代後れになったため、アムステルダム空港を運営する企業を中心とするコンソーシアムに委託した。

民営化とは認識されないまま、民営化が進んでいる機能もある。警察や刑務所は、政府の「中核」機能だと思うかもしれないが、こうした治安機能でも、着実に民営化が進んでいる。現在、民間のガードマンの数は、警察官の三倍に達している。アメリカでは、凶悪犯罪の増加を背景に、拘置所・刑務所の需要が急激に伸びているため、拘置所・刑務所事業が登場している。一九九六年末現在、民間が運営する拘置所や刑務所は百三十二あり、さらに三十九が建設されている。この事業の市場規模は、九七年に十億ドルを超えるとみられている。州や市当局では、福祉サービスの提供を外部に委託するさまざまな方法を検討している。しかし、「アウトソーシング」や外部委託が一般化するにつれ、公共の利益が確実に守られるかどうか、進行状況を監視する必要性が高まっている。このような民営化は、新しい形の政府の失敗、つまりアメリカの政治制度の致命傷である際限のない手続きによって、延々と続く官僚と政治の論争に風穴を開けるものだ(16)。

教育と福祉の領域

制度の変更を検討したり、実行に移すのがもっとも難しい分野のひとつは、皮肉にも現行制度の危機がだれの目にもあきらかな教育の分野である。一九七〇年代まで、公教育は国民にとって社会経験の基礎になるものであり、るつぼの中で人種を融合させる炎だった。しかし七〇年代以降、「権利の激増」、規律の崩壊、暴力の蔓延、標準化によって、公教育は荒廃している。対策は多岐にわたり、議論も多い。現在、多くの州で「チャーター・スクール」の設立が認められている。チャーター・スクールとは、地域の学校区から離れて、個別の教育理念を追求したり、少数民族や移民のコミュニティの要請に応えるため、独自のカリキュラムや基準を設ける新しい公立校のことだ。その成果は、期待通りとはいえない。さらに議論が白熱しているのが、父兄に教育クーポンを支給し、自由に選んだ学校で使えるようにするという提案である。クーポン制度が広く普及すれば、教育制度が事実上、民営化される。こうした改革がもっとも難しいのは、公教育が効率的に運営しさえすればよいというたぐいの基本的サービスではない点にある。公教育は、国の将来の基礎であると同時に、人種、民族、貧困との戦いがからんでいる。それが典型的にあらわれているのが、人種融合を目的とする強制バス通学をめぐる激しい論争だ。

これらすべての分野で政府の役割を再検討する際には、過去の政策の結果がはっきりしているわけではない点が問題になるし、利害関係者の立場が違えば、政策の結果を誠実に評価する際の方法が違う点が問題になる。現在の問題の中心は、福祉制度をどう扱うかという点だ。アメリカの政治の世界では、福祉制度とは、メディケイドによる医療費補助、児童扶養家庭扶助制度（ＡＦＤＣ）のもとでの扶養費補助、公的住宅など、低所得者向けの制度を意味する。これらの救済策は問題を小さくするのではなく、かえって大きくしているとの非難の声が多方面からあがっている。現在の福祉制度を批判する人びとの間で意見が一致しているのは、現行制度が目的を達成していないという一点だけであることも少なくない。「福祉を機能させる」という主張のもとに、緩やかな改革を主張する民主・共和両党の穏健派など中道のグループもあれば、制度が生みだした依存体質を厳しく非難し、自助努力に基づいた制度の大幅な変更を主張するグループもある。

福祉をめぐる議論は、連邦レベルでの福祉制度改革法に集中してきた。一九九六年八月に成立したこの法律は、それまでの福祉政策の根幹であるＡＦＤＣの廃止を中心に据えたものだ。ＡＦＤＣに代わる一時的生活保護（ＴＡＮＦ）は、単なる焼き直しの政策ではない。給付の期間に制限を設け、受給者が職を探し、どのような職であれ見つかった職につくことを義務づけている。この政策は、ふさわしい職があるのかという決定的な点で、現実的かどうかが、現在試されている。しかし、連邦政府の福祉制度改革のうち、もっとも長期にわたって持続するのは、別の側面かもしれない。それは連邦から州に、福祉の権限を全面的に委譲したことである。州政府は連邦政府から交付金を一括して受け取り、独自に選択した方法で支出する。州知事や州議会は、競って他の州政府のモデルになるような改革案づくりを進めている。

全米レベルで、政府が福祉に果たすべき役割がとくに重要な問題になるのは、高齢者福祉に対する責任の分野だと思える。今後、六～十年以内に、おそらく二〇〇五年ころには、社会保障基金は、破綻につながりかねない重大な危機に直面すると予想されている。この対策として、社会保障信託基金の一部を株式に投資すべきだという主張や、民営化し個人が管理する年金基金に振り替えるべきだという主張がだされ、議論されている。しかし、問題ははるかに深刻かもしれない。問題は財政の動向だけでなく、人口動態にかかわる根本的なトレンドにあるからだ。全人口に占める高齢者の比率が急速に上昇していくので、現行の賦課方式のもとでは、少ない労働人口で、多くの高齢者を支えなければならなくなる。

「建国以来」

アメリカで政府と市場の関係が見直されている背景には、政府に対する不信や懐疑が次第に大きくなっているというきわめて基本的な潮流がある。政治評論家のウィリアム・シュナイダーはこう見ている。「政府に対する不信は、アメリカの政治文化の一部である。建国以来のものなのだ。ではなぜ、政府がこれほど肥大化したのか。その答えはプラグマティズムにある。危機が起こるたびに、国民は政府による解決を望んできたからだ」。ニューディール政策や第二次世界大戦で政府への信認が高まった。いまでは想像するのが難しいが、ケネディ大統領は、ひとつの世代全体に公共サービスへの理想を抱かせた。しかし、一九六〇年代半ばになると、ベトナム戦争や国内の混乱で不信感が大きな潮流として台頭した。七〇年代には、ウォーターゲート事件や経済の不振によって、この傾向に拍車がかかった。「アメリカの朝」を掲げたレーガン政権時代の一時期を除いて、不信感は広がりつづけている。その結果、政府と政策に対する期待は小さくなった。クリントン政権がたどってきた道筋に、政府と市場の関係の変化が顕著にあらわれている。一九九三年、クリントンはニュー・デモクラッツを標榜して政権の座についた。大統領はまず医療制度改革に取り組んで一千三百ページに及ぶ法案を提出し、産業政策を導入し、「戦略的通商政策」を追い求めた。しかし、数年もたたないうちに、大統領は大きな政府の時代の終焉を宣言し、大規模な福祉制度改革法案に署名し、冷戦後の外交政策の基本的な目標として自由市場経済の推進を掲げた。しかし、政府と市場の関係の変化は相対的なものだ。共和党議会が膨大な福祉政策の大幅な削減を求めたときにあきらかになったのは、政府の社会的安全網としての役割や教育、環境への関与を国民が否定していないという点だった。クリントン大統領の医療制度改革の失敗とギングリッチ革命への拒否のはざまに、アメリカ政治の新たな中道勢力が誕生している。多くの分野で政府の拡大に歯止めをかけ、いくつかの分野では政府の権限を縮小し、いくつかの分野では権限を地方に委譲し、社会的価値の領域では政府の拡大について戦いを続け、政府活動に市場原理を取り入れようとしている。一方で、少し前までは古臭く奇妙だとさえ思われていた財政節度にも、重きをおいている。(17)

第13章

信認の均衡

改革後の世界

chapter 13

THE BALANCE OF CONFIDENCE:

The World After Reform

地滑り的勝利といっても、ここまで圧倒的な勝利はめずらしい。百七十九議席の大差がついたのだから。トニー・ブレア党首の率いる労働党が一九九七年五月一日の総選挙で収めた勝利は、クレメント・アトリー党首のもと、第二次世界大戦にまさに勝利を収めようとしていたチャーチル首相を大敗させたときを上回る議席差であった。労働党の歴史でここまでの大差をつけたことはなかったし、保守党がここまでの大差で敗北したのは、一八三二年の選挙以来であった。

アトリー政権は混合経済と福祉国家を編み出した。これは、大恐慌、第二次大戦、そして当時の課題だった経済復興への労働党の回答であった。この政策によって生まれたイギリスの「戦後の和解」は、世界各地で政府と市場の関係を規定するモデルになり、政府が指導的な役割を果たすようになった。それまでの秩序に、完全に別れを告げるものであった。

トニー・ブレア党首の勝利も、過去との訣別を示すものだが、サッチャー革命との訣別ではない。保守党は敗北したし、それも完全な敗北であったが、これまでの実績が否定されたわけではないし、基本的な考え方が拒否されたわけでもない。十八年にわたって政権を担ってきた結果、疲れ果て、分裂し、絶え間のないスキャンダルで信頼性と信用を失っていた。それでも、ブレア党首と「新し《ニュー》い労働党《レーバー》」は選挙までの長期にわたる期間、保守党を攻撃するのと変わらぬ激しさで、自党の過去を批判してきた。新しい労働党は古い労働党を拒否し、経済への介入と政府の役割の拡大という旧労働党の政策を否定している。総選挙で勝利を収めた時点では、サッチャリズムを信奉するようになっていた。もっともサッチャリズムそのものではなく、「優しさ」と「弱者への配慮」を強調して大幅に作り変えている。二十年近く野党の立場にあった労働党が政権の座に復帰したのは、サッチャー革命の敗北ではなく、定着を意味している。

アトリー首相とそれから半世紀後のブレア首相の違いをみていくと、政府が経済の管制高地を攻略し支配しようとする時代から、自由市場、競争、民営化、規制緩和の考え方が世界の経済思想の管制高地を支配する時代に変化したことがわかる。戦後の数十年間、アトリー政権につながる考え方が世界各国の政府にとって教科書になった。同様に、一九九〇年には、サッチャー政権の政策を特徴づけた考え方が、世界全体で市場をあらためて重視する傾向に影響を与えている。ブレア首相の政策は第三の革命になり、左派の政党が市場と開放的な世界経済を信奉するようになるのだろうか。

ブレア党首の勝利をもたらした労働党の変化は、失敗から生まれたものであり、何回もの選挙での苦い敗北から生まれたものである。一九八三年になっても、労働党の選挙公約には、大規模な国有化と再国有化、政府による中央計画、為替管理、貿易障壁など、経済への介入の手段が列挙されていた(この選挙公約は、史上最長の遺書だといわれた)。八三年の選挙で敗北してから十年間、労働党の指導部はニール・キノック党首のもとで、つぎにジョン・スミス党首のもとで、党の現代化のために苦闘した。しかし、党を分裂させないように、慎重に変身をはかる方針をとり、この戦略を「長距離競争」と呼んでいた。スミス党首は、「急いでことにあたり、来週の水曜日までに店にすべてを揃えておくようなやり方はとらない」と語っている。しかし、九四年になって、スミス党首は心臓発作で倒れ、ロンドンの病院の緊急治療室で息をひきとった。不思議なめぐり合わせで、予算削減で閉鎖されようとしていたこの緊急治療室を維持するよう、ほんの数週間前に訴えたばかりであった。

つぎの党首に選出されたブレアは、若手の法廷弁護士として頭角をあらわしていたころには、アンソニー・ブレアと呼ばれていた。一九八三年、労働党が大敗するなかで初当選し、下院議員になってからは、トニー・ブレアと名乗るようになった。議員になって当初の数年は、労働党の主流派からそれほど離れておらず、「政府による大がかりな指導と介入」を主張していた。しかしその後、労働党が長年主張してきた政策が現実に合わなくなってきているとみるようになり、市場原理を取り入れる形で、政策を見直しはじめた。それから三年もたたないうちに、世界の左派政党のなかでもとくに前途が暗いとみられていたイギリス労働党を根本から変身させる驚くべき方針を実行することになる。

ブレア党首は労働党の過去にそれほど深くかかわっていなかったため、党内の政治家の多くより自由に変身することができた。父親は、ダーラムの保守党協会の議長をつとめていたほどである。保守党候補として下院議員選挙に出馬する予定だったが、脳溢血で倒れた。ブレアが十歳のころのことだ。それから三年間、弁護士として雄弁家として生計を立ててきた父親は、話すことができなくなった。暇があるとかならず病院に行って、リハビリにつとめていた父親か、重病だった妹を見舞ったと、ブレアは語っている。

オックスフォードでは、政治家を目指す学生が政治論争に熱中するのが伝統だが、ブレアはロックに熱中した。オックスフォード・ユニオンで学生たちが熱弁をふるっているときに、アグリー・ルーマー（みにくい噂）と名づけたバンドで、リード・シンガーとして歌っていた。キリスト教の熱心な信者になり、後に本人が「倫理社会主義」と呼ぶようになる考え方を支持するようになる。これはマルクス主義、階級闘争、政府の力よりも、キリスト教、地域社会、責任に根ざした考え方である。大学卒業の直後に母親が急死したとき、ブレアはベッドの上に坐って聖書を読んでいたと友人が語っている。伝統的な社会主義のロマンに惹かれたことはほとんどない。また、労働党の大部分の政治家とは違って、サッチャー首相を敵とはみていなかった。父親の影響もあった。「父はまったく独力で道を切り開いてきた人物であり、わたしはこの点をよく理解している。そして、父はサッチャー革命を熱心に支持していた」とブレアは語ったことがある。(1)

「理由は簡単だ」

万年野党でいいとは、ブレアは思っていなかった。一九八〇年代末には、ブレア政権で蔵相になったゴードン・ブラウンと協力して、党の現代化を主張する急先鋒のひとりになった。二十年近くにわたって労働党が政権をとれない理由を聞かれたとき、ブレアはいつもこう答えてきた。「理由は簡単だ。世界は変わっているのに、労働党は変わっていない」。その労働党を変えようというわけだ。労働組合から距離をおき、労働組合を「優遇するのではなく公正に扱う」政策を採用するよう主張した。労働組合の力を弱める政策を支持した（左派にとっては呪いの対象だが、国民に信頼されるためには不可欠な政策だ）。そして、サッチャー政権の民営化で生まれた新しい株主層に支持を訴えた。古い労働党への批判は、サッチャーによる批判に似たものになっていった。「一九七〇年代を繰り返そうとは思わない」と、総選挙前に語っている。労働党は、「税金を引き上げる党、インフレ率を上昇させる党、絶望的なほど非効率な党であってはならず、……もうひとつ付け加えるなら、労働組合に主役の座を与える党であってはならない」と主張した。一九七九年の選挙で保守党が主張した点、つまり、「集団交渉の力が強すぎ、政府の介入が多すぎ、それをめぐる既得権益が多すぎる」という批判、「協調主義にもとづく国の介入の時代は終わった」という批判は正しかったという。個人的な会話では、ブレアはさらに大胆な主張を展開しており、サッチャー首相の政策に賛成するとすら語る。ブレアが市場重視の方向に進んだことに、昔ながらの左派は激怒し、ブレアが「右に振れた」と非難した。

ブレア党首は古い労働党からの訣別をはっきりと示すために、党のイデオロギーの根幹になってきた綱領第四条の放棄を強行した。一九一八年にシドニー・ウェッブが書いたこの条文には、「生産・流通・交換の手段の共同所有」がうたわれており、国有化政策の根拠になっていた。これの放棄をめぐる戦いは熾烈になり、党の存続が危ぶまれるほどになった。しかし、ブレア党首は逆戻りを許さない姿勢をとった。ある政治家が電力会社の再国有化を主張したとき、ブレアは「大人になれ」と言い放った。

一九九七年の総選挙を控えた時期、ブレア党首は資本主義の聖地を訪問している。労働党の党首としてははじめて、ウォール街を訪問し、さらに、ロンドンのシティの金融関係者の集まりで講演し、混合経済を葬りさった。この講演でブレア党首は、どの政府も税率の引き上げではなく、引き下げを目標にするべきであり、「経済活動は民間の手に任せるのが最善だと考えるべきである」と語った。

労働党は結党以来はじめて、企業向けにも選挙公約を発表した。

首相の座に落ちついたブレアは、この動きをさらに進め、イギリスは「起業家の国になるべきだ」と語った。しかし、「国の現代化」は労働党の現代化にくらべて、はるかにあいまいな目標であった。それでも、「急進的な中道路線」「第三の道」などと首相が呼んでいる考え方の基本は確立している。それまでの常識だったケインズ主義の介入と経済の管理は、うまく機能しない。自国経済を世界市場での競争から隔離することもできない。政府の役割は、経済がうまく機能するようにすることにある。そして、機会の増加、不平等の是正、「弱者への配慮」を促すことにある。そのために必要なのは「長期的な見方」であり、教育など、人的資本を生みだすものへの投資である。福祉国家は維持するが、減量と改革をはかる。個人の権利を拡大し、同時に責任を拡大する。

総選挙から間もなく、ブレア首相は政治の流れをどこまで変えようとしているのかを示した。ダウニング街十番地に、なんとサッチャー元首相を招待し、お茶を飲みながら歓談したのだ。古くからの左派は、激怒した。左派にとって、悪魔の化身のような政治家なのだから。しかし、ブレア首相は気にもとめない。みずからの主張をはっきりと示しつづける意向である。(2)

新しい合意なのか

サッチャー首相が革命をはじめたとき、過激すぎて常軌を逸しているとみられていた市場原理の考え方が、二十年もたたないうちに新しい合意になった。各国政府はいまでも、福祉に対して基本的な責任を負うよう求められている。しかしいまでは、先進工業国で、その責任の範囲はどこまでなのか、どこまで広くすべきか、どこを限度にすべきか、どのようにして福祉サービスを提供すべきかが議論の対象になっている。要するに、福祉制度をどう改革すべきかが問題になっている。

しかし、実際にどこまで変化したのだろうか。新しい合意はどこまで深く根づいているのだろうか。ブレア党首の勝利から一か月たつかたたないころ、フランス社会党はリオネル・ジョスパン第一書記のもと、総選挙で右派陣営を打ち破り、政権に復帰した。しかし、その主張は「新社会党」とは呼べないものである。社会党の公約は、一九八〇年代初めに失敗に終わった「資本主義との訣別」を思い起こさせるものだった。イギリスの二倍にもなる失業率の高さに焦点を合わせた公約であり、公共セクターの雇用拡大、政府による雇用補助金の増額、民営化の減速を約束している。政権の座につくと、ジョスパン首相は経済政策で、はるかに現実的な姿勢をとった。しかし、この選挙結果をみると、緊縮型の経済政策だけに基づくようにみえるヨーロッパ統合の動きへの反対意見が、いかに根深いかがわかる。ブレア首相とジョスパン首相の違いは、この直後にスウェーデンで開かれたヨーロッパ社会主義者会議で鮮明になった。ブレア首相は、こう演説した。左派の役割は、「開放され、競争力があり、成功を収めている経済と、公正で寛大で人間的な社会とを結び付けることにある。「現代化しなければ、生き残れない」とも警告している。ジョスパン首相は意見の違いを隠そうともしなかった。「市場の力は、それを規制しようとする動きがなければ、文明という考え方自体を脅かすものになる」と述べ、「ウルトラ資本主義」を攻撃した。

左派が市場原理を取り入れる歴史的な動きに、一九九八年九月、ゲアハルト・シュレーダーが率いるドイツ社会民主党がヨーロッパの長老、ヘルムート・コール首相の十六年にわたった政権をくつがえして、新たな局面が加わった。シュレーダー首相は、コール前首相から大きな遺産を受け継ぐことになる。ユーロ発足時の首相、二〇〇〇年に予定されているボンからベルリンへの首都移転の際の首相になるからだ。シュレーダー自身は、社会民主党左派のマルクス主義者として政治家の第一歩を踏み出している。一九四四年に生まれ、父親はルーマニア戦線で戦死したため、一度もあっていない。きわめて貧しい家庭に育ち、母親は掃除婦をしていた。十四歳で学校を卒業し、働きにでている。高校は夜間に通って卒業した。ニーダーザクセン州の首相に就任すると、古くからの左派の政治と、「現代化の旗手」としてのカリスマ的なスタイルを組み合わせてきた。ドイツ連邦首相の座を目指す戦いのなかでは、市場に友好的な政策と投資促進を主要な政策としてきた。イギリスのブレア首相をまねた主張を展開しただけでなく、自分より十歳若いブレア首相を模範としていることを明確にしている。もっとも、少なくとも当初は九〇年連合・緑の党との連立政権になる。同党は環境保護派であり、NATOから飛行機旅行まで、あらゆることに反対する党員がいる。そして、全体として市場を嫌っている。そのうえ、ブレア首相とは違って、シュレーダー首相が率いる社会民主党は内部が分裂しており、内部改革をへていない。与党のかなりの部分は、福祉国家と労使関係の現代化に抵抗し、イデオロギーに基づいて資本主義への反対を続けると予想される。

世界経済が変身したといっても、市場に対する不信感の底流は消えていない。なぜだろうか。ジョージ・シュルツ元国務長官はその理由のひとつとして、「市場は冷酷だ」と指摘する。競争が激しくなっているため、市場の圧力が一服することがなくなっている。市場の要求をつねに受けている人びとは、政府に保護を求めている。市場の重視によって生活水準が上昇し、サービスが向上し、選択の幅が広がったかもしれない。しかし、新たな不安も生まれている。失業への不安、職の安全への不安、職場のストレスへの不安、人生の浮き沈みの際に保護を与えていた福祉制度がなくなることへの不安、環境への不安、安全網の解体への不安、健康保険制度の行方への不安、老後への不安などである。勤労者はホワイトカラー、ブルーカラーともに、経営陣が証券アナリストを喜ばせるために、社会契約を破り、給与や手当を削減し、人生のうち十五年から二十年もの取り返しのつかない期間を会社に捧げてきた従業員を解雇するのではないかと恐れており、実際にその憂き目にあった人も少なくない。さらに、グローバルという性格をもった市場が、伝統的な価値観を破壊し、慣れ親しんできた組織形態を崩していくことでも、自由を失ったという感覚が強まり、過去の安定した秩序に対する郷愁が強まっている。市場の重視によって得られたものもあるが、失ったものもあり、千年紀末の不安感を背景に、この点が強く意識されるようになっている。感情は複雑であり、危うい均衡状態にある。たとえば、クリントン政権の高官のひとりが、「自分のなかの自由市場主義者と、自分のなかのリベラル派」の戦いについて語っているのは、まさにこの点を表現したものである。もうひとつの例をあげるなら、いくつかの国では、民営化について、政府の資産を政府に近い実業家に引き渡し、これらの実業家をとてつもなく太らせただけだという見方がある。民営化はじつにたくみに実行された場合でも、社会のなかで富、力、地位を再配分する結果になり、社会の安定を大きく揺るがすことになりうる。

このように不満があり、疑問がだされているとはいえ、市場重視への動きの背景には、信認の均衡が変化した事実がある。政府の能力に対する信認が低下し、それに代わって、市場の機能があらためて評価されるようになったのだ。両親の世代、祖父母の世代なら、大恐慌で大きな打撃を受けた記憶がまだ残っていて、いつもつぎの不況を恐れているかもしれない。アメリカの歴史では、市場に対する疑念と批判の焦点になってきたのは、共謀をはかる傾向（革新党が非難した点だ）と、市場の失敗のリスク（ニューディール派が重視した点だ）のふたつである。しかし、第二次大戦後の五十年間、市場制度は類をみない活力を示し、信頼性を大幅に高めてきた。市場に対する見方がどこまで変わったかをつかむには、少しはじっくりと考えてみなければならない。一九七五年、大統領経済諮問委員会の元委員長で、当然ながら大恐慌を子供時代に経験した経済学者のアーサー・オーカンが、こう書いている。「市場にはしかるべき位置が必要であり、市場がその位置から逸脱しないようにしておく必要がある。……すきをみせると、市場は他のすべての価値観を破壊し、自動販売機のような社会を作り上げる。市場に対しては、万歳はせいぜい二回までしかする気になれない」。それから二十年以上たって、アメリカの実質GDPは二倍以上になった。この時点で読むと、オーカンの口調と、その底にある市場への不信感は、いかにも古いという印象を受ける。一九九七年の大統領経済諮問委員会の年次報告を読むと、違いがいっそうはっきりする。この報告は「市場の利点」を最大のテーマとしており、「これまで十分には認識されていなかった市場の特性」として、「情報を収集し伝達する能力」に焦点を当てている。まさに、ハイエクが数十年前に主張した点だ。そしてこの報告では、ニューディールを批判して、「全知全能」の政府という信念を「新しい種類のリベラル派思想」の形で「結晶化させた」としている。世界の見方がまったく違っているのである。(3)

一体化した世界

今日、世界戦争、革命、恐慌によって中断されてきた世界経済が、つながりを取り戻し、ふたたび姿をあらわしている。十九世紀に蒸気機関と電報によって世界各地をへだてていた距離が縮小したように、現在ふたたび、技術の進歩によって距離と国境がなくなってきている。そして今回は、その影響がはるかに幅広くなっており、影響を受けない国や社会はほとんどないといえるほどである。さまざまな統計をみると、影響の大きさがわかる。たとえば、国際航空便の利用者数は、一九七〇年には七千五百万人だったが、九六年には四億九百万人に及んでいる。アメリカからイギリスまでの国際電話の料金は、実質ベースでみて、七六年の三分間約八ドルから、九六年には同〇・三六ドルに下がった。国際電話の通話数は、八五年の三十二億回から九六年には二百二億回に増加している。現在では、世界のどの国でも、映画や娯楽のおなじ映像を見ている。おなじニュースと情報が放送衛星から流されており、事件や出来事があれば、一瞬のうちに世界中に共通の話題がつくられる。

こうしたなかで、決定的な意味をもっているのがコンピューターである。情報技術の進歩によって、遠く離れていても一瞬にして出会い、つながりをもてるようになり、世界が一体化している。知識や情報を入手するのに、長く待つ必要はない。組織や国の境界のなかで、境界の外で、境界を越えて、人びとは相互に結び付き、知識や見方を交換し、仮想チームをつくって仕事を進め、商品やサービスを売買し、債券やスワップを取引し、お喋りや無駄話をし、時間をすごしている。あらゆる種類の情報が入手できる。一九九七年にアメリカ政府の情報にアクセスできるウェブ・サイトができたことで、わずか五年前に政府高官ですら入手できなかった優れた情報を、十歳の子供でも入手できるようになった。各地の図書館も、インターネットでサービスを提供している。研究者は研究結果を即座に交換しあうようになった。活動家は自分たちの運動を進めるために、インターネットを通じて団結している。テロリストになりたい人は、ネット・サーフィンで武器の作り方を学ぼうとしている。これらの動きはすべて、国民国家の枠を無視するようになり、既存の組織構造の枠外で起こるようになっている。インターネットが新しい管制高地になったとするなら、国の規制はここには及ばない。国はインターネットの利用を促すことはできるが、それを規制することはできない。

この新しいグローバル化の特徴は、経済の移動性である。資本は電子の速度で各国間を飛び回る。製品とサービスの生産も、各国間を柔軟に移動し、国境を越えたネットワークによって担われるようになっている。市場にだされる商品は、供給元がつねに変化している。アイデア、考え方、手法は簡単に世界中に広まるようになった。外国からの技術の導入も増えつづけている。市場の統合が進んできたため、国が権力を行使する際の基礎である国境が侵食されている。一九八九年から九七年までの間、世界の貿易は年平均五・三パーセントの伸びをみせており、世界のGDP成長率の一・四パーセントの四倍近いペースになっている。おなじ期間に、対外直接投資の伸び率はさらに高く、一一・五パーセントである。変化の速さを示す事実のひとつとして、多国籍企業がますます増えており、複数の国で計画し、生産し、組み立てた製品とサービスを世界市場に供給するようになっている。「原産国」の基準が意味を失って「現地調達比率」が使われるようになり、これすらも、算出がきわめて難しくなってきた。速度が速く、信頼性の高い情報技術と通信技術が普及したため、企業は世界中から人材と資源を調達するようになった。

障壁がなくなってきたため、以前なら国しか投資できなかったエネルギー、通信、インフラストラクチャーの分野でも、民間資本が新市場を開拓しようとしている。そして政府も、財政赤字を削減し、社会分野に財政支出を振り向けたいと希望しており、民間資本による投資を歓迎するようになってきた。これも百年前を思い起こさせる点だが、電気通信、水道、電力、道路建設の分野で、民間企業が世界各国で新規投資に占めるシェアを高め、事業経営の責任を担うようになってきた。いまではほとんどの国に、移動電話会社が少なくともひとつある。民間の電力事業者も増えている。いまだに国が独占している事業も、民間企業のように経営されるようになり、経営者は実業家のように振る舞うようになった。自国外の先進国、途上国で大規模な契約をめぐって争うようになったからだ。

金融市場の統合はとくにめざましい。世界各国の資本市場がひとつにつながれるようになったのは、もちろん、情報技術と通信技術が基礎になったからだが、それだけではない。一九八〇年代半ばのイギリスの大型民営化案件が、事実上はじめての世界的な株式公募になった。これを契機に、世界中の投資マネージャーの志向が変わり、視野が拡大した。間もなく、ヨーロッパ大陸の企業も株式を公募するようになった。世界中の投資家がおなじ方法、おなじ基準を使って投資判断を下すようになり、おなじような銘柄に注目するようになってきた。各国市場の違いはなくなってきた。何年もたたないうちに、いくつかの証券取引所が世界的な取引所になる可能性がある。取引時間は、夜明け後間もなくから夜遅くまでに拡大され、国籍にかかわらず世界的な企業の株式を売買するようになるだろう。そして、主要な企業の株式は一日二十四時間、取引されるようになろう。

一九六〇年代、イギリスのハロルド・ウィルソン首相は、ポンド相場が繰り返し下落したとき、「チューリッヒの小鬼たち」のせいだと非難した。スイスの恥知らずの銀行家が徒党を組んで、ポンド売りの投機で儲けようとしているというわけである。このような陰謀説は、何度もあらわれてくる。一九九七年の東南アジアの通貨危機の際にも、国際経済の「ならず者」や「追い剝ぎ」を非難する同様の論調があらわれている。しかしいまでは、外国為替市場を動かしているのはきわめて多数のディーラーであり、一日当たりの売買高も八六年の一千九百億ドルから、九七年には一兆三千億ドルにまで膨らんでいる。アナリストやブローカーやストラテジストはみな、おなじ時間におなじ情報を見ており、反応時間を競うようになっている。企業の四半期決算、国のインフレ率や貿易収支統計、国政選挙の結果などが発表されると、ただちに連鎖反応が起こる。有権者は数年に一度しか投票しないが、市場は一分ごとに投票している。そして、かつては「第三世界」と呼ばれた地域が、年金資金などの老後資金を中心とする民間資本を第一世界から呼び込もうと必死になっているのである。しかし、このような金融市場の統合には、対価が伴っている。先進国、開発途上国を問わず、各国の政府は、ときとしてきわめて厳しいものになるとしても、市場での投票の結果に注意しなければならなくなっているのだ。(4)

アメリカのルービン財務長官は、こう述べている。「開かれた資本市場は、きわめて大きな機会と利益を生みだしている。しかし、リスクも生まれている。世界の貿易は増加しているが、通貨取引はそれをはるかに上回る率で増加している。この市場が不安定性をもたらすリスクが高まっている。規模がきわめて大きく、巨額の資金が動いているからだ。これがひとつの方向に動けば、資金の流れの規模が大きすぎるために混乱が起こり、その影響が甚大になりかねない」

経済の移動性と企業

世界各国で市場重視の姿勢があらわれてきたことで、企業の見通しも変化している。機会が大きくなる点は魅力だが、同時に、競争が激化する点で、脅威も大きくなった。あらゆる種類の境界がなくなってきている。国の間の政治、経済、イデオロギーの境界が侵食されつづけており、投資と貿易の流れが促進されている。規制と国有企業の独占によって事業を競争から保護する制度が、改革されるようになった。情報と知識の移動に対する制限は、通信技術とコンピューターの進歩（そして、コストの低下）によって、アイデアの自由な流れによって、消え去ろうとしている。企業の壁も、コンピューター、提携、外注の普及によって通過しやすくなってきている。いまでは、企業の境界を確定するのが難しくなってきているほどである。財務の秘密の壁も低くなってきた。事業の透明性が高まり、外部の投資家の要求と監視の目がはるかに厳しくなったからである。このような変化によって、事業機会の幅ははるかに拡大し、はるかに多様になってきた。しかし同時に、競争が厳しくなり、リスクが高まっている。資本市場も顧客も、選択の幅が広がったことから、企業につねに圧力をかけるようになっている。

したがって、企業はこれまでとは考え方を変えなければならなくなった。今後はこれらの圧力がいっそう強まる一方になることを覚悟して、そうした世界に備えていかなければならない。そのためには、変化、反応、柔軟性を重視する文化を育み、さまざまな過程や決定のサイクルを短縮していかなければならない。「リエンジニアリング」とリストラの嵐をへたいま、競争に生き残るためには従業員の大切さ、従業員がもつ知識の大切さを再発見しなければならない。知識の重要性を強調し、知識を活用し、企業全体に素早く知識を伝えることが、市場での競争力を強化する方法になる。情報技術が、この動きをもたらしている。この結果、会社の組織のあり方が、大幅に変化している。ピラミッド型の高層構造になっていた会社組織が、低層でフラットな構造になり、官僚制を減らし、チームワークを増やし、責任と情報と決定権を広く分散するようになっている。

企業は今後、どこまで変わっていくのだろうか。ブリティッシュ・ペトロリアムは大手企業の中でいち早く、コンピューター時代に適合して組織形態を見直してきている。それでも、同社のジョン・ブラウン最高経営責任者は、情報技術が企業経営に与える影響はまだ初期の段階にあると主張している。「技術の進歩は逆戻りするものではない。政治の世界なら、新しい考え方がでてきても、やがてすたれるが、企業が新しい技術を捨て去ることはない。一段ずつ進歩していく。現在、新技術の大きな波がおとずれており、おそらくは、電気や内燃機関の開発よりも根深く、幅広いものになっている。したがって、変化の過程はまだ、勢いがつきはじめたばかりである可能性が高い」

この間の文化の変化を特徴づけている点のひとつとして、「企業家《アントレプレナー》」という言葉の意味が変わってきたことがあげられる。過去には、この言葉は悪い意味に使われることが多かった。不愉快な人、信頼できない人という印象を与える言葉であった。組織のなかでは、階層秩序を揺るがしかねない危険人物に対するレッテルとして、この言葉が使われていた。いまでは、開放的で動きの速い経済に対応していくには、自発性と素早い反応を特徴とする企業家的な価値観と態度を大切にし、育てていく必要があると企業は考えるようになった。そうしなければ、変化に対応できないのだ。態度の大きい利己主義者を望んでいるわけではない。創造力があり、新しい事業を構築できる人材を望んでいるのである。

政府が責任範囲を縮小しているいま、企業も個人と同様に、地域社会に対する責任範囲を拡大していく必要に迫られるだろう。地域社会の範囲を都市とするか、地方とするか、もっと広く考えるかは別にして、企業が地域社会の一員であり、地域社会から利益を得ているのはたしかだ。四半期決算や半期決算で市場の祭壇に捧げなければならないものの負担がいかに重くても、企業は地域社会の利益、環境への懸念、社会問題を軽視するわけにはいかない。地域社会の活動に積極的に参加していなければ、いずれ、政治の場で報いを受けることになろう。

政府の役割

新しい世界市場の特徴のひとつに、政治よりも経済が優先されていると思えることがあげられる。

しかし、実際には、経済が優先されているといえるのは、旧来のイデオロギーに基づく政治と比較した場合にすぎない。国境の壁が侵食されている以上、国の政治、国の求心力、経済のナショナリズムも意味をもたなくなったと想定して行動していれば、企業は取り返しのつかない過ちを犯すことになろう。国とナショナリズムは今後も、人びとが希望と抱負を表現する枠組みになるだろう。各国の政治は、それぞれの国の歴史、文化、国家目標によって形作られていくだろう。この現実を無視する企業は、悲惨な結果に陥りかねない。国民国家は終わっていないし、まして、政府は終わっていない。記憶にあるかぎり、いまほど資金と物が自由に移動している時期はなかったとしても、個々人の生活はいまでも、基本的に国と政治の枠内にある規則や習慣やインセンティブや制約によって形作られており、ここでは政府が重要な役割を果たしている。一体化した世界にアクセスできる個人は、いまでも世界の人口のなかでごく少数にすぎない。大多数の人たちは、世界金融市場ではなく、ましてやサイバースペースではなく、自国の政府に目を向けている。

したがって、各国政府にとっての課題はきわめて大きいといえる。ある部分では介入を減らしていき、別の部分では介入のために新たな手段を整備し、焦点を絞りなおす一方で、国民の信頼感を維持していかなければならない。その際には、想像力の勝負になる。世界が根本的に変化しているという考え方を受け入れ、それぞれの国の文化、歴史、気質に合わせて、この変化を政治に反映させていかなければならない。

政府が今後担うべき役割はなんなのだろうか。重要な点は、政府がルールを決め、枠組みをつくらなければ、市場が成立しえないことである。国は、市場の動きの枠組みになる基準をつくり、それを維持していく。これこそが、政府がとるべき新しい方向である。国は市場による規律を受け入れる。政府は国有企業を通じたものであれ、高圧的な規制によるものであれ、生産者、管理者、介入者としての役割を放棄していく。競争が激化し、移動性が高まった経済では、国は経営者としては後れをとるようになってきているからだ。そして、政府はみずからの立場を変え、審判の役割に徹するようになってきている。とりわけ、競争の促進などの目標を達成するために、ルールを定め、維持するようになってきている。

経済的な必要と政治的な利害によって、福祉国家を構成するさまざまな社会制度でも、政府の役割を見直さざるをえなくなるだろう。政府はこれらに巨額の支出をしているからだ。先進工業国の平均でみると、政府支出の対GDP比率は、一九六〇年の二八パーセントから九六年には四六パーセントに上昇している。ここまで大幅に上昇した主因は、補助金、移転支払い、社会的支出が急増したことにある。しかし、政府が産業と経済計画という管制高地から撤退するとともに、社会政策での政府の実績が、これまで以上に注目されることになろう。政府の役割が変われば、資源もその使い方も変わるからである。民営化と規制緩和によって開放された財政資金と人材を、一部分、保健、教育、環境などの「人的インフラストラクチャー」に振り向ける国が多くなるだろう。政府の役割を明確にし、焦点を絞り込めば、創造性が高まり、成功を収められると期待されている。したがって、国境の壁が侵食され、技術が大きく進歩しているとはいえ、政府はいまでも重要であり、とりわけ、政治的な指導力は重要である。また、市場を重視し、政府の役割を縮小するのが世界全体に共通の現象だとはいえ、その結果はすべての国に共通したものになるわけではない(5)。

改革後の世界

市場を重視する動きが世界的な現象であることは、疑う余地がない。世界全体に共通した考え方と最近の動向が、この現象の原動力になっている。変化をもたらす手段も、民営化、規制緩和、貿易自由化を中心に、世界にほぼ共通している。そして、改革派を代表する政治家と専門知識をもつ実務家によって、これらの手段が洗練されてきている。世界各国は相互に接続された開放的な市場にしっかりと結び付くようになって、経済の管制高地の支配権をかなりの程度まで、これまでの国家機構から市場の分散した知識に委譲している。そして、情報技術製品が低価格になり、急速に普及したため、情報の流れがきわめて速くなり、市場重視の動きが世界共通の潮流になっているとの感覚が強まっている。しかし、この感覚を強調しすぎないように注意すべきだ。市場重視の動きには、たしかに世界全体に共通する部分もある。しかし、各国、各地域がこの動きをとっている背景には、それぞれの政治・経済の歴史があり、国益に関する見方があるからだ。いま姿をあらわしてきた改革後の世界では、世界市場の一員として求められている複雑な要求と、個人と国の経験と記憶を形作っている自国の歴史、政治、経済、文化との間で折り合いをつけることが、それぞれの国、それぞれの地域にとって課題になっている。

このため、改革後の世界では、二十一世紀に向けて、各地域がそれぞれ独自の課題に取り組むことになる。国が管制高地から撤退して、新しい見方と機会が生まれた一方で、今後の成功のためには、それぞれの地域に特有の力学を理解しなくてはならなくなった。そして、各国、各地域の市場が結び付きを強めているため、個々の地域に特有の課題が、世界経済の動きに直接に影響を与えるようになっている。したがって、改革後の世界の将来は、そして、市場の将来の健全性と信頼性は、技術の進歩と世界共通の力だけではなく、個々の地域がそれぞれに特有の問題にどのように取り組むかによっても形作られていくだろう。

アジア――古い公式と新しい緊張

アジアのかなりの部分は、ふたつの点で過渡期にあり、経済危機によってこの点が一層鮮明になっている。第一は政治制度であり、権威主義的な政治体制から脱却する過程にある。中産階級が成長し、サービスとソフトウエアを中心とする経済がそれを必要としていることもあって、国民の政治参加が拡大する動きが続いている。以前であれば、共産主義の脅威によって国の生き残りが危うくなっていたため、国の統一がなににもまして重要だったが、いまではそうはいえなくなっている。

第二の点は、むしろアジア経済が成功を収めてきた結果である。経済危機によって明らかになったように、これまでの「勝利を導く公式」が、もはや通用しなくなった国が多い。東南アジアの通貨危機は、景気の過熱、不動産投機、金融システムの脆弱性を直接の原因とするものであった。しかし、その背景には、東南アジア各国が低賃金国から中・高賃金国に移行してきたため、各国の競争力が低下してきたという認識がある。今回の危機で高度経済成長が続く時代は終わったのだろうか、それとも、過去に成功をもたらした柔軟性と現実への適応力を、今回も発揮することになるのだろうか。

アジアで圧倒的な経済力をもっているのは、言うまでもなく日本だが、日本は経済の新たな方向を模索して苦闘している。長年にわたって見事に機能してきたシステムが、一九九〇年代になって極端な不調に陥っている。バブルが破裂し、八〇年代の投機ブームが終わったとき、隠れていた弱さがあらわになった。産業のコストを引き下げ、競争力を回復するために、日本は規制と保護の傘を取り除こうとしている。同時に、社会の高齢化が急速に進んでいく人口動態の現実にも対応しなければならない。日本企業は苦しいリストラクチャリングを進めている。金融セクターの不調が、景気回復の足を引っ張る大きな要因になっている。金融業界の規制緩和は、金融システムの健全性の回復を目指したものである。しかしそれだけではない。日本企業がさらに効率的になり、さらに競争力をつけるように、新たに金融市場の規律を導入することも狙いになっている。

アジア経済の安定のためには、日本経済の回復が大きな要因になろう。日本はアジア地域経済を築き上げる投資を行ない、企業と政府の密接な関係というアジアの伝統のモデルになった国だからである。しかし、いまではこの密接な関係が「仲間内資本主義」と呼ばれるようになり、開かれた市場の時代、短期資金がすばやく動く時代には、経済成長を続けていくのに不適切であることがあきらかになっている。政府と企業の関係を見直すにあたっては、この再評価を考慮すると同時に、東アジアの驚異的な成功をもたらした価値観と粘り強さも考慮しなければならない。

中国——市場と党

中国とロシアは、改革の大きな実験場になっている。経済改革を政治改革に先行させるべきか、その逆にすべきかを両国は実験している。選挙が先か、市場が先かを実験しているのだ。どちらの場合も、実験の規模はきわめて大きい。もっとも、皮肉なもので、実験の結果がどうなろうと、それをもう一度繰り返す機会はおそらくないだろう。

中国では過去二十年で、二億人以上が貧困から抜け出している。ここまでの規模で、ここまでの変化が起こったことは、かつてなかった。中国はすでに世界第二位の経済大国になったという推定もだされている。そして、現在のトレンドが続けば、今後二十年に経済規模でアメリカに追いつくと推定されている。それでも、中国ではまだ、市場制度のはっきりしたルールが定まっていない。いまだに、法と契約よりも「関係」、つまりコネの方が、経済を動かす重要な要素になっている。中国共産党第十五回大会で鄧小平理論が党の指導思想として明記され、中国は社会主義の伝統のかなりの部分を放棄した。国有企業の赤字拡大に直面して、中国政府は国有企業のほとんどを市場経済の大海に放り出し、自力で生き残るよう求める計画である。株式は国民と海外投資家に放出する。これらの企業が事業再編に取り組み、効率性を高めようとすれば、大量失業という形でこの政策のコストが発生するのは避けられない。経済の活力が解き放たれて新たな雇用が短期間に創出され、政治的な反発が抑えられることに、政府首脳は期待をかけている。だが、これはきわめて難しい課題であり、予想されたよりはるかに時間がかかり、はるかに複雑なものになっている。

これまでのところ、改革の焦点は経済に当てられている。しかし、ここからひとつの疑問がでてくるのは避けられない。活力があり、急速に成長している市場経済が、一党支配の中央集権制と共存しつづけられるのかという疑問である。「中国の特色をもつ社会主義」は、二十一世紀にはなにを意味するのか。指導部の世代交代が大方の予想より円滑に、しっかりした足取りで進められており、この点が間違いなく政治体制の移行を促す要因になるだろう。若い世代の指導者は、古い世代の指導者なら警戒する変化にも、自信をもって賛成するだろう。

中国ほど大きく、貧しい国で、政治体制の移行はどうすれば実現するのであろうか。移行の期間に、権威と求心力を維持するにはどうすればいいのか。ひとつの答えは時間である。時間が十分にあれば、地方のレベルから民主主義を積み上げていくことができる。時間が十分にあれば、規模が小さい他のアジア諸国で国民の政治参加が拡大した水準まで、国民の所得を引き上げていくことができる。今後の政治の動きがどうなろうと、中国は二十一世紀にはアジアで圧倒的な政治力と経済力をもつ国になり、当然ながら、世界でも重要な経済国のひとつになるだろう。

中国が世界経済への統合を強めていることも、変化を促す力になるだろう。香港の将来が決定的な要因になりうる。「一国二制度」は五十年にわたって維持されることになっており、これはきわめて長い期間だ。まして、香港の制度はアジアの虎のなかでも飛び抜けて自由であり、中国ははるかに規模が大きく、はるかに貧しい。香港と中国の他の地域との関係が変化し、中国全体の変化が加速する可能性もある。「中国が香港を変えるのか、香港が中国を変えるのか」という厳しい問い掛けの意味はここにある。

ロシア——改革に未来はあるのか

一九九〇年代が終わりに近づくとともに、ロシアは共産主義後の歴史で新たな段階に入っているように思える。世論調査で共産党の人気が一時的にせよ回復しており、政府は国の再建と現代化を進めながら、市場を建設し強化しようと苦闘を続けている。市場経済の一部は予想されたより速く成長しているが、いまでも、それと並行して、ソ連から引き継いだ古い経済が残っており、中央計画経済と市場競争の狭間で孤立し、指導者を失ったまま、新経済への移行に必要な活力と手段を欠いている。古い経済のかなりの部分はいまだに政府が所有しているが、政府は、現代的な政府の基本機能を果たす点で、いまだに力が弱く、姿勢がふらついている。税金は徴収できず、年金や賃金は支払われていない。政府は衰弱を続けており、犯罪と腐敗が横行する土壌になるとともに、社会に絶望感が生まれる原因にもなっている。ボリス・ネムツォフ元第一副首相が語っているように、ロシアは「強盗資本主義と民主的な大衆資本主義」の間をさまよっている。財産権、契約法、しっかりした規制、まともな銀行制度など、市場経済の基礎になる制度を確立するために、まだまだ努力を続ける必要がある。それでも、ロシアは長く続いた低迷の後、経済が成長に戻る勢いにあると思えた。

しかし、アジアの金融危機と一次産品価格の下落（ロシアは一次産品の主要な輸出国である）という外的ショックに、国内の不払いの危機、エリツィン大統領と議会の対立という国内要因が加わって、ロシアは坂道を転がり落ちるようになった。経済に与えた打撃は、潰滅的である。改革派は政府から放逐された。ゴルバチョフ時代の大物が権力を握り、時代を逆戻りさせて国家による支配と管理を再構築しようとしている。この政策の結果、おそらくはインフレ率が高まり、経済がさらに悪化し、腐敗がさらに進むだろう。同時に、中央政府の力が衰退し、地方政府と知事が力をつけてきている。ただし、現在のところ、地方政府の力は、憲法の枠内でのものにとどまっている。

政治の先行きは、波瀾と不透明感に満ちている。議会が主導権を握ったようであり、少なくとも状況が一層悪化して収拾がつかなくなるまでは、この状態が続きそうだ。共産党は選挙で政権を奪い返せるようになったとみている。つぎの焦点になるのは、一九九九年末の議会選挙と、二〇〇〇年の大統領選挙である。正統性を認められた政府ができ、国民の信頼を集める指導者があらわれてくるまでは、経済改革が脱線し、くつがえされる危険がつねにある。今後の選挙は、経済改革への国民の支持、予想外の生活の変化をもたらした大激動への国民の態度を試す機会になるだろう(6)。

インド——改革ペースもインド流か

インドでは、民主政治の伝統はあるが、政府の知識に対する信頼感が議論の余地のない信仰といえるほど根強くなっていた。「許認可支配」が経済を管理してきた。なんであれ経済で新しい動きを起こすには政府の証印が必要であり、政府の許認可が得られるまで、いつまでも役所で待つことが、企業の日常業務で不可欠な部分になっていた。一九九一年、インドは歴史的な改革に取り組み、政府による管理と所有を後退させ、国を開放して世界経済に参加する動きを開始した。九〇年代末には、許認可支配を後退させることで、主要政党のほとんどの間で合意ができあがっている。しかし、新しい制度をどのように築いていくのかが、きわめて難しい課題になっている。多数の政党が競いあうようになって政府への国民の期待が高まっている一方で、政党間でつねに連立相手を選び、交渉し、連立を維持していかなければならなくなっているからだ。多党政治のコストは無視できないが、倫理上の原則という観点からだけでも、このコストは負担する意味があるというのがインドの姿勢であり、今後もこの姿勢は変わらないだろう。しかし、成長してきた中産階級にとどまらず、幅広い層で期待が高まっているので、それに見合った利益を提供し、貧困の問題をまともに解決していかなくてはならない。

中央政府の知識への依存度が低下しているのに伴って、変化の兆候が下からあらわれてきている。インドは政治に執着している国だといえるかもしれない。しかしいまでは、政治は地域に密着したものになってきており、巨大な全国政党ではなく、地域ごとの政策を掲げた政党が中心になっている。地域の経済的な利害という観点で有利になるのであれば、連立に加わって交渉し、不利になるのであれば連立から離脱する。インド経済の潜在力はきわめて大きく、二十一世紀に世界経済で重要な位置を占めるようになっても不思議ではない。しかし、改革のペースはいかにも遅く、連立政権で政治過程が複雑になっているので、改革がいっそう遅れるのではないかとも懸念されている。インドの経済学者は経済成長率の低さを「インド流の成長率」と呼んでいたが、今度は遅々として進まない「インド流の改革ペース」が登場しかねない。そうならないようにすることが、インドにとっての課題になっている。

アフリカ――再出発

インドが成功すれば、その教訓をとくに真剣に学ぼうとするのは、おそらくサハラ以南のアフリカ諸国であろう。これら諸国では、貧困と経済の停滞の問題が、他の要因からいっそう悪化している。植民地時代から経済の不均衡を受け継ぎ、独立後数十年にわたって指導者が経済を無視し（ときには富を略奪し）、植民地時代に引かれた不自然な国境によってほとんどが小国に分かれている。これらの要因から、他の地域では解決済みとされている国の主権とアイデンティティの問題がいまだに解決しておらず、内戦と民族間の武力紛争がどの地域よりも多くなっている。最近では中央アフリカ諸国で、外部からは理解しづらい流血の政変があいつぎ、世界の注目を集めている。ルワンダでは大量虐殺と革命が起こり、ザイールではモブツ大統領の独裁政権が反政府軍の攻勢で崩壊し、国名が独立当初のコンゴ民主共和国に戻された。内戦が多数の小国で続いており、スーダンなどの規模の大きな国でも起こっている。ナイジェリアは規模が大きく、人材と天然資源に恵まれているため、アフリカを指導する立場にたてるはずだが、「民政移管」が何度も失敗に終わり、軍事政権が続いている。

しかし同時に、近年、アフリカ各地で経済が変化する動きがあらわれている。政府が経済の管制高地から大幅に撤退する中小国が増えている。いくつかの国では、民営化の動きが、規模や総額では小さいものの、範囲でみれば最先端に位置するようになっている。これら諸国での民営化は、世界各国での動きに刺激された面もあるが、それよりも、これまでの経済政策に対する国民の大きな不満を背景に、新しい方向を目指す政治的な意志があらわれてきたことが大きな要因になっている。

ウガンダは一時期、アミン大統領の極端な残虐行為と突飛な行動で有名になったが、現在では政治が安定し、八パーセント前後の経済成長を続けている。ガーナは、エンクルマ大統領の体制が崩壊した後、一九八〇年代初めまで経済の混乱が深刻になったが、過去十年に経済を再編し、持続的な成長を達成し、政治体制も民主化されている。ギニアは、セクー・トーレ大統領の独裁的で気まぐれな支配によって混乱していたが、いまでは経済が成長軌道に戻り、豊富な天然資源を開発しようとしている。これら三か国はいずれも、最悪の状態まで転落した後、それまでの政治・経済体制を放棄し、再出発している。

とくに重要な変化が起こっているのは、南アフリカである。黒人多数派による政権は、アパルトヘイトの時代から鉱工業と商業の比重の高い経済を引き継いでおり、アフリカでは飛び抜けて経済が発展した国になっている。そして以前の過激な政治思想を放棄し（与党のアフリカ民族会議はマルクス主義政党であった）、現実的な落ちついた姿勢をとり、市場経済制度を受け入れている。南アフリカは、アフリカ全体の成長を引っ張る機関車になった。同国の企業は、はるか北にある諸国にまで、鉄道と陸運の輸送網、電力網を拡大する動きを進めている。南アフリカ経済の活力と、西アフリカ、東アフリカのいくつかの国の活力によって、経済成長がウガンダやコートジボワールなどの一部の国から広大な後背地へと波及するようになっている。政府が手を広げすぎてきたことに気づき、民間の経済活動を信頼する姿勢をとろうとしている国が多い。アフリカでは植民地化の以前から、民間交易が盛んであり、さまざまな不利な条件と、それを圧殺しようとする動きがあったなかでも、生きつづけてきたのだから。

中南米――主役はだれか

中南米諸国の改革は、債務危機で経済成長が止まり、生活水準が低下した一九八〇年代の「失われた十年間」を背景としている。政府による大規模な所有と管理が、経済の活力を抑圧してきたことが明確になった。この結果が、政府の大幅な退却である（結果だというのは、政府に他に選択の余地が見当たらなかったからだ）。しかしいまでは、中南米各国の政府は国の現代化をはかり、過去とは違う形で、過去より効率的に機能するようにしなければならず、サービスを適切な配分で提供するようにしなければならない。その背景として、経済活動にはっきりした信号と方向性を与えるルールの確立が急務になっているという事情がある。同時に、市場経済の成果が、医療や教育の改善、機会の増加という形で弱者に早期に還元され、市場経済が信頼性を確立できるようにしなくてはならない。世界経済への開放、対内直接投資の自由化、貿易の拡大、民営化がひとつの公式になって、自分たちの望みを満たすものになると、幅広い国民が毎日の生活のなかで確信できなければならない。ごく少数が金持ちになるための手段にすぎないと国民が感じるようになれば、改革のコースを変えるか逆戻りするよう求めて、政治的に強い圧力がかかるだろう。

経済改革に合わせて、政治改革も実行されてきた。中南米のほぼすべての国で、いまでは政府が民主的な選挙で選ばれている。しかし、最近のいくつかの国での選挙の結果をみるなら、改革の成果の配分について国民の不満が高まっており、民営化と事業再編による失業増大に反発が起こっていることがわかる。改革はチリ、ボリビア、アルゼンチンなど、比較的規模が小さい国ではじまったが、現在は中南米でとくに大きなメキシコとブラジルに焦点が移っている。メキシコは、経済の再編を続けながらも、政治体制が急激に変化し、制度的革命党が弱体化して野党勢力が力をつけてきた点にも対応しなければならない。二〇〇〇年の大統領選挙が、大きな試練の場になるだろう。もうひとつ、ブラジルの動きによって、中南米のすべての国が影響を受けることになろう。ブラジルは世界の経済大国のひとつであり、国内総生産（GDP）はロシアやインドの二倍にあたる。そのうえ、経済の潜在力はきわめて大きい。レアル計画によって、インフレ率を一九九四年の五〇〇〇パーセントから、九七年には一〇パーセント以下にまで引き下げることができ、事業環境がはるかに安定した。フェルナンド・エンリケ・カルドゾ大統領が一九九八年の選挙で再選されたため、政策の継続性が保たれるだろう。もっとも再選された大統領はただちに、世界的な金融市場の混乱に対応するために、厳しい選択を迫られることになった。政府は大型の民営化を進めてきており、これが一助になって対内直接投資が急増している。現在、決定的に重要になっているのは、短期的な圧力に対応するとともに、経済成長率上昇の余地を拡大するための改革を進めることである。しかし、連邦政府と地方政府の対立、根強い利益集団の反対によって、改革は障害にぶつかっている。

ヨーロッパ――ユーロと不満

市場開放に伴う大型の民営化と規制緩和によって、ヨーロッパで常識になっていた混合経済が劇的な変化を迫られている。統一通貨のユーロの導入が迫り、市場統合が圧力になって、変化が加速している。西ヨーロッパは失業率の高止まり、福祉国家の見直しという難題をかかえながら、ヨーロッパ統合という歴史的な大事業を進めようとしている。域内各国は経済の調和をどれだけのペースで、どこまで達成できるのだろうか。通貨統合が計画通り進むとするなら、どこまで柔軟性を組み入れて、その過程を円滑にすることができるのだろうか。通貨統合が近づくにつれ、ドイツを筆頭にいくつもの国で不満が高まっているので、柔軟性をもっともたせる必要があるだろう。通貨統合まで含めた市場統合の方向に進む国が増えるとともに、文化の伝統、国の違い、国民国家の役割に関する議論が激しくなるだろう。そして、ユーロがヨーロッパ大陸の共通通貨になれば、新たなリスクが生まれかねない。経済が悪化したとき、共通通貨から離脱するよう求める声が高まる国がでてこないだろうか。ヨーロッパが大きな実験に乗り出そうとしているのはたしかだ。政治体制の統合がないまま、通貨を統合する実験である。

失業率が高止まりしていることで、ヨーロッパ統合の動き全体の信頼性が脅かされかねなくなっている。一九九一年のマーストリヒト条約と緊縮政策が失業率の高さをもたらしたと非難されているが、実際には、労働市場に柔軟性が欠けていることが原因のかなりの部分を占めているはずである。この硬直性の一因は歴史にある。アメリカのフェリックス・ロハティン駐フランス大使がこう語っている。「ミシガン州のポンティアックの工場で解雇された労働者がダラスに行って、テキサス・インスツルメンツに再就職するのは、比較的簡単だ。ヨーロッパでなら、ミラノの自動車工場で解雇された労働者がフランクフルトで再就職するには、いくつも国境を越えて、外国語で仕事しなければならず、子供たちが通う学校は、習慣も言葉も、イタリアのものとは違っている。ヨーロッパで労働者がそれほど移動しないのは、このためだ」

しかしそれだけではない。硬直性のかなりの部分は、ヨーロッパがとくに誇りをもっている成果、福祉国家に起因している。労働者の保護と非労働者への補助の点で、ヨーロッパは社会保障の水準がきわめて高く、アメリカよりはるかに高い。しかし、そのコストが高いことから、大企業による投資が抑えられ、小企業の設立も抑えられている。ヨーロッパでは福祉国家を維持する政策が、社会の合意の基礎になっている。しかし、福祉国家の硬直性が軽減されるまでは、失業率を引き下げるのは容易ではないだろう。そして、失業率が低下するまでは、ヨーロッパでは、民営化であれ、規制緩和であれ、経済統合であれ、市場重視の政策が成果をあげているのかどうか、疑問とされるだろう。一方、ユーロの誕生によって、ヨーロッパ域内で競争が激化し、労使関係と福祉国家の現代化をもたらす要因になるだろう。[7]

アメリカ——市場とその限界

アメリカでは新しい合意が生まれている。いまでは、政府の役割の拡大ではなく、政府の効率性と財政節度が関心の的になっている。国民の利益は競争によって守られるという考え方が常識になり、政府の役割は市場の機能を行政の過程に置き換えることではなく、競争が維持されるように枠組みを整えておくことだと考えられるようになった。しかし、奇妙なようにも思えるが、経済規制が削減された一方で、社会的規制、権利の主張の激増、訴訟制度の活用といった部分では、市場に対する政府の介入が逆に増加している。半面、大きな革新の動きとして、環境保護に市場原理を活用する手法が使われるようになっている。

アメリカでも、世界各国と同様に、市場制度はその成果によって、公正さという基準によって、それが提供するサービスのコストと品質によって判断されるだろう。アメリカでは他の先進国とくらべて、国民が将来への不安を受け入れる姿勢が強い。それでも、耐えられる不安の程度には限界がある。選挙結果や世論調査の結果をみると、国民は政府の役割拡大を望んでいないが、豊かなアメリカが維持してきた社会的安全網を放棄することも望んでいない。

利益追求に関しても、やはり受け入れられる限度がある。たとえば、会員制医療機関の顔の見えない管理者が、利益追求の名のもとに、医師の治療方針や処方を覆すようになれば、世論の反発によってこれら機関の監督、規制、制限が強化されるようになるのは、まず間違いない。企業は、四半期ごとの業績を高めるよう株式市場から強く求められているとしても、地域と社会の幅広いニーズを満たす活動に参加しなければ、世論の非難を受けるか、政府の管理がふたたび強化されるだろう。そして、決定的な点として、アメリカの市場制度は、これまで置きざりにされてきた人たちを受け入れられるかどうかで判断されるだろう。

五つの基準

世界の各地域にはそれぞれ独自の課題があるとはいえ、国から市場への移行に関して共通の疑問がある。この移行は永続するものなのか、それとも一時的なものにとどまり、国と市場の境界を見直し、再調整する動きが起こって、政府の役割と責任がふたたび拡大するのだろうか。これはまさに、本書の締めくくりにふさわしい問題である。もちろん、この問いに明確に答えることはできない。しかし、こうはいえる。人びとが信じるものと世界を解釈する方法、つまり人びとが受け入れる考え方と拒否する考え方が、今後、この問いへの答えがどうなるかを決める大きな要因になるだろう。したがって、今後の動向のなかからこの問いへの答えを見つけだす際に、どのような枠組みで考えていくべきかを示すことはできる。

市場の重視は、一部の人たちにとって信仰に近いものになっている。しかし、こういう人たちは少数派であり、現実をみつめて、いくつもの選択肢を比較検討した結果として、市場を重視する人の方がはるかに多い。シンガポールの現代化の父といえるリー・クアンユー上級相が、この点をうまくまとめている。市場を重視するようになったのはなぜかとの質問に、「共産主義は崩壊した。混合経済は失敗した。ほかになにがあるのか」と単純明快に答えているのだ。結果が重要である。市場重視の新しい合意は、それが生みだす結果によって判断されるだろう。

以下にあげる五つの点が、市場に関する人びとの見方と判断を左右する要因になると思われる。これら五つの基準でみてどのような結果がでるかが、長期的に、国と市場の境界を決めるだろう。[8]

成果をあげているか

社会主義と混合経済が評価を高め、やがて信用を失う要因になった点が、市場経済でも、成否を決める要因になるだろう。市場経済は、経済成長、生活水準の向上、サービスの質の向上、雇用といった点で、約束したとおり、数値で確認できる成果をあげることができるだろうか。そもそも経済の運営について、政府がはるかに積極的な役割を担うようになったのは、市場の失敗が鮮明になり、市場経済の能力に対する信認が失われたからなのだ。

先進工業国で、民営化、規制緩和、経済への競争の導入が、雇用を創出するものではなく、雇用を破壊するものだとみられるようになれば、自由市場の政策は間違いなく、つねに批判を受け、つねに見直しの対象になるだろう。開発途上国でも、全体的な経済成長率とならんで、雇用が決定的な要因になるだろう。途上国の多くは、いつ爆発してもおかしくない社会問題を抱えている。仕事を探す年齢になった若者が急速に増えているのに、職がないという問題である。若者に生産的な雇用の機会を提供できなければ、経済制度と政治体制が圧力を受けるようになり、危険にさらされる。しかし、途上国にとって、市場経済の成功の程度をもっとも鮮明に示すのは、電力、上水道、信頼性の高い輸送機関などの基本的なサービスを市場がどこまで提供できるかであろう。

公正さが保たれるか

経済面の成果は、数値によって判断できる。国民経済計算に示される。第二の基準は数値ではあらわせないが、重要性に変わりはない。この基準は、国民が世界を判断する際に、自国の制度を判断する際に、自分たちの境遇を判断する際に用いる基本的な価値観に関連している。市場経済を評価する際に、経済面の成果だけでなく、成果の分配の方法を重視する人が多い。成果がどれだけ幅広く分配されているのか。制度は公平で公正になっているのか。金持ちや厚かましい連中にばかり分配されて、控えめな人たちの苦労が報われていないのではないか。一般国民が人間らしく扱われ、弱者や恵まれない人たちが社会に参加できるようになっているのか。公平さ、公正さ、機会が保証されているのか。

市場制度はその性格上、公正さが問題になりやすい。市場はその活力によって、そしてなによりも動機づけに使われるインセンティブの性格によって、平等主義の価値観が強い統制型の社会にくらべて、所得格差がはるかに大きくなる。しかし、公正と公平という考え方もきわめて深く、それ自体で強力なきわめて強力な動機づけになる。イギリスでは、公正と弱者への配慮という社会民主主義の価値観を、サッチャー元首相の経済政策と融合させた点が、トニー・ブレア首相の偉大な業績になっている。

富の集中が行き過ぎれば、市場重視の制度の存続にとって必要不可欠な正統性が失われていく。もちろん、ここで重要なのは、まったく主観的な「行き過ぎ」という言葉である。市場経済を主張する人たちが「インセンティブ」と表現するものは、市場経済の批判者にとっては、「貪欲」にほかならない。見せびらかしのための消費や富の誇示が目につくようになれば、秤は「貪欲」の側に傾き、不平等に対する批判が強まる。アメリカでは他の国にくらべて、社会が受け入れる不平等の程度が大きい。この点に関しては、さまざまな説明がなされている。社会民主主義の伝統がないこと、経済が成長すれば全員が豊かになれるという見方が強いこと、ホレイシオ・アルジャーの少年冒険小説の伝統があって勇気と自主性がもてはやされていることなどの説明である。それでも、アメリカですら、受け入れられる格差に限度があるのはたしかだ。少なくとも、ピーター・ドラッカーはそう警告している。資本主義の思想家として影響力が大きく、「民営化」という言葉を考えだしたとされているドラッカーがいまでは、アメリカで金持ちに対する「恨みと蔑み」という反動が起こると予想している。「それがどのような形をとるかは、わたしにはわからない。しかし、巨額の富に対する妬みが広がっており」、景気が後退すれば、「問題が起こるだろう」という。

どの国でも、不平等が極端になれば、不満が高まるだけでなく、裏取引や袖の下が横行しているのではないかとの見方が強まる。金持ちが権力を操っているとの見方が強まるのだ。この点で、民営化はとくに反発を受けやすい。国有資産を民間の手に移していくとき、だれが利益を得るかが問題にされるのだ。しかし、民営化を支える要因には、別の強力なトレンドがある。世界的に、資本市場で根本からの変化が起こっており、所有権が分散してきているので、民営化がもっと受け入れられやすくなるだろう。年金制度が変化しており、政府が勤労者から社会保障税を集めて高齢者に分配する賦課方式から、貯蓄を年金基金に積み立てていく積立方式に移行している。このため、民営化された企業は大部分、巨額の富をもつ一族や大物実業家によってではなく、老後に備えて蓄積された貯蓄によって所有されることになろう。年金基金が株式市場を通じて、あるいは直接に、民営化された企業に投資するようになる。したがって、民営化の正統性を支える根拠が、四半世紀前にはなかった点にまで拡大している。

市場経済制度の公正さに対する信認は、司法制度の効率性と、経済活動の基礎になるルールの透明性に左右される。腐敗は信認に打撃を与える点で、最悪の敵である。市場の拠り所になっている信頼の倫理的な基盤を掘り崩してしまう。たしかに、国が経済を管理するこれまでの制度は、腐敗を生みだす温床になっていた。決定的な判断をくだすのは政府であり、政府の首脳や高官はもちろんだが、給与水準がおそろしく低い公務員まで、決定権を握ることになるからだ。しかし、国の管理から市場重視への移行にあたって資産を放出し、新しい機会を作り出す際にも、腐敗の機会は十分にある。(9)

国のアイデンティティを維持できるか

新しい世界経済への参加に複雑な感情をもっている国が多い。それによって、経済成長が促され、新しい技術が流入し、新しい機会が生まれる。しかし同時に、国と地域の文化の価値とアイデンティティが脅かされる。また、それまでの心地よい安心感が揺さぶられる。ヨーロッパであれば、これまでなら疑う必要がなかった職の安全が脅かされ、アジアであれば、社会の規範が脅かされている。さらには、家族を大切にし、協力関係を重視する価値観が揺さぶられ、子供たちへの影響も心配になる。衛星放送を通じて、ハリウッドやニューヨークの価値観が世界共通のものとして送られてくるようになって、自分たちの文化生活の大部分が欧米のメディアに占められることに不満を感じている人たちは少なくないはずである。また、自国の企業が「アングロ・サクソン流の株主価値」の宗教にかぶれて、ほとんどの社会で社会的な義務や責任とされている点を冷たく切り捨てていくことに反対する声もあがっている。こうした企業の動きが強くなりすぎるか、反発が強烈になれば、関税などの貿易障壁を引き下げてきた諸国で、ナショナリズムがふたたび強まり、規制や制限の形で新たな障壁が築かれていく可能性もある。主権と管理を強化しようとするとき、再国有化の手段に頼る必要はない。

金融市場の統合が進んでいることも、投資の流れを活発にする良さはあるが、各国の経済が大きなショックや混乱の影響を受けやすくなる原因になっており、その結果、世界経済への参加の意味が疑問とされるようになっている。数十年にわたる勤勉と犠牲によって築き上げてきた国富が、わずか数週間のうちに、二〇パーセントから三〇パーセントも破壊されうることに気づいて、各国の指導者も国民も衝撃を受けている。

しかし、金融市場の波瀾による打撃に焦点が当てられるようになったのは、見方の変化を示してもいる。多国籍企業が大きな脅威だとみられていたのは、そう何年も前のことではないが、いまでは脅威になっているのは、資本市場なのだ。多国籍企業に関する見方は、様変わりしたといえるほどである。略奪者として忌み嫌われることはなくなり、資本と技術と世界市場へのアクセスを持ち込む投資家として、歓迎されている。以前ほど脅威とはみられなくなった理由は、ほかにもある。いまでは多国籍企業の数がきわめて多くなったうえ（国連の推定によれば、四万社を超えている）、本社の国籍もきわめて多数にわたっているのだ。

とはいえ、今後、外国による支配と国内産業の外資による所有に対して、敵意がふたたび高まることはないとは断言できない。自国のアイデンティティにとってきわめて重要だとみられている産業では、とくにそうだ。国内企業が参加する合弁の形態をとれば、このような対立が緩和され、すべての関係者にとって利益になるだろう。しかし、多国籍企業と国の間には、対立がつねにあり、緊張関係がつきものになる。この対立は、観点と支持層に基本的な違いがあることに起因している。政府の任務は当然ながら、国の利益と関心に対応することにある。多国籍企業はこれに対して、国際的な観点から行動しなければならない。

環境を保護できるか

環境保護は、市民運動がはじまって四半世紀以上を経過したいま、国内政治と国際政治の優先課題のひとつとして定着するまでになった。経済制度は、幅広い環境問題にどのように対応するかで判断されることになろう。したがって、今後さらに環境保護を強化し、新たな解決策を見つけだしていかなければならない。

先進工業国では、これは、すでにかなり進んできた道をさらに進むことを意味する。一九七〇年代初めと比較すれば、先進国に住む八億五千万人にとって、国内の環境は劇的に改善してきている。この改善は、さまざまな法律と規制、新機軸、技術の進歩、慣行と行動の変化、そして、巨額のコストによって達成されたものである。しかし、ここからどのようにして前進すればいいのか。指令管理とお馴染みの形態の規制によって前進するべきなのか、革新的な市場重視の方式によって前進するべきなのか。

環境問題でとくに緊急の課題になっているのは、先進国以外に住む四十七億五千万人に影響を与える部分である。これらの国の大部分は、出発点の生活水準が低い。環境が破壊されているのは、貧困のためである。たとえば、農村の貧しい人たちが燃料用に森林を伐採して、土壌が浸食されて農業が難しくなるなど、さまざまな問題を生みだしている。経済成長の階段をのぼっていることから、環境問題が起こっている国もある。工場や発電所が公害を垂れ流し、自動車が普及し、燃料の質が悪いことから、都市の大気汚染が深刻になっている。これらの問題は改善できるが、それに要するコストは高い。所得水準を引き上げようと苦闘し、限られた資源で多数の課題に取り組まなければならない国にとってはとくにそうだ。環境保護に必要な投資を、どうすれば促進できるのか。そのコストをだれが負担するのか。この問題は、開発途上国だけのものではない。旧ソ連と東欧諸国が旧体制から引き継いだ重荷のひとつに、深刻な環境破壊がある。しかし、旧共産圏には、環境を修復する手段も経済的な資源もないのが現状である。

しかし、環境問題は国際的なものにもなってきている。いくつかは地域の問題になっている。インドネシアの森林火災は、何百キロも離れたマレーシア、シンガポール、タイで深刻な大気汚染をもたらしている。いくつかの問題は地球規模であり、地球温暖化がとくに有名だ。温暖化問題に関する議論が示しているように、まずはじめに、問題の大まかな規模について合意に達することが課題になる。しかし、これは出発点にすぎない。つぎに、多数の国が解決策で合意できるようにしなければならない。さらに、責任とコストをどのように割り振るかという難しい問題がある。

このような問題では、先進国と開発途上国の間で対立が起こる可能性がきわめて高くなる。先進国が協調行動を呼びかければ、途上国は、はるかに豊かな国が途上国の経済成長を抑制しようとしていると受け止めかねない。たとえば、先進国は中国の石炭火力発電所から排出される二酸化炭素の量に懸念を表明している。中国側は、人口一人当たりでみればアメリカの五パーセントしか電力を消費していない事実に注目する。自分たちが生活水準を高めていく機会を、どうして奪おうとするのか、高められたとしても、先進国の何分の一かまでにしかならないではないかと反論する。

民間セクターは今後、環境問題でこれまでより大きな役割を担うようになるだろう。いくつもの方向から、いくつもの当局によって規制を受けるようになるだけではなく、環境改善に向けた姿勢と寄与によって、企業が判断されるようになるだろう。環境問題に焦点を当てることが、経営陣にとって重要な責任になっていくだろう。

人口動態の問題を克服できるか

人口動態の問題を解決できるかどうかが、市場経済にとって重要になるだろう。この点で良く知られているのは、開発途上国がぶつかっている問題である。若い世代の人口が急激に増加しており、雇用を創出し、人口一人当たりの所得を伸ばしていくことが厳しい課題になっている。人口の急増によって、失業、貧困、失望、恨みが生まれ、いつ爆発しても不思議ではなく、政治と経済の不安定性をもたらす大きな源泉になっている。長期的には、所得水準が向上すれば、出生率が低下していくだろう。それまでの間、自由化された経済は、人口の増加に見合った雇用機会の創出に苦闘することになる。その影響は、国内だけにとどまらない。人口が増加すると、開発途上国の間での移住、そして先進工業国への移住が増加し、政治的・社会的な対立を生み出していく。

先進国では、人口動態の問題でとくに重要な点は社会の高齢化であり、このため、福祉国家の改革が不可欠になっている。とくに問題が深刻になるのは、二〇一〇年ごろからである。ベビーブーム世代が引退する年齢に達し、健康保険制度と年金制度に大きな圧力がかかるようになる。問題は年をおうごとに深刻になっていく。経済学者のデビッド・ヘイルはこう述べている。「二十一世紀には、年金資金をどのように確保するかが、間違いなく経済政策の大きな課題になる」。さらに、こう語っている。「財政がぶつかる問題のなかで、規模の点で、社会の……高齢化に唯一似ているといえるのは、戦争だけである」

高齢化社会で、年金と医療のコストを、だれが、どの世代が負担することになるのだろうか。責任のうちどこまでを政府が、すなわち納税者が負担し、どこまでを個人と民間セクターが負担するのであろうか。医療費と年金に関して、世代間で政治的な対立が起こることは、容易に想像できる。政府の役割を拡大し、国民所得のうち高齢者のために使う部分の比率を高めるよう求める有権者は多く、勤労者の世代にとっては、自分たちの生産の成果のうち、高齢者の世代を支えるために徴収される部分の比率が上昇していくことになろう。開発途上国でも先進国でも、公的な資金で支払うべき社会保障の範囲がどこまでで、個々人で責任を負うものとして市場に任せるべきサービスの範囲がどこまでなのかを明確にすることが課題になっている。二十一世紀には、開発途上国と先進国で人口動態の問題に差がなくなっていき、途上国でも、社会の高齢化が深刻な問題になるだろう。二〇三〇年には、中国で六十五歳以上の高齢者が四億人になり、現在の一億人から大幅に増加すると予想される。

信認の均衡

以上五つの基準がどこまで満たされるかで、管制高地をめぐる現在の大きな変化に世界各国の国民がどう対応するかが、かなりの程度まで決まってくるだろう。市場経済に対する信認は再確認されるのだろうか、それとも侵食されていくのだろうか。そして、信認はきわめて重要である。現状では、世界は市場重視の方向への動きを続けている。この点を示すとくに劇的な兆候は、世界各国の人たちが貯蓄や老後資金を、かなりの比率で株式市場に投じていることである。アメリカはこの動きの先頭に立っており、ミューチュアル・ファンドの運用資産が銀行預金残高を二五パーセント上回っている。同様に、政府は民営化と規制緩和を続けて、以前の守備範囲を市場に明け渡している。しかし、その結果はまったく保証されていない。変動性とリスクがつきものである。信認が十分に根拠のあるものになるには、問題が起こりかねない点を現実的に評価しなければならない[10]。

新しい合意とその基礎になっている信認に打撃を与えうる脅威はいくつもあるが、そのなかでおそらくもっとも深刻なのは、国際金融システムの大規模な混乱によるものであろう。資本市場はきわめて急速に発展しており、当局は規制の能力が追いつかなくなっているだけでなく、理解することすらできなくなっている。統合が進む世界市場の範囲が拡大し、深みが増しているため、金融システムが混乱すれば、その影響は過去には考えられなかったほどの規模になりうる。外国為替市場、債券市場、株式市場が相互に関連しており、さらに、これらの市場に依存するさまざまな付随的市場が爆発的に成長しているからである。過去には、金融市場のパニックは数週間から、ときには数か月かかって拡大していった。いまでは、何時間かでパニックが世界中の金融市場に波及して、経済全体が危機に瀕することになりかねない。たしかに、金融市場は多様性があるし、厚みと流動性が十分にある部分も少なくない。しかし、ショックがひとつにとどまらず、いくつもが一時期に集中して、金融システム全体に波及していく可能性もある。

いくつものショックが一時期に集中する確率は低いかもしれない。しかし、サッチャー元首相が言うように、サッチャーの法則を忘れてはいけない。予想外のことが起こりうるのだ。過去十年をみても、ショックには事欠かない。一九九五年には、中南米で、メキシコの通貨切り下げに端を発して、いわゆる「テキーラ・ショック」が起こった。二年後の九七年には、体力が弱く、借り入れが過剰になった銀行セクターの破綻をきっかけに、東南アジアで大規模な通貨危機が起こった。どちらの場合にも、狼狽売りが殺到し、株式相場が暴落している。政治危機も要因になる。九六年にはロシアの大統領選挙で、現職のエリツィン候補が共産党候補に敗北するのではないかとの見方から、ロシア経済にショックが波及した。九〇年にはイラクのクウェート侵攻にはじまるペルシャ湾岸の軍事危機で、世界各国の株式市場がゆさぶられた。そして、日本では、九〇年代初めのバブル破裂で企業と消費者の信頼感が落ち込んだことが、長引く不況の主因のひとつになっている。これらのショックのうちいくつかは、まったく予想外であった。しかし、これらはいずれも、ほぼ孤立した出来事であり、他の地域の好調によって相殺されている。危険なのは、これらのようなショックが起こることではない。運悪く、いくつかのショックが同時に起こることである。

しかし、一九九〇年代末になって、運悪く、いくつかのショックが同時に起こる事態になった。これは、各国の資本市場が相互に密接に結び付くようになっていたことを背景とするものである。このため、九七年にアジアではじまった金融危機が世界全体に広まった。その過程のどれをとっても、混乱と苦痛は予想を上回るものになった。この危機によって、通貨は切り下げられ、株価は暴落し、信認が低下し、多数の企業が倒産し、貯蓄が破壊され、失業者や生活困窮者が多数にのぼった。資本と将来の成長の源泉になるとみて、世界経済への統合を熱心に求めていた諸国が、いまでは世界経済は危険をもたらす源泉だとみるようになった。デフレに陥ったとみられる地域も少なくない。

このような危機が、いったいどのようにして発生したのだろうか。問題の核心は、世界資本市場と国内金融制度とが調和していない点にある。危機が発生した後になってみると、巨額の資金が急激に流入してくる事態に対応できる規制と監視の枠組みがない国が多く、なかにはもっとも基本的な規則すら決められていない国もあった。規制当局の知識の水準も不十分で、既得権益からの独立性もない国が多かった。アジア諸国は債務の規模をつかんでおらず、十分な担保のない短期借り入れがきわめて多かったこともつかんでいなかった。長年の高度経済成長で安心しきって、貸し手も借り手もリスクを適切に評価していなかった。ロシアの場合には、政治の行き詰まりによって税制改革が妨げられ、徴税が進まなくなった。この結果、財政赤字が膨らみ、政府がクレジット・カードで短期の資金を借り入れているかのような状況になった。

しかし、ショックが世界各国に波及し、性格に大きな違いのある諸国に打撃を与えたのは、なぜなのか。ブラジルやアルゼンチンなどの中南米諸国は、ロシアと似た状況にあるとはまったくいえないのではないだろうか。旧共産圏のなかでもっとも成功を収めているポーランドも、ロシアと似た状況にあるとはまったくいえないのではないだろうか。にもかかわらず、これらの諸国が見境なく危機におそわれている。

その理由は「伝染」にあるとされており、この言葉は「仲間内資本主義」とともに、今回の通貨危機でのはやり言葉になっている。しかし伝染は、危機に見舞われた各国の状況を示す言葉ではなく、投資家の状況をあらわす言葉である。この言葉が意味しているのは、投資家と貸し手の側のリスクの見直しであり、「リスク・プレミアム」というあいまいな言葉で呼ばれるものが急激に何倍にもなったことである。貸し手と投資家は当初、成長見通しに魅力を感じて新興市場に引きつけられていたが、突然、これら諸国をみる際のレンズをかえたのである。突然、弱みとリスクだけに注目するようになり、安全な場所に逃げだした。この突然の悲観論は、つぎつぎに伝染するものだし、しかも、雪だるま式に膨らんでいくものでもある。逃げだすのが最後になるのを望む投資家はいない。流動性は枯渇する。

もちろん、危機が拡大していくとき、各国政府と国際機関は模様眺めにまわっていたわけではない。公式のもの、非公式のものを問わず、使えるだけの危機管理の手段を使っている。しかし、支援によっても期待された効果はなかった。問題の複雑さと幅が、過去に例がないほどになっていたからだ。この結果のひとつとして、救済の主役になる国際通貨基金（ＩＭＦ）が危機の悪化の一因になったのではないかと激しく非難を浴びるようになった。ＩＭＦは複雑で緊張した政治情勢のなかで、支援策をまとめるために懸命に努力してきた。だが、ＩＭＦが少なくとも危機の当初、民間セクターの債務が問題であるにもかかわらず、公共セクターの放漫財政への対処を狙った一九八〇年代の「中南米型」の方針をそのまま採用したのではないかと批判する声がでている。ＩＭＦが厳しい条件をつけたために金利が急騰した。これで通貨が安定するどころか、「高リスク」という警戒信号を派手に送る結果になり、地元の企業は資金繰りがつかなくなって倒産と失業が急増し、銀行の取り付け騒ぎが深刻な不況に移行していくことになった。そう批判されている。

今回の危機を、一九九〇年代に登場した世界市場が拒否されたものととらえる者もいる。しかし、もっとはっきりしているのは、今回の危機が市場の運営方法の弱点をあきらかにしたことである。危機の被害がきわめて大きかったことから、八〇年代の債務危機でもそうなったように、今回も危機の伝染の再発を防ぐことに大きな努力が払われるだろう。そのためになすべきことは、きわめて多い。金融システムの再生と改革をはからなければならない。金融状態の透明性と開示を適切なものにするために、監視体制を改善し、規則を明確化しなければならない。短期資金の流れと長期資金の流れとで、影響とリスクがどのように違うのかをもっと明確に理解しなければならない。各国政府は金融、債務、貿易収支、徴税の管理を向上させなければならない（これはもちろん、八〇年代の債務危機の教訓でもある）。恣意的な介入や操作にかえて、適切な規制を行なわなければならない。

大規模な投機が今回の危機をもたらすうえで、どのような影響を与えたかは、まだ不透明である。とはいえ、新興市場諸国の側だけではなく、投資家の側も透明性を高めるよう求められる可能性が高い。投資家側の規制を求める声が強まったのは、一九九八年九月にアメリカのヘッジ・ファンド、ロング・ターム・キャピタル・マネージメント（ＬＴＣＭ）が破綻したからである。ＬＴＣＭは比較的少ない資本で、巨額の債券などの金融資産に投資していた。この異例の破綻によって、先進国の当局は、規制に問題があるのは新興市場諸国だけだとは主張しにくくなった。

この金融危機が最終的にどのような結果をもたらすかは、まだあきらかにはなっていない。危機が終わったとき、数兆ドルの富が消えているだろう。流動性の逼迫は広範囲に広がっており、破綻の寸前にある金融機関はまだまだ多い。伝染が続けば、景気低迷が長引き、デフレにまでいたって、保護主義に戻ろうとする動きがでてくるだろう。現在の段階でも、大量の職が失われ、一生をかけた貯蓄が失われ、進歩への期待がいつかなえられるかわからなくなり、人びとが被った被害は目をおおうばかりである。危機がいっそう深化すれば、怒りと恨みが充満するだろう。その結果、市場に対する信認が全面的に後退することになりかねない。

しかし、国際的な規制制度が強化され、再活性化されて、信認を回復し、金融の秩序を回復し、将来の危機を防止するようになるのではないだろうか。金融市場は国境の壁を越え、各国政府の管理と既存の規制の壁を越えてきた。政府と既存の国際機関が調整と情報交換を行なえば十分なのだろうか。おそらく、それでは不十分だとされるだろう。では、なんらかの新しい国際機関や仕組みが必要になっているのだろうか。しかしこれでは、主権と政治の問題で複雑になりすぎるだろう。要するに、今回の金融危機によって、ほんとうの意味で世界的になった金融制度をどのように管理すべきかが注目されるようになったのである。現時点では、協調行動、規則と標準の確立の方向がとられる可能性の方が高い。今回の危機からはっきりといえる点のひとつは、新興市場諸国の金融制度が、国際資本市場の力に対応できるほど頑強ではなかったことである。新興市場諸国は、市場開放を急ぎすぎてきた。あるいは、急がされすぎてきた。投機資金の流れを減速するための「一時的な」資本流入規制など、緩衝機構を設けることに焦点が当てられるようになっている。

危機の伝染によって新たな仕組みが必要になっているが、同時に、振り返ってみれば投機ブームといえるもののなかで、昔ながらの真実が見失われてきたとの反省もでている。投資家と貸し手は、危険をつねに冷静に評価し、世界市場を対象にしているときでも、国と地域の政治、文化、歴史の現実と限界をしっかりと見据えておかなければならないのだ。要するに、市場重視の合意は、熱意によってではなく、慎重な検討によって支えていくべきものなのだ。

市場にはもうひとつ必要なものがある。それは正統性である。しかしこの点には、倫理面の難問がある。市場は契約、ルール、選択に基づいている。一言でいうなら、自制に基づいている。この点で、経済活動の組織化に関する他の方法とは大きく違っている。しかし、自己の利益の追求を指導原理とする制度では、信じられるものを求め、物質主義を超える高い価値を希求する人間の魂を満足させることができるとはかぎらない。一九三〇年代後半のスペイン内戦で、人民戦線派の兵士はスターリンを讃えながら死んでいったという。いかに的外れだったにせよ、ソ連型共産主義の理想像を実現するためであれば、究極の自己犠牲もいとわないという信念があったからだ。自由市場を讃えながら喜んで死んでいく人が、はたしているだろうか。

ここまで極端な例は別にしても、社会主義と政府の介入の場合には、倫理面の魅力がはっきりしている。博愛主義、他人への思いやりと同情、連帯、尊厳と社会の改善、公正と公平、希望である。市場経済には、そのような直接の魅力はない。倫理的な基盤はもっと微妙で間接的であり、なにをするのかではなく、なにを達成できるかに基づいている。

市場経済の基本的な倫理性は、ふたつある。第一は、それが達成するもの、人びとにとって可能になるものである。この点は、個々人が自己の利益を追求していけば、社会が全体として良くなるとの見方に基づいている。これはまさに、アダム・スミスが自己利益について主張した点の核心部分である。第二は、私有財産、契約、自発性に基づく制度は公正であり、この制度があれば、国が無制限に、恣意的に権力を行使することができなくなるとの見方である。このふたつの見方が市場経済の基礎になっており、長期的にみれば、市場の実績はこのふたつの見方を基準にして判断されるだろう。どちらの見方からも、市場の価値観が唯一の価値観だとはされていないし、いくら稼げたかだけが人びとの努力を判断する基準だともされていない。人間の活動のかなりの部分は、カネとはまったく違う基準で評価されるべきだし、動機づけられるべきである。このふたつの見方が意味しているのは、目標を達成できるように経済を組織する方法に、良いものと悪いものがあるという点だけである。市場重視を選択しても、カネを万能とする文化を信奉することにはならない。

しかし、このふたつの点、つまり経済的な成果の達成と、政治権力の抑制の点のいずれかで市場が失敗したとみられた場合、市場経済の成果が社会全体にではなく、ごく一部の人たちだけに配分されているとみられた場合、民間の力の濫用とむきだしの貪欲という妖怪をもたらすものだとみられた場合、確実に反動が起こり、国の介入、経営、管理がふたたび強化されるだろう。国がふたたび力を強め、独占、放縦、詐欺、搾取、直接の危害などを通じた民間の横暴から一般市民を守る役割を拡大していくだろう。

現在のところ、長大なドラマが続いており、国は経済の管制高地からの撤退を進め、市場が活躍する部分が拡大している。この結果、二十世紀の歴史は大きな円を描いている。初めの段階の状態に、終わりになって戻っている。二十世紀の初めには、市場が力をつけ、世界経済が拡大し、楽観的な精神がそれを支えていた。この世界経済はその後、戦争、恐慌、ナショナリズム、イデオロギーによって分断された。危機と被害、人びとの苦しみと渇望、正義と尊厳の希求によって、国が責任の範囲を拡大していった。第二次大戦後は、復興の時代になり、ついで偉大な成長の時代になった。現在の可能性は、これらの過去の実績から生まれたものである。しかしいまでは、この間の苦い経験と見直しによって、そして技術の進歩によって、国の役割が縮小され、市場が活躍する部分が拡大を続けている。この結果、難しい疑問がだされている。国はどのようなサービスを提供すべきか。福祉の役割をどうすべきか。経済の「混合」部分をどこまで縮小すべきなのか。

こうした変化は、歴史上はじめて、ほんとうの意味での世界経済が成立したことを意味している。世界の経済が統合され、相互に結び付けられて、仕事と生産が世界各地を結ぶネットワークによって進められ、知識から取引にいたるすべてが電子の形でやりとりされている。さまざまな成果があらわれ、さまざまな期待がふくらんではいるが、復活した市場経済はそれでも、二十一世紀にはいくつもの新しい課題に直面し、試練を受けることになろう。市場が人びとに提供できる機会は、きわめて大きくなりうる。しかし、市場がもたらす要求、影響、秩序の再編に対しては、はっきりした不安感もあらわれている。この新しい世界では、リスクがつねに目立つことになり、また、目立っていなければならない。世界の前進をもたらす技術革新とインセンティブ、そして想像力は、リスクから生まれるものだからである。

政府による管理から市場重視へと合意が変化したのは、いくつもの力がはたらいたからである。

それでも、信念と考え方の変化が、国の力に対する信認から市場の信頼性の重視への変化が、すべての基本になっている。したがって、この変化が定着するのか、揺り戻しがあるのかを決めるのは、結局のところ、市場の基礎になっている信認の質と性格である。この信認は、市場のリスクと不確実性、市場とその価値の利点と限界が現実的に評価されていれば、持続する可能性が高くなる。では、将来、国と市場の境界はどこになるのか。この問いに対する答えは、人びとの判断と経験によって、信念がどのように変化し、信認の均衡がどちらに振れるかで決まってくるだろう。

訳者あとがき

市場と国家の関係は、ここ数年、日本経済の回復の道をめぐる議論でも、つねに中心になってきたテーマである。本書は、この市場と国家の関係についての考え方が二十世紀に世界各国でどのように変化してきたのかを、真正面から取り上げている。

著者のダニエル・ヤーギンは、ケンブリッジ・エネルギー研究所の会長であり、『石油の世紀』（日高・持田訳、日本放送出版協会刊）で一九九二年度のピュリッツァー賞を受賞している。ジョゼフ・スタニスローはケンブリッジ大学教授をへて、現在は同研究所の所長をつとめている。日本語版の出版にあたって、九八年春に原著が出版された後の動きを盛り込むために、著者が数十か所におよぶ大幅な加筆訂正を加えた。九九年には、この加筆訂正を反映した原著の改訂版が出版される。

訳者の立場から本書の特徴をあげておこう。第一の特徴は、市場と国家の関係をテーマに、二十世紀の百年間にわたる動きを、欧米はもちろん、アジア、東欧、ロシア、中南米、アフリカまで、世界のあらゆる地域を対象に論じている点である。このため、本書を読めば、市場と国家の関係という現在の日本にとってきわめて重要な問題を、歴史的な視点と世界的な視点から考えることができるようになるだろう。

第二の特徴は、経済をテーマにした本にはめずらしく、人と考え方に焦点を合わせていることである。本書に登場する人物はいずれも、それぞれの時点で経済危機に見舞われたなかで、常識にとらわれることなく、大胆な考え方を打ち出し、思い切った政策を実行に移している。たとえば、イギリスのキース・ジョゼフは、インフレと経済混乱の時代に、それまでの混合経済の考え方を拒否して、いわゆるサッチャー革命の基礎になった市場原理の考え方を築き上げていった。市場と国家の関係についての考え方が二十世紀に大きく変化してきたのは、イデオロギーや原理や常識にこだわるのではなく、あくまでも現実に立脚して勇気ある行動をとる指導者がいたからなのだ。

翻訳していて感じたことをひとつだけ書き加えておこう。本書でいう「市場」とは、「何か月もかけて調査しなければ突き止められない」無数の人たちの決定によって「見えざる手」が機能する場である。少数の「顔の見える」投機家が動かしている場ではない。今回の世界の金融危機が終わった後、本書でいう「市場」といわゆる「マーケット」は違うものだという認識がでてくるのではないだろうか。

本書の翻訳にあたっては、優秀な若手翻訳者の広瀬裕子さんとの事実上の共訳の形をとった。ほぼ半分ずつを分担して訳し、山岡が全体の統一をとった。最後になったが、すばらしい本を翻訳する機会を与えてくださった日本経済新聞社出版局編集部の田口恒雄、渡辺一の両氏に感謝したい。

一九九八年十月

山岡　洋一

年表

年	事項
一七七六	アダム・スミス『国富論』出版
	アメリカ独立宣言
一七八九	フランス革命はじまる
一八六七	マルクス『資本論』を発表しはじめる
一八八七	アメリカで州際商業委員会が設立される
一八九〇	アメリカでシャーマン反トラスト法が成立する
一九〇一	シオドア・ローズベルト、アメリカ大統領に就任し、「トラストへの攻撃」を開始する
一九〇六	イギリスで改革派の自由党政権が「救急国家」の基礎を築く
一九一一	中国で辛亥革命起こる
一九一四	第一次世界大戦の勃発で、世界経済の「黄金時代」が終わる
一九一七	ロシア革命はじまる
一九一八	第一次世界大戦終わる
一九一九	ベルサイユ条約締結
	イギリス労働党が、国有化をうたった綱領第四条を採択
	インド、アムリッツァルの虐殺が起こる
	北京の天安門広場のデモをきっかけに、中国全土で五・四運動が起こる
一九二一～二二	民間の経済活動を一部認めた「新経済政策」を批判されたレーニンは、「管制高地」を握ることこそ重要だと反論
	ルードビッヒ・フォン・ミーゼス、ウィーンで『社会主義』出版

一九二七	ソ連でスターリンが権力を掌握
一九二九	アメリカの株式相場が暴落し、大恐慌のはじまりを告げる
一九三二	ソ連で第一次五か年計画はじまる アメリカで電力業界大手のサムエル・インサル帝国が崩壊
一九三三	アメリカでフランクリン・ローズベルトが大統領に就任し、ニューディール政策をはじめる イタリアでムッソリーニのファシスト政権が国有持ち株会社、産業復興公社（ＩＲＩ）を設立
一九三三〜三五	アメリカで証券取引委員会、テネシー渓谷開発公社（ＴＶＡ）が設立される。公益持ち株会社法が成立
一九三四〜三五	毛沢東率いる中国共産党が長征を行なう
一九三六	ジョン・メイナード・ケインズ『一般理論』出版
一九三七	日中戦争はじまる
一九三八	メキシコで石油産業が国有化される アメリカで「過当競争」を是正するため、民間航空委員会が設立される
一九三九	ドイツがポーランドに侵攻して、ヨーロッパで第二次大戦はじまる
一九四一	アメリカが真珠湾を攻撃された後、参戦 ファシスト政権によってベントテーネ島に幽閉されていたアルティエロ・スピネリがヨーロッパ連邦の創設をうたったベントテーネ宣言を起草
一九四二	福祉国家建設のための処方箋を書いたベバリッジ報告が、イギリスで発表される
一九四四	フレデリック・フォン・ハイエク『隷属への道』出版 ブレトン・ウッズ会議で世界銀行の設立が決まる
一九四五	第二次世界大戦が連合国の勝利で終わる イギリスで労働党が勝利。クレメント・アトリーが首相に就任し、福祉国家の建設に着手
一九四六	フランスが、ジャン・モネのもとで国家計画を策定

ネルー『インドの発見』出版
一九四六～四七　ケインズがイギリス政府を代表してアメリカとの借款交渉に臨んだ後、死去
一九四七　ミルトン・フリードマンがシカゴ大学の経済学部教授に任命される
ヨーロッパが経済危機に陥る
アメリカが、ヨーロッパ復興を支援するマーシャル計画を開始する
インドがイギリスから独立し、ネルーが首相となる
一九四八　イギリスで石炭産業を国有化
連合国がドイツで通貨改革を実施
ソ連がベルリンを封鎖し、ヨーロッパの東西分裂が鮮明に
ドイツのルードビッヒ・エアハルト経済相が価格統制を廃止し、社会主義市場経済をはじめ、ドイツの奇跡につながる
一九四九　毛沢東率いる共産党が勝利し、中華人民共和国が建国される。国民党の蔣介石は台湾に逃亡
一九五〇　ジャン・モネの構想によるシューマン計画に基づき、石炭鉄鋼共同体が設立される
北朝鮮が韓国に侵攻し、朝鮮戦争がはじまる
一九五一　インドで第一次中央計画がはじまる
一九五二　アルゼンチンでエバ・ペロンが死去し、夫のホアン・ペロン元大統領は亡命する
一九五五　インドネシアのバンドンで非同盟諸国会議が開催される
日本で「五五年体制」が整い、戦後の急成長の基礎が築かれる
一九五六　ソ連軍がハンガリーの反共産主義革命を武力で鎮圧する
スエズ動乱で、西側諸国の結束が乱れる
ロンドンで、経済問題研究所が設立される
一九五七　インフレ抑制の使命を担い、西独連銀（ブンデス・バンク）が設立される
ガーナとマレーシアがイギリスから独立。「救世主」を名乗るクワメ・エンクルマがガーナの首相に就任、後に大統領となる

一九五八～六〇	ローマ条約により、欧州経済共同体（ＥＥＣ）が設立される イギリスのハロルド・マクミラン首相が「いまほど恵まれた時代はない」と演説 中国が大躍進政策を実施
一九六〇	フレデリック・フォン・ハイエク『自由の条件』出版
一九六一	朴正熙将軍が韓国で全権を掌握、工業化を進める
一九六二	ミルトン・フリードマン『資本主義と自由』出版 アメリカのジョン・F・ケネディ大統領が、イェール大学で「古い神話と新しい現実」と題する講演を行なう
一九六四	日本が「所得倍増」を進めるなか、東京でオリンピックが開催される アメリカのリンドン・ジョンソン大統領が貧困撲滅に着手 アメリカでメディケア（老齢者医療保険制度）法が成立 トンキン湾決議で、アメリカが全面的にベトナム戦争に突入 『毛沢東語録』出版
一九六五	マレーシアとシンガポールの連邦が、結成後二年で分裂 リー・クアンユーがシンガポールを指揮 故人、ケインズがタイム誌の表紙を飾る アメリカでパブリック・インタレスト誌創刊
一九六六	毛沢東が文化大革命をはじめる 鄧小平が独房に幽閉される ガーナのクワメ・エンクルマ大統領がボルタ・ダムの完成を祝うが、まもなくその座を追われる
一九六八	リチャード・ニクソンがアメリカ大統領に選出される ソ連軍がチェコスロバキアの「プラハの春」「人間の顔をした社会主義」を蹂躙する
一九六九	テキサス・インスツルメンツがマレーシアに投資 マレーシアで反華人暴動が起こる。新経済政策につながる

一九七〇	アルフレッド・カーン『規制の経済学』出版
	チリでサルバトール・アジェンデの社会主義政権が誕生し、大規模な国有化計画に着手
一九七一	ニクソン大統領が、賃金・物価統制、金窓口の閉鎖、ブレトン・ウッズ下の固定為替相場制の廃止などの新経済政策をはじめる
一九七三	イギリスが欧州経済共同体（ＥＥＣ）に参加
	石油危機が世界経済を直撃
	韓国で重化学工業化政策がはじまる
	チリで、ピノチェト将軍が流血クーデターによりアジェンデ政権を倒し、自由市場改革の「レンガ」計画に着手
一九七四	インドが核兵器を開発
	炭坑労働者のストによりイギリス全土が停電、総選挙実施へ
	フレデリック・フォン・ハイエクが、スウェーデンのケインズ派経済学者、グンナル・ミュルダールとともにノーベル経済学賞を受賞
	キース・ジョゼフがロンドンで政策研究センターを設立
	エドワード・ケネディ上院議員が、ハーバード大学のスティーブン・ブライヤー教授を顧問に、航空業界の規制に関する公聴会を開催
一九七五	マーガレット・サッチャーがエドワード・ヒースを破り、イギリス保守党党首に就任
一九七五〜七六	サウジアラビア、クウェート、ベネズエラで石油産業が国有化される
一九七六	毛沢東死去
	ミルトン・フリードマン、ノーベル経済学賞を受賞
一九七七	アルフレッド・カーンが連邦航空局の委員長に就任し、航空業界の規制緩和に着手
一九七八	ポーランドのカロル・ボイチワ大司教が法王ヨハネ・パウロ二世となる
	中国の第十一期共産党大会で経済改革の導入を決定。鄧小平、最高指導者となる

一九七八〜七九	いわゆる「不満の冬」、イギリスの公共部門の労働者がストを実施
一九七九	マーガレット・サッチャー、イギリス首相に就任 韓国の朴大統領が暗殺され、光州事件が起こる イラン革命で第二次石油危機はじまる アメリカのジミー・カーター大統領がアメリカの信認の危機を「国家的病」の演説で訴える インフレ撃退のため、カーター大統領がポール・ボルカーを連邦準備制度理事会議長に任命
一九八〇	ポーランド、グダニスクの造船所で連帯が活動をはじめる ロナルド・レーガンがアメリカ大統領に選出される
一九八一	フランソワ・ミッテランがフランス第五共和制初の社会党出身の大統領となる アメリカで航空管制官がストを実施 マハティール・モハマド、マレーシアの首相に就任 ポーランドで戒厳令、連帯が非合法化される
一九八一〜八二	中国で農業集団化を解体する戸別生産責任制が導入される
一九八二	ジョージ・スティグラー、ノーベル経済学賞を受賞 ヘルムート・コール、西ドイツ首相に就任 アルゼンチンがフォークランド諸島に侵攻し、フォークランド戦争勃発、イギリスが勝利 メキシコの財政危機が引き金となって、中南米諸国の債務危機と「失われた十年」がはじまる
一九八二〜八五	ソ連の指導者の長老、ブレジネフ、アンドロポフ、チェルネンコが相次いで死去
一九八三	サッチャー首相、地滑り的勝利で再選を果たす
一九八四	ジャック・ドロール、欧州委員会の委員長に就任

インディラ・ガンディー暗殺される
鄧小平『中国的特色をもつ社会主義の建設』出版
イギリスでブリティッシュ・テレコムの民営化がはじまる
通貨危機に見舞われたニュージーランドが、急進的な改革プログラムに着手
一九八五　ボリビアの大統領令二一〇六〇号が発令され、ショック療法はじまる
ミハイル・ゴルバチョフがソ連で実権を握り、改革をはじめる
サッチャー首相の勝利で、イギリスの炭坑ストが終わる
一九八六　国際金融公社がアメリカの国際投資家を説得し、五千万ドルの新興市場ファンドがはじめて設定される
一九八七　欧州共同体が市場統合を進める欧州単一議定書を採択
作家、マリオ・バルガス・ジョサがペルーで改革運動の指導者となる
一九八八　株式時価総額で東京証券取引所がニューヨーク証券取引所に並ぶ
一九八九　ポーランドの連帯、カトリック教会、共産党が円卓会議開催
天安門広場に集まった反政府の学生を軍隊が制圧
ベルリンの壁が崩れ、ヨーロッパの東西分裂に終止符がうたれる
カルロス・メネムがアルゼンチンの大統領選で勝利
ポーランド、チェコスロバキア、ハンガリー、ルーマニア、ブルガリアで共産主義政権崩壊
一九九〇　東西のマルクを統合、東西ドイツ統一
ポーランドでバルツェロビッチのショック療法が実行に移される
連帯のワレサ委員長、ポーランドの大統領に選出される
チリの総選挙、民主党政権が自由市場改革を堅持
イラクがクウェートに侵攻
一九九一　ソ連が崩壊し、十五の共和国が独立
ボリス・エリツィンが大統領として独立したロシア連邦を率いる
P・V・ナラシマ・ラオがインドの首相に就任、経済改革に着手
ヨーロッパの通貨統合を定めたマーストリヒト条約締結

一九九二　ペルー大統領選で、アルベルト・フジモリが作家のマリオ・バルガス・ジョサを破って当選
鄧小平が中国南部に「南巡」を行ない、経済改革を擁護
日本で「バブル経済」が破裂し、深刻な不況に突入
ロシアで大規模な民営化がはじまる
ゲーリー・ベッカー、ノーベル経済学賞を受賞
一九九三　アメリカの財政赤字が二千九百億ドルに達する
アメリカ、カナダ、メキシコが北米自由貿易協定に調印
ニュー・デモクラッツのビル・クリントンがアメリカ大統領に就任
韓国の金泳三大統領が、大規模な不正・腐敗追放運動を展開
アルゼンチンの国有石油会社、YPFが三十億ドルで株式を公開
一九九四　ブラジル経済安定化のため、フェルナンド・エンリケ・カルドゾが新通貨、レアルを導入
「アメリカとの契約」を掲げた共和党が、上下両院で過半数を獲得
一九九五　世界貿易機関（WTO）が設立される
ポーランドの大統領選で、旧統一労働者系のアレクサンデル・クワシニエフスキがワレサを破って当選するが、経済改革に変更はないと表明
アメリカのニュート・ギングリッチ下院議長、タイム誌のマン・オブ・ザ・イヤーに選ばれる
メキシコの通貨切り下げ後、中南米諸国の株式市場を「テキーラ・ショック」が襲う
一九九五〜九六　アメリカで予算案が成立せず、連邦政府が窓口閉鎖
一九九六　ビル・クリントン大統領が大きな政府の終焉を宣言
ロシアの株式市場が世界の新興市場のなかで最高の業績をあげる
台湾の本省人、李登輝が台湾初の直接選挙で総統に就任
韓国の盧泰愚、全斗煥元大統領が、汚職で逮捕される

一九九七　鄧小平死去
「一国二制度」のもとで香港が中国に返還される
新しい労働党のトニー・ブレア党首がイギリスの首相に就任、サッチャー流経済学に優しさを取り入れた政策を掲げる
リオネル・ジョスパンがフランスの首相に就任、八〇年初めの社会主義経済政策を想起させる計画を提示する
東南アジアの「奇跡」の経済を通貨危機が襲う
中国の第十五回共産党大会で国有セクターの大規模な解体と「鄧小平理論」を採用

一九九八　アメリカの財政赤字が二百二十億ドルにまで低下
アジア危機が世界全体に波及
ロシアが債務不履行に陥り、通貨を切り下げ
国際危機に対応した「新しい構造」が提案される
ゲアハルト・シュレーダーが率いるドイツ社会民主党が総選挙で勝利

一九九九　ヨーロッパの通貨統合でユーロが誕生

Alejandro Jadresic
Edward Jordan
Dani Kauffmann
Vijay Kelkar
Christine Keung
Kim Il Sup
Irving Kristol
William Kristol
Kenneth Lay
Hoesung Lee
Michael Levy
Linda Low
Eugene Ludwig
Claude Mandil
Edward McCracken
Mahathir Mohamad
Dominique Moisi
Elizabeth Moler
内藤正久
Pietro Nivola
R. K. Pachauri
Rudolph Penner
Dwight Perkins
Karl-Otto Poauhl
Roger Porter
G. V. Ramakrishna
Jairam Ramesh
Bhanoji Rao
Felix Rohatyn
Robert Rubin
Jeffrey Sachs
Gonzalo Saaanchez de Losada
James Schlesinger
Helmut Schmidt
William Schneider
Philip Sharp
George Shultz
Jesuaas Silva Herzog
Helga Steeg
Joseph Stiglitz
Christian Stoffaeaus
Jens Stoltenberg
Lawrence Summers
Peter Sutherland
Margaret Thatcher
Felipe Thorndike
Antoine van Agtmael
Sergei Vasiliev
Paul Volcker
John Wakeham
John Wing
Wong Wee Kim
Grigorii Yavlinsky
Yeo Cheow Tong
David Young

取材先

多数の人たちに、本書のためのインタビューにこころよく応じていただき、その結果が本書を執筆するうえで不可欠になった。時間をいただき、ご配慮をいただいた以下の方々に感謝したい。本書に書かれた解釈と判断はすべて著者によるものであり、以下の方々には責任はない。

Anand Panyarachun
Anwar Ibrahim
Pedro Aspe
Leszek Balcerowicz
Carlos Bastos
Gary Becker
Franco Bernabeag
Carlos Bernardez
Albert Bressand
Stephen Breyer
John Browne
Domingo Cavallo
Richard Cheney
P. Chidambaram
Alberto Cloaf
Herbert Detharding
Eric Dobkin
Vladimir Dovgan
Caspar Einem
Daniel Esty
Sir Brian Fall
Oscar Fanjul
Benjamin Friedman
Milton Friedman
Alberto Fujimori
Yegor Gaidar
Valeaary Giscard d'Estaing
Luis Giusti
Goh Keng Swee
Gong Wee Lik
Thane Gustafson
Thomas Hansberger
Yukon Huang
Enrique Iglesias

解力が高いコピー・ライターである。本書の進行を管理し、とてつもない目標を達成するために、職務の範囲を超えて協力してくれたLeslie Ellenにとくに感謝したい。高い目標を掲げ、不可能を可能にする能力をもっている。Lynn Andersonは鷹のようにするどく、問題を決して見逃さない校正者である。制作部門で、責任者のJohn Wahlerが、困難ななかでスケジュールを守るために、あらゆる手をつくしてくれた。Victoria Meyer、John Mooney、Kate Larkin、Karen Weitzman、Sarah Baker、Susan Fleming、Pricilla Holmes、Colin Shieldsに感謝したい。Carolyn Reidy、David Rosenthal、Annik LaFargeの支援も不可欠であった。

サイモン&シュスターのロンドン支店では、早い時期から本書に取り組んでくれたNick Webbに感謝し、Catherine Schofieldにも感謝する。

写真ページの制作は、それだけで1年に及ぶ作業になった。アーカイブ・フォトズのLarry Schwartz、コービス・ベットマンのTalya Schaeffer、ハルトン・ゲッティのHenry Wilks、トニー・ストーン・イメージズのKathy Carcia、SYGMAのAnne Manningに感謝する。

われわれの家族、Angela Stent、Rebecca、Alexander Yergin、Augusta、Louis、Katrina、Henry Stanislawにも感謝する。家族の理解と寛容に負うところは大きく、家族の支援、激励、関与がなければ、本書は完成しなかっただろう。言葉では言い尽くせないほど、感謝している。

Bupp、Louis J. Carcanza、James Clad、William Durbin、Dennis Eklof、Bethany Geier、Thane Gustafson、Ann-Louise Hittle、Peter Hughes、Bruce Humphrey、Kevin Lindemer、Huaibin Lu、Daniel Lucking、Elizabeth McCrary、Philippe Michelon、James Placke、Tom Robinson、Sondra Scott、Gary Simon、Julian West に感謝する。CERAでわれわれを支援してくれた人たちには上記以外に、Alice Barsoomian、Jennifer Battersby、Barbara Blodgett、Peter Bogin、Sara Burr、Diana Frame、William Hamilton、John Hoffmann、Kelly Knight、Susan Krouscup、Susan Leland、Micheline Manoncourt、Susan Ruth、Helen Sisley、Tanya Ustyantsevaがいる。

過去10年間、CERAでは市場と国の関係が中心テーマになっており、われわれを知的な面で、そしてこれまでの研究で支えてくれた全スタッフに感謝している。

ハーバード大学ケネディ・スクール・オブ・ガバメントでは、企業政府研究所のRoger Porter理事とJoseph Nye学部長に感謝する。

グローバル・ディシジョン・グループでは、Alberto Cribiore、Gordon McMahonとDavid Nixonに感謝し、原稿にとくに貴重なコメントを寄せたPeter Derowにも感謝したい。つねに議論の相手になってくれたEric Dobkin、Richard Hayden、Peter Wheeler、Varkki Chackoらの同僚にも感謝する。Leslie Dach、Michael Connellyの二人の同僚にも感謝する。

サイモン&シュスターの人たちは、他の著者と同様に、われわれにも気持ち良く対応してくれた。Burton Bealsは頭が切れ、素晴らしい編集者であり、その熱意と思慮深さによって本書に大きな影響を与えた。Hilary Blackは本書に熱意を燃やし、中心的な役割を果たした。その親切さにはおおいに助けられた。Veronica Windholzは優秀で理

Friedman、Yukon Huang、John Imle、Alejandro Jadresic、Yoriko Kawaguchi、Vijay Kelkar、Constantine Krontiras、Francois LaGrange、James Manor、Masahisa Naitoh、Tadahiko Ohashi、Rene Ortiz、R. K. Pachauri、Martin Peretz、Dwight Perkins、Jairam Ramesh、Henry Rosovsky、Neal Schmale、William Schneider、Gerald Segal、Marcella Serrato、Lilia Shevtsova、Manmohan Singh、Ronald Stent、Felipe Thorndike、Ezra Vogel、Steven Vogel、John Walmsleyに感謝したい。

われわれとの議論のなかで、それぞれの専門分野について助言をいただいたJohn Andrews、Nicola Beauman、David Bell、Kenneth Cheng、Clive Crook、Raj Desai、Everett Erlich、Jean-Michel Fauve、Stuart Gerson、故Pamela Harriman、Paul Krugman、Kenneth Lay、Michael Levy、Paul London、Rebecca Mark、Dana Marshall、Jane Prokop、Dennis Riley、John Starrels、Edward Steinfeld、Richard Stern、William Sword、John Wingに感謝する。

個々の大きな問題で支援をいただいたDaniel Bell、Sidney Blumenthal、Donald Carr、Philippe de Ladoucette、Ruth Fleischer、Susan Friedman、Svetlana Gromova、Barbara Grufferman、David Hale、David Howell、Vidar Jorgensen、Barbara Kafka、Beate Lindemann、Claire Liuksila、Shelley Longmuir、Douglas MacDonald、Hashim Makaruddin、Leonardo Maugeri、Thomas Mayer、Cyril Murphy、Hugh Patrick、Pedro Sanchez、John Schmitz、Adam Shub、Peter Susser、Gloria Valentine、Gina Weiner、Clifton Winston、Mark Wolf、Mark Worthington、Joanne Youngに感謝する。

CERAの同僚からの批判、助言、支援、支持におおいに助けられた。このプロジェクトに貢献したSteve Aldrich、Simon Blakey、I. C.

に名前をあげている。なかでも、Thatcher元首相に特別の感謝の言葉を贈りたい。また、Wakeham卿にもとくに感謝したい。

われわれの同僚であり、パートナーであるJames Rosenfieldは、本書の概要を理解し、調査と執筆を進めるよう励まし、そのために必要な余地を作り出し、知的な能力を発揮して本書の構造と内容に貢献した。感謝の言葉を贈りたい。

指導をいただいた二人に特別に感謝したい。二人はどちらも、仕事面で国と市場の関係に中心的にかかわってきた。Raymond Vernon教授は、この問題を半世紀にわたって研究してきており、このテーマで執筆するにあたっては、教授から深い影響を受けないわけにはいかない。Edward Jordanは、決定的な時期にこの問題の焦点にあたる地位についている。二人とも、われわれが本書の完成までの道のりを歩んでいく過程で、いつでも助言を与えてくれた。

ICMのAmanda UrbanとJim Wiattには、協力、激励、支援を受けた。

Angela Stentはさまざまな段階に本書の原稿を読み、それぞれの段階で助言を受けた。鋭い批評と20世紀の歴史に関する学識で、大いに助けられた。

原稿を読んで大量のコメントをいただいた人たちに深く感謝している。Christopher Beauman、John Browne、Valeaary Giscard d'Estaing、Ian Hargreaves、Rudolph Penner、Nicholas X. Rizopoulos、Augusta Stanislaw、Steven R. Weismanの洞察力に満ちた徹底したコメントに助けられた。また、貴重な時間をとっていただいた。深く感謝したい。

いくつかの章にコメントをいただいたAnders Aslund、Carlos Bastos、Roger Beach、William Bonse-Geuking、Jinyong Cai、Jonathan Davidson、Vera de Laldoucette、Herbert Detharding、Benjamin

ってくれた。つねに要求が厳しく、しかも、たいていは妥協しようとしない。同時に、つねにわれわれを支え、支援をおしまず、編集者としての立場を超えて協力してくれた。おそらくは、本人が考えていた以上に協力してくれた。仕事に無条件の熱意をもっている。著者にとって、Hillsのような編集者とともに仕事ができるのは、幸運だといえる。

本書のチームに不可欠な一員になった他の人たちにも感謝したい。Bridgett Neelyは、この大がかりなプロジェクトを組織立ったものにし、調整していく役割を果たしてくれた。また、調査に貴重な貢献をし、プロジェクトの精神を保つ役割を果たしている。Meghan Oatesは、素晴らしいリサーチャーであり、本書の調査になくてはならない存在になった。不可能とも思えるほどの課題に、つねに変わらぬ忍耐と創造力で取り組んでくれた。Peter Spieglerは、鋭い感覚と学者らしい徹底した調査の姿勢をもち、歴史と経済に対する深い理解によって本書に貢献した。Johanna Kleinも大胆なリサーチャーであり、深い分析を行なってくれた。Susan Nardoneはプロジェクトの期間全体にわたって、忍耐強く、注意深く、われわれを支え、インタビューなどの側面と、それ以外の大量の作業との調整をはかってくれた。制作面では、Teresa Changが大きな圧力を受けながら素晴らしい能力を発揮して支援してくれたし、Mike KellyとGig Moineauの支援も受けた。パリでは、Dagmar Wulfが丁寧に、賢明に調整にあたり、Arnette de Milleがインタビューの過程で支援してくれた。

口絵写真に関しては、Sue Lena ThompsonとBridgett Neelyが、Siddhartha Mitterの手も借りて、1200枚に及ぶ候補のなかから、しっかりと選んでくれた。

インタビューに応じてくださった人たちには、とくに感謝している。本書のために時間をとり、見解と経験を話してくれた。「取材先」の項

謝　辞

調査と執筆の過程で、本書は当初に予定していたものよりはるかに大きなテーマを扱うことになった。21世紀について論じるようになり、20世紀の後半50年の歴史を描くようになった。その過程で数多くの人たちの力を借りており、ここに感謝の言葉を贈りたい。

本書の執筆にあたって、とくに三人から大きな影響を受けている。この三人にはとくに感謝している。

ケンブリッジ・エネルギー研究所（CERA）のSue Lena Thompson特別プロジェクト担当理事は、きわめて重要なプロジェクトとして本書の調査と執筆の過程を導いてくれた。その知性、献身、理解、確信によって、プロジェクトのすべての側面に大きく貢献した。われわれ著者より早く、本書がどのようなものになりうるかをつかんでいた。そして、考え方と人びとの相互関係について、すぐれた見方を提示した。

Siddhartha Mitterは、若い研究者であり、めったにない能力をもっている。新生アフリカをテーマにした自分の研究を一時中断して、われわれの仕事のために才能と分析能力を発揮してくれた。素晴らしい知性と、政治と経済の相互関係、変化のダイナミクスに関する独特の感覚は、得がたいものであった。Sue Lena ThompsonもSiddhartha Mitterも、難題に取り組みながら、ユーモア、気力、この仕事に不可欠な柔軟性を失わず、また、本書に対する熱意を失わなかった。

サイモン＆シュスターで本書を担当した編集者のFrederic Hillsは、本書のテーマを拡大できる可能性に気づき、われわれを激励してくれた。テーマをまとめ、われわれとともに考え、本書の組み立てにあた

———. *World Debt Tables.* New York: Oxford University Press, annual to 1998.

———. *World Development Report.* New York: Oxford University Press, annual.

Wright, Vincent, ed. *Privatization in Western Europe: Pressures, Problems, and Paradoxes.* London: Pinter Publishers, 1994.

Yeltsin, Boris. *The Struggle for Russia.* New York: Random House, 1994.

Yergin, Daniel. *The Prize: The Epic Quest for Oil, Money and Power.* New York: Simon & Schuster, 1991.

———. *Shattered Peace: The Origins of the Cold War.* New York: Houghton Mifflin, 1977.

———and Thane Gustafson. *Russia 2010 and What It Means for the World.* New York: Vintage Books, 1995.

Young, Hugo. *One of Us.* London: Pan Books, 1993.

Youngson, A. J. *The British Economy: 1920–1957.* Cambridge, Mass.: Harvard University Press, 1960.

1942.

Weber, Max. *The Protestant Ethic and the Spirit of Capitalism*. London: Unwin Hyman, 1989.

Winiecki, Jan. *Five Years After June: The Polish Transformation, 1989-1994*. Trans. Robert Clarke. London: Centre for Research into Communist Economies, 1996.

Winterton, Jonathan. *Coal, Crisis and Conflict: The 1984-85 Miners' Strike in Yorkshire*. New York: Manchester University Press, 1989.

Wirth, John D., ed. *Latin American Oil Companies and the Politics of Energy*. Lincoln: University of Nebraska Press, 1985.

Wolpert, Stanley. *Nehru: A Tryst with Destiny*. New York: Oxford University Press, 1996.

Woo, Wing Thye, Stephen Parker, and Jeffrey Sachs, eds. *Economies in Transition: Comparing Asia and East Europe*. Cambridge, Mass.: MIT Press, 1997.

Wood, Christopher. *The Bubble Economy: The Japanese Economic Collapse*. Tokyo: Charles E. Tuttle Company, 1993.

World Bank. *Adjustment in Africa: Reforms, Results, and the Road Ahead*. New York: Oxford University Press, 1994.

———. *Bureaucrats in Business: The Economics and Politics of Government Ownership*. New York: Oxford University Press, 1995.

———. *China 2020: Development Challenges in the New Century*. Washington, D.C.: World Bank, 1997.

———. *The East Asian Miracle: Economic Growth and Public Policy*. New York: Oxford University Press, 1993.

———. *Global Economic Prospects and the Developing Countries*. Washington, D.C.: World Bank, 1997.

———. *Private Capital Flows to Developing Countries: The Road to Financial Integration*. New York: Oxford University Press, 1997.

———. *Privatization and Control of State Owned Enterprises.* Washington, D. C.: World Bank, 1991.

———. *The Promise of Privatization: A Challenge for U.S. Policy.* New York: Council on Foreign Relations, 1988.

———. *Storm over the Multinationals: The Real Issues.* Cambridge, Mass.: Harvard University Press, 1977.

———. *Two Hungry Giants: The United States and Japan in the Quest for Oil and Ores.* Cambridge, Mass.: Harvard University Press, 1983.

———and Debora Spar. *Beyond Globalism: Remaking American Foreign Economic Policy.* New York: The Free Press, 1989.

Vickers, John, and George Yarrow. *Privatization: An Economic Analysis.* Cambridge, Mass.: MIT Press, 1993.

Vietor, Richard H. K. *Contrived Competition: Regulation and Deregulation in America.* Cambridge, Mass.: Harvard University Press, 1996.

Virard, Marie-Paule. *Comment Mitterrand a découvert l'économie.* Paris: Albin Michel, 1993.

Vogel, Ezra F. *The Four Little Dragons: The Spread of Industrialization in East Asia.* Cambridge, Mass.: Harvard University Press, 1991.

Vogel, Stephen. *Freer Markets, More Rules: Regulatory Reform in Advanced Industrial Countries.* Ithaca, N.Y.: Cornell University Press, 1996.

Volcker, Paul, and Toyoo Gyohten. *Changing Fortunes: The World's Money and the Threat to American Leadership.* New York: Times Books, 1992.

Wade, Robert. *Governing the Market: Economic Theory and the Role of Government in East Asian Industrialization.* Princeton: Princeton University Press, 1990.

Webb, Sidney. *The History of Trade Unionism.* New York: AMS Press, 1975.

———and Beatrice Webb. *Soviet Communism: A New Civilization?* London: Longmans, Green and Co., 1935.

———. *The Truth About Soviet Russia.* London: Longmans, Green and Co.,

1993.

———. *The Path to Power.* New York: HarperCollins, 1995.

Thurow, Lester C. *The Future of Capitalism: How Today's Economic Forces Shape Tomorrow's World.* New York: William Morrow and Company, 1996.

Timmins, Nicholas. *The Five Giants: A Biography of the Welfare State.* London: HarperCollins, 1995.

Toffler, Alvin. *The Third Wave.* New York: Morrow, 1980.

Tomlinson, Jim. *Government and the Enterprise Since 1900: The Changing Problem of Efficiency.* New York: Oxford University Press, 1994.

Tong, Hollington K. *Chiang Kai-shek.* Taipei: China Publishing Company, 1953.

Tsang, Steve. *Hong Kong: An Appointment with China.* London: I. B. Tauris, 1997.

Tsuru, Shigeto. *Japan's Capitalism: Creative Defeat and Beyond.* Cambridge, England: Cambridge University Press, 1996.

Ulč, Otto. "Czechoslovakia's Velvet Divorce." *East European Quarterly* 30 (Fall 1996)： 331-352.

Valdez, Juan Gabriel. *Pinochet's Economists: The Chicago School in Chile.* New York: Cambridge University Press, 1995.

van Agtmael, Antoine M. *Emerging Securities Markets: Investment Banking Opportunities in the Developing World.* London: Euromoney Publications, 1984.

Vargas Llosa, Alvaro. "The Press Officer." *Granta* 36 (Summer 1991).

Vargas Llosa, Mario. *A Fish in the Water: A Memoir.* Trans. Helen Lane. London: Faber and Faber, 1994.

———. *Vargas Llosa for President.* New York: Granta Publications, 1991.

Vernon, Raymond. *America's Foreign Trade and the GATT.* Princeton: Princeton University Department of Economics and Sociology, 1954.

Spence, Jonathan D., and Annping Chin. *The Chinese Century: A Photographic History of the Last Hundred Years*. New York: Random House, 1996.

Spinelli, Altiero, and Ernesto Rossi. *Il Manifesto di Ventotene*. Naples: Guida Editori, 1982.

Stein, Herbert. *Presidential Economics: The Making of Economic Policy from Roosevelt to Reagan and Beyond*. New York: Touchstone, 1985.

Stent, Angela. *Russia and Germany Reborn: Unification, the Collapse of the Soviet Union and the Future of Europe*. Princeton: Princeton University Press, forthcoming.

Stern, Joseph J., Ji-hong Kim, Dwight H. Perkins, and Jung-ho Yoo. *Industrialization and the State: The Korean Heavy and Chemical Industry Drive*. Cambridge, Mass.: Harvard Institute for International Development, 1995.

Stigler, George J. *Memoirs of an Unregulated Economist*. New York: Basic Books, 1988.

Stiglitz, Joseph E. *Whither Socialism?* Cambridge, Mass.: MIT Press, 1995.

Stockman, David A. *The Triumph of Politics: How the Reagan Revolution Failed*. New York: Harper & Row, 1986.

Sung, Yun-Wing, Pak-Wai Liu, Yue-Chim Richard Wong, and Pui-King Lau. *The Fifth Dragon: The Emergence of the Pearl River Delta*. Singapore: Addison Wesley Publishing Company, 1995.

Tanzi, Vito, and Ludger Schuknecht, "The Growth of Government and the Reform of the State in Industrial Countries," IMF Working Paper W/95/136, December 1995.

Tarbell, Ida M. *All in the Day's Work: An Autobiography*. New York: Macmillan, 1939.

Temin, Peter, with Louis Galambos. *The Fall of the Bell System: A Study in Prices and Politics*. New York: Cambridge University Press, 1987.

Thatcher, Margaret. *The Downing Street Years*. New York: HarperCollins,

Foreign Trade and Investment and Reform. Washington, D.C.: Brookings Institusion Press, 1994.

Shirley, Mary, and John Nellis. *Public Enterprise Reform: The Lessons of Experience.* Washington, D.C.: World Bank, 1991.

Shultz, George P. *Turmoil and Triumph: My Years as Secretary of State.* New York: Maxwell Macmillan International, 1993.

———and Kenneth W. Dam. *Economic Policy Behind the Headlines.* New York: W. W. Norton, 1977.

Singer, Charles, E. J. Holmyard, A. R. Hall, and Trevor I. Williams, eds. *A History of Technology.* 8 vols. Oxford: Clarendon Press, 1980.

Singh, Manmohan. *India's Export Trends and the Prospects for Self-Sustained Growth.* Oxford: Clarendon Press, 1964.

Skidelsky, Robert. *Beyond the Welfare State.* London: Social Market Foundation, 1997.

———. *Interests and Obsessions: Historical Essays.* London: Macmillan, 1994.

———. *John Maynard Keynes.* 3 vols. London: Macmillan, 1983-1994.

———. *Keynes.* Oxford: Oxford University Press, 1996.

———, ed. *Thatcherism.* London: Chatto & Windus, 1988.

———. *The World After Communism.* London: Macmillan, 1995.

Skidmore, Thomas E., and Peter H. Smith. *Modern Latin America.* New York: Oxford University Press, 1992.

Smith, Adam. *The Wealth of Nations.* New York: Modern Library, 1994.

Smith, William C. *Authoritarianism and the Crisis of the Argentine Political Economy.* Palo Alto: Stanford University Press, 1991.

Solovyov, Vladimir, and Elena Klepikova. *Boris Yeltsin: A Political Biography.* Trans. David Gurevich. New York: G. P. Putnam's Sons, 1992.

Sopel, Jon. *Tony Blair: The Moderniser.* London: Bantam Books, 1995.

Soros, George. "The Capitalist Threat." *The Atlantic Monthly* (February 1997).

Rosenberg, Nathan. *The Emergence of Economic Ideas: Essays in the History of Economics.* Aldershot, Hants, England: Edward Elgar, 1994.

Rotunda, Ronald D. "The 'Liberal' Label: Roosevelt's Capture of a Symbol." *Public Policy* 17 (1968) : 377-408.

Sachs, Jeffrey. *Poland's Jump to the Market Economy.* Cambridge, Mass.: MIT Press, 1994.

Sakakibara, Eisuke. *Beyond Capitalism: The Japanese Model of Market Economics.* Lanham, Md.: University Press of America, 1993.

Salmon, Keith. *The Modern Spanish Economy: Transformation & Integration into Europe.* London: Pinter, 1995.

Samuels, Warren J., ed. *The Chicago School of Political Economy.* New Brunswick, N.J.: Transaction Publishers, 1993.

Schlesinger, Arthur M., Jr. *The Age of Roosevelt.* 3 vols. Boston: Houghton Mifflin Company, 1988.

———. *A Thousand Days: John F. Kennedy in the White House.* Greenwich, Conn.: Fawcett, 1965.

Schmidt, Vivien A. *From State to Market? The Transformation of French Business and Government.* New York: Cambridge University Press, 1996.

Schubert, Aurel. *The Credit-Anstalt Crisis of 1931.* Cambridge, England: Cambridge University Press, 1991.

Schumpeter, Joseph A. *Capitalism, Socialism, and Democracy.* London: Routledge, 1994.

Seagrave, Sterling. *Lords of the Rim: Invisible Empire of the Overseas Chinese.* New York: G. P. Putnam's Sons, 1995.

Shearmur, Jeremy. *Hayek and After: Hayekian Liberalism as a Research Programme.* London: Routledge, 1996.

Shevtsova, Lilia. *Yeltsin's Russia: Challenges and Constraints.* Moscow: Carnegie Center, 1997.

Shirk, Susan L. *How China Opened its Door: The Political Success of the Prc's*

Overholt, William H. *The Rise of China: How Economic Reform Is Creating a New Superpower.* New York: W. W. Norton & Company, 1993.

Patrick, Hugh. "Crumbling or Transforming? Japan's Economic Success and Its Postwar Economic Institutions." Working Paper 98, Columbia Business School, September 1995.

Perkins, Dwight. "Completing China's Move to the Market." *Journal of Economic Perspectives* 8 (Spring 1994) : 23-46.

Pond, Elizabeth. *Beyond the Wall: Germany's Road to Unification.* Washington, D.C.: Brookings Institution, 1993.

Pulzer, Peter. *German Politics, 1945-1995.* Oxford: Oxford University Press, 1995.

Ramamurti, Ravi, and Raymond Vernon, eds. *Privatization and Control of State-owned Enterprises.* Washington, D.C.: World Bank, 1995.

Ramanadham, V. V. *Privatization and After: Monitoring and Regulation.* London: Routledge, 1994.

———. ed. *Privatization and Equity.* London: Routledge, 1995.

Reason Foundation. *Privatization.* Annual, 1996.

Reder, Melvin. "Chicago Economics: Permanence and Change." *Journal of Economic Literature* (March 1982) .

Reich, Robert. *Locked in the Cabinet.* New York: Alfred A. Knopf, 1997.

Remnick, David. *Lenin's Tomb: The Last Days of the Soviet Union.* New York: Random House, 1993.

Roberts, Jane, David Elliott, and Trevor Houghton. *Privatising Electricity: The Politics of Power.* London: Bellhaven Press, 1991.

Roberts, Kenneth M. "Neoliberalism and the Transformation of Populism in Latin America: The Peruvian Case." *World Politics* 48 (October 1995) .

Rohwer, Jim. *Asia Rising: Why America Will Prosper as Asia's Economies Boom.* New York: Simon & Schuster, 1995.

Roll, Eric. *A History of Economic Thought.* London: Faber and Faber, 1992.

Nehru, Jawaharlal. *The Discovery of India.* New Delhi: Oxford University Press, 1989. Originally published in 1946.

Neikirk, William R. *Volcker: Portrait of the Money Man.* New York: Congdon & Weed, 1987.

Niskanen, William A. *Reaganomics: An Insider's Account of the Policies and the People.* New York: Oxford University Press, 1988.

Nivola, Pietro S., ed. *Comparative Disadvantages? Social Regulations and the Global Economy.* Washington, D.C.: Brookings Institution, 1997.

Nixon, Richard. *RN: The Memoirs of Richard Nixon.* New York: Grosset & Dunlap, 1978.

Nkrumah, Kwame. *The Autobiography of Kwame Nkrumah.* London: Thomas Nelson and Sons, 1961.

Noguchi, Yukio. "The 1940s System." Manuscript.

Novak, William J. *The People's Welfare: Law & Regulation in Nineteenth Century America.* Chapel Hill: University of North Carolina, 1997.

Nove, Alec. *An Economic History of the U.S.S.R.* London: Penguin Books, 1969.

Nye, Joseph, Jr. *Bound to Lead: The Changing Nature of American Power.* New York: Basic Books, 1990.

Ohmae, Kenichi. *The End of the Nation State: The Rise of Regional Economies.* London: HarperCollins, 1995.

———. *The Borderless World: Power and Strategy in the Interlinked Economy.* New York: HarperBusiness, 1990.

Okun, Arthur M. *Equality and Efficiency: The Big Tradeoff.* Washington, D.C.: Brookings Institution, 1975.

Oliver, Robert W. *George Woods and the World Bank.* Boulder, Colo.: Lynne Rienner Publishers, 1995.

Ostry, Sylvia. *The Post-Cold War Trading System: Who's on First?* Chicago: University of Chicago Press, 1997.

McCraw, Thomas K. *Prophets of Regulation.* Cambridge, Mass.: Belknap Press of Harvard University Press, 1984.

McDonald, Forrest. *Insull.* Chicago: University of Chicago Press, 1962.

Meier, Gerald M., and Dudley Seers, eds. *Pioneers in Development.* New York: Oxford University Press, 1984.

Menem, Carlos, and Roberto Dromi. *Reforma del Estado y Transformación Nacional.* Buenos Aires: Ciencias de la Administración S.R.L., 1990.

Milesi, Gabriel. *Jacques Delors: L'homme qui dit non.* Paris: Edition 1, 1995.

Milward, Alan S. *The German Economy at War.* London: Athlone Press, 1965.

———. *The Reconstruction of Western Europe 1945-51.* London: Methuen & Co., 1984.

Morishima, Michio. *Why Has Japan "Succeeded"? Western Technology and the Japanese Ethos.* Cambridge, England: Cambridge University Press, 1982.

Morris, Dick. *Behind the Oval Office.* New York: Random House, 1997.

Morrison, Steven A., and Clifford Winston. *The Evolution of the Airline Industry.* Washington, D.C.: Brookings Institution, 1995.

Mosley, Paul, Jane Harrigan, and John Toye. *Aid and Power: The World Bank & Policy-Based Lending,* vols. 1 and 2. London: Routledge, 1991.

Mowry, George E. *The Era of Theodore Roosevelt: 1900-1912.* New York: Harper & Brothers, 1958.

Moxon, James. *Volta: Man's Greatest Lake.* London: Andre Deutsch, 1984.

Moynihan, Daniel Patrick. *Miles to Go: A Personal History of Social Policy.* Cambridge, Mass.: Harvard University Press, 1996.

Muller, Jerry Z. *Adam Smith in His Time and Ours.* Princeton: Princeton University Press, 1993.

Naim, Moises. "Latin America: Post-Adjustment Blues." *Foreign Policy* 92 (Fall 1993): 133-150.

———. *Latin America's Journey to the Market: From Macroeconomic Shocks to Institutional Therapy.* San Francisco: ICS Press, 1995.

Li, Kwoh-ting. *Economic Transformation of Taiwan, ROC.* London: Shepheard Publishers, 1988.

———. *The Evolution of Policy Behind Taiwan's Development Success.* New Haven: Yale University Press, 1988.

Lieberthal, Kenneth. *Governing China: From Revolution Through Reform.* New York: W. W. Norton & Company, 1995.

Liu, Alan P. L. *The Phoenix and the Lame Lion: Modernization in Taiwan and Mainland China 1950-1980.* Stanford: Hoover Institution Press, 1987.

Lodge, Juliet, ed. *European Union: The European Community in Search of a Future.* London: Macmillan, 1986.

MacFarquhar, Roderick. "Deng's Last Campaign." *New York Review of Books,* December 17, 1992.

Macintyre, Andrew. *Business and Politics in Indonesia.* Kensington, Australia: Allen & Unwin, 1991.

Macmillan, Harold. *Tides of Fortune: 1945-1955.* New York: Harper & Row, 1969.

Mahathir, Mohamad. *Malaysia: The Way Forward: Vision 2020.* Working paper presented at the inaugural meeting of the Malaysian Business Council, February 28, 1991.

———. *The Malay Dilemma.* Singapore: Times Books, 1970.

Maier, Charles. *Dissolution: The Crisis of Communism and the End of East Germany.* Princeton: Princeton University Press, 1997.

Marsh, David. *Germany and Europe: The Crisis of Unity.* London: Heinemann, 1994.

Mason, Edward Sagendorph, and Robert Asher. *The World Bank Since Bretton Woods.* Washington, D.C.: Brookings Institution Press, 1973.

Mayer, Martin. *The Bankers: The Next Generation.* New York: Truman Talley Books, 1997.

Mayne, Richard. *The Recovery of Europe: 1945-1973.* Garden City, N.Y.: Anchor Books, 1973.

Kurtzman, Joel. *The Death of Money: How the Electronic Economy Has Destabilized the World's Markets and Created Financial Chaos.* New York: Simon & Schuster, 1993.

Kuttner, Robert. *Everything for Sale: The Virtues and Limits of Markets.* New York: Alfred A. Knopf, 1997.

Lam, Willy Wo-Lap. *China After Deng Xiaoping: The Power Struggle in Beijing Since Tiananmen.* Singapore: John Wiley & Sons, 1995.

Landis, James. *The Administrative Process.* New Haven: Yale University Press, 1938.

Lawrence, Robert Z. *Single World, Divided Nations: International Trade and OECD Labor Markets.* Paris: Organization for Economic Cooperation and Development, 1996.

Lawson, Nigel. *The View from No. 11: Memoirs of a Tory Radical.* London: Corgi Books, 1993.

Lazear, Edward P., ed. *Economic Transition in Eastern Europe and Russia: Realities of Reform.* Stanford: Hoover Institution Press, 1995.

Lear, John, and Joseph Collins. "Working in Chile's Free Market." *Latin American Perspectives* 84 (Winter 1995) : 10-29.

Lee, Chae-jin. *Zhou Enlai: The Early Years.* Stanford: Stanford University Press, 1994.

Lee, Susan. *Hands Off: Why the Government Is a Menace to Economic Health.* New York: Simon & Schuster, 1995.

Leibfried, Stephan, and Paul Pierson, eds. *European Social Policy: Between Fragmentation and Integration.* Washington, D.C.: Brookings Institution Press, 1995.

Lenin, V. I. *Collected Works,* vols. 32, 33. Moscow: Progress Publishers, 1965.

Leuchtenberg, William E. *The Perils of Prosperity: 1914-32.* Chicago: University of Chicago Press, 1993.

———. *The FDR Years: On Roosevelt and His Legacy.* New York: Columbia University Press, 1995.

Kindleberger, Charles P. *Europe's Postwar Growth: The Role of Labor Supply.* Cambridge, Mass.: Harvard University Press, 1967.

———. *World Economic Primacy: 1500-1990.* New York: Oxford University Press, 1996.

———. *The World in Depression: 1929-39.* London: Allen Lane Penguin, 1973.

Klaus, Václav. *Renaissance: The Rebirth of Liberty in the Heart of Europe.* Washington, D.C.: Cato Institute, 1997.

Klein, Peter, ed. *The Fortunes of Liberalism: The Collected Works of F. A. Hayek.* London: Routledge, 1992.

Kohnstamm, Max. *The European Community and Its Role in the World.* Columbia: University of Missouri Press, 1964.

Kornai, János. *The Socialist System: The Political Economy of Communism.* Princeton: Princeton University Press, 1992.

Kosai, Yutaka. *The Era of High-Speed Growth: Notes on the Postwar Japanese Economy.* Trans. Jacqueline Kaminski. Tokyo: University of Tokyo Press, 1986.

Kotlikoff, Laurence J., and Jeffrey Sachs. "Privatizing Social Security." *The Brookings Review* 15(3) (Summer 1997) : 16-24.

Krauze, Enrique. *Mexico: Biography of Power. A History of Modern Mexico, 1810-1996.* Trans. Hank Heifetz. New York: HarperCollins, 1997.

Kresge, Stephen, and Leif Wenar, eds. *Hayek on Hayek: An Autobiographical Dialogue.* London: Routledge, 1994.

Kristol, Irving. *Neoconservativism: The Autobiography of an Idea.* New York: Free Press, 1995.

Krugman, Paul. *The Age of Diminished Expectations: U.S. Economic Policy in the 1990s.* Cambridge, Mass.: MIT Press, 1995.

———. *Peddling Prosperity: Economic Sense and Nonsense in the Age of Diminished Expectations.* New York: W. W. Norton & Company, 1994.

———. *Pop Internationalism.* Cambridge, Mass.: MIT Press, 1997.

———. *Geography and Trade.* Cambridge, Mass.: MIT Press, 1993.

New York: W. W. Norton & Company, 1995.

Johnson, Christopher. *The Economy Under Mrs. Thatcher, 1979-1990.* London: Penguin Books, 1991.

Joshi, Vijay, and I. M. D. Little. *India's Economic Reform 1991-2001.* New York: Oxford University Press, 1996.

Kahn, Alfred. *Economics of Regulation: Principles and Institutions.* New York: Wiley, 1970.

Kanter, Rosabeth Moss. *World Class: Thriving Locally in the Global Economy.* New York: Simon & Schuster, 1995.

———. *When Giants Learn to Dance: Mastering the Challenge of Strategy, Management, and Careers in the 1990s.* New York: Simon & Schuster, 1989.

Kaplan, Justin. *Lincoln Steffens: A Biography.* New York: Simon & Schuster, 1974.

Kapstein, Ethan B. *Governing the Global Economy: International Finance and the State.* Cambridge, Mass.: Harvard University Press, 1996.

Kelkar, Vijay L., and V. V. Bhanoji Rao. *India Development Policy Imperatives.* New Delhi: Tata McGraw-Hill, 1996.

Kenwood, A. G., and A. L. Lougheed. *The Growth of the International Economy, 1820-1960.* London: George Allen & Unwin, 1975.

Keynes, John Maynard. *The General Theory of Employment, Interest and Money.* London: Macmillan, 1936.

Khatkhate, Deena. "Intellectual Origins of Indian Economic Reform." *World Development* 22(7) (1994) : 1097-1102.

Khrushchev, Nikita. *Khrushchev Remembers.* 2 vols. Trans. Jerrold L. Schecter. Harmondsworth: Penguin, 1977.

Kikeri, Sunita, John Nellis, and Mary Shirley. *Privatization: The Lessons of Experience.* Washington, D.C.: World Bank, 1994.

Killick, Tony. *Development Economics in Action: A Study of Economic Policies in Ghana.* London: Heinemann, 1978.

New Haven: Yale University Press, 1994.

Horne, Alistair. *Harold Macmillan.* 2 vols. New York: Viking Penguin, 1989.

Hough, Jerry F., Evelyn Davidheiser, and Susan Goodrich Lehmann. *The 1996 Russian Presidential Election.* Brookings Occasional Papers. Washington, D.C.: Brookings Institution Press, 1996.

Howard, Philip K. *The Death of Common Sense: How Law Is Suffocating America.* New York: Warner Books, 1994.

Howe, Geoffrey. *Conflict of Loyalty.* London: Pan Books, 1995.

Huff, W. G. *The Economic Growth of Singapore: Trade and Development in the Twentieth Century.* Cambridge, England: Cambridge University Press, 1997.

Huntington, Samuel P. *The Clash of Civilizations and the Remaking of World Order.* New York: Simon & Schuster, 1996.

Interamerican Development Bank. Papers presented at Development Thinking and Practice Conference, Washington, D.C., September 3-5, 1996.

International Finance Corporation. *Emerging Stock Markets Factbook, 1997.* Washington, D.C.: IFC, 1997.

International Monetary Fund. *World Economic Outlook: EMU and the World Economy.* Washington, D.C.: IMF, 1997.

Irwin, Douglas A. *Against the Tide: An Intellectual History of Free Trade.* Princeton: Princeton University Press, 1996.

Jadresic, Alejandro. "Reforms in Latin American Energy Markets." Presented at the 15th Annual CERA Executive Conference on "Global Energy Strategies: Looking over the Horizon," February 13-14, 1996, Houston, Texas.

Jayarajah, Carl, and William Branson. *Structural and Sectoral Adjustment: World Bank Experience,* 1980-1992. Washington, D.C.: World Bank, 1995.

Jenkins, Simon. *Accountable to None: The Tory Nationalization of Britain.* London: Penguin Books, 1996.

Johnson, Chalmers. *Japan: Who Governs? The Rise of the Developmental State.*

Berkeley: University of California Press, 1980.

Harris, Kenneth. *Attlee.* London: Weidenfeld & Nicolson, 1982.

Hayek, F. A. *The Constitution of Liberty.* Chicago: University of Chicago Press, 1960.

———. *Hayek on Hayek: An Autobiographical Dialogue.* Chicago: University of Chicago Press, 1994.

———. *Individualism and Economic Order.* Chicago: University of Chicago Press, 1980.

———. *The Road to Serfdom.* Chicago: University of Chicago Press, 1994.

Healey, Denis. *The Time of My Life.* London: Penguin, 1990.

Heilbroner, Robert. *21st Century Capitalism.* New York: W. W. Norton & Company, 1994.

———. *The Worldly Philosophers.* London: Penguin, 1983.

Hennessy, Peter. *Never Again.* London: Vintage Books, 1993.

———. *Whitehall.* London: Fontana Press, 1990.

Herring, Richard J., and Robert E. Litan. *Financial Regulation in the Global Economy.* Washington, D.C.: Brookings Institution, 1995.

Hirschman, Albert O., ed. *Essays in Trespassing: Economics to Politics and Beyond.* Cambridge, England: Cambridge University Press, 1981.

Hoffmann, Stanley. *In Search of France: The Economy, Society and Political System in the Twentieth Century.* Cambridge, Mass.: Harvard University Press, 1963.

Hoge, James F., Jr. "Fulfilling Brazil's Promise: A Conversation with President Cardoso." *Foreign Affairs* (July-August 1995) : 62-75.

Hojman, David. "The Political Economy of Recent Conversions to Market Economies in Latin America." *Journal of Latin American Studies 26* (February 1994) : 191-219.

Holden, Paul, and Sarath Rajapatirana. *Unshackling the Private Sector: A Latin American Story.* Washington, D.C.: World Bank, 1995.

Holloway, David. *Stalin and the Bomb: The Soviet Union and Atomic Energy.*

Greider, William. *One World, Ready or Not: The Manic Logic of Global Capitalism*. New York: Simon & Schuster, 1998.

———. *Secrets of the Temple: How the Federal Reserve Runs the Country*. New York: Simon & Schuster, 1987.

Gustafson, Thane. *Crisis amid Plenty: The Politics of Soviet Energy Under Brezhnev and Gorbachev*. Princeton: Princeton University Press, 1989.

———. *Capitalism Russian Style*. Cambridge, England: Cambridge University Press, forthcoming.

Haggard, Stephan. *Pathways from the Periphery: The Politics of Growth in the Newly Industrializing Countries*. Ithaca, N.Y.: Cornell University Press, 1990.

———. *Developing Nations and the Politics of Global Integration*. Washington, D.C.: Brookings Institution, 1995.

Halberstam, David. *The Reckoning*. New York: Avon Books, 1987.

Halcrow, Morrison. *Keith Joseph: A Single Mind*. London: Macmillan Press, 1989.

Haldeman, H. R. *The Haldeman Diaries: Inside the Nixon White House*. New York: G. P. Putnam's Sons, 1994.

Hale, David. "How the Rise of Pension Funds Will Change the Global Economy in the 21st Century."

Hall, Peter. *Governing the Economy: The Politics of State Intervention in Britain and France*. New York: Oxford University Press, 1986.

Handelman, Stephen. *Comrade Criminal: The Theft of the Second Russian Revolution*. London: Michael Joseph, 1994.

Hanson, Albert H. *The Process of Planning: A Study of India's Five-Year Plans*. London: Oxford University Press, 1966.

Harberger, Arnold C. "Secrets of Success: A Handful of Heroes (Political Economy of Policy Reform: Is There a Second Best?)." *American Economic Review* (May 1993) : 343-351.

Hardach, Karl. *The Political Economy of Germany in the Twentieth Century*.

Gaidar, Yegor, and Karl Otto Pöhl. *Russian Reform/International Money.* Cambridge, Mass.: MIT Press, 1995.

Galbraith, John Kenneth. *The Affluent Society.* London: H. Hamilton, 1958.

———. *The Great Crash 1929.* Boston: Houghton Mifflin, 1954.

———. *The World Economy Since the Wars: A Personal View.* London: Mandarin, 1995.

Giddens, Anthony. *Beyond Left and Right: The Future of Radical Politics.* Cambridge, Mass.: Polity Press, 1994.

Giersch, Herbert, Karl-Heinz Paqué, and Holger Schmieding. *The Fading Miracle: Four Decades of Market Economy in Germany.* Cambridge, England: Cambridge University Press, 1992.

Gilbert, Martin. *Winston S. Churchill,* vol. 8, *Never Despair 1945-1965.* Boston: Houghton Mifflin, 1988.

Goodman, David S. G. *Deng Xiaoping and the Chinese Revolution.* London: Routledge, 1994.

———and Gerald Segal, eds. *China Deconstructs.* London: Routledge, 1994.

———. *China Without Deng.* Sydney: Editions Tom Thompson, 1995.

Gorbachev, Mikhail. *Memoirs.* New York: Doubleday, 1995.

Gore, Al. *Common Sense: Works Better and Costs Less.* New York: Random House, 1995.

———. *Earth in the Balance: Ecology and the Human Spirit.* Boston: Houghton Mifflin, 1992.

Graham, Otis, Jr. *Toward a Planned Society.* New York: Oxford University Press, 1976.

Grant, Charles. *Delors: Inside the House That Jacques Built.* London: Nicholas Brealey, 1994.

Gray, John. *The Moral Foundations of Market Institutions.* London: The IEA Health and Welfare Unit, 1992.

Greenleaf, W. H. *The British Political Tradition.* 2 vols. London: Methuen & Co., 1983.

University of Chicago Press, 1994.

Ferdinand, Peter, ed. *Take-off for Taiwan?* London: Royal Institute of International Affairs, 1996.

Fewsmith, Joseph. *Dilemmas of Reform in China: Political Conflict and Economic Debate.* Armonk: M. E. Sharpe, 1994.

Foss, Nicolai Juul. *The Austrian School and Modern Economics: Essays in Reassessment.* Copenhagen: Handelshøjskolens Forlag, 1994.

Foster, Christopher D. *Privatization, Public Ownership and the Regulation of Natural Monopoly.* Oxford: Blackwell, 1992.

Foxley, Alejandro. *Latin American Experiments in Neo-Conservative Economics.* Berkeley: University of California Press, 1983.

Francis, John. *The Politics of Regulation: A Comparative Perspective.* Oxford: Blackwell, 1993.

Friedman, Benjamin M. *Day of Reckoning: The Consequences of American Economic Policy.* New York: Vintage Books, 1989.

Friedman, Milton. *Capitalism and Freedom.* Chicago: University of Chicago Press, 1982.

———. *Free to Choose.* New York: Harcourt Brace Jovanovich, 1980.

———. "The Nobel Prize in Economics, 1976: A Talk by Milton Friedman." Speech delivered at the Income Distribution Conference sponsored by the Hoover Institution at Stanford University, January 29, 1977.

———and George Stigler. "Roofs or Ceilings? The Current Housing Problem." *Popular Essays on Current Problems,* vol. 1, no. 2 (September 1946).

Frydman, Roman, Andrzej Rapaczynski, and John S. Earle, eds. *The Privatization Process in Central Europe.* Budapest: Central European University Press, 1993.

Fukuyama, Francis. *The End of History and the Last Man.* New York: Free Press, 1992.

Fyrth, Jim, ed. *Labour's High Noon: The Government and the Economy 1945-51.* London: Lawrence & Wishart, 1993.

Drew, Elizabeth. *On the Edge: The Clinton Presidency.* New York: Simon & Schuster, 1994.

———*Showdown: The Struggle Between the Gingrich Congress and the Clinton White House.* New York: Touchstone, 1997.

Duchêne, François. *Jean Monnet: The First Statesman of Interdependence.* New York: W. W. Norton & Company, 1994.

Durbin, Elizabeth. *New Jerusalems: The Labour Party and the Economics of Democratic Socialism.* London: Routledge, 1985.

Edwards, Sebastian. *Crisis and Reform in Latin America: From Despair to Hope.* Oxford: Oxford University Press for the World Bank, 1995.

Einaudi, Mario, Maurice Byé, and Ernesto Rossi. *Nationalization in France and Italy.* Ithaca, N.Y.: Cornell University Press, 1955.

Ekiert, Grzegorz. *The State Against Society: Political Crises and Their Aftermath in East Central Europe.* Princeton: Princeton University Press, 1996.

Enright, Michael J., Edith E. Scott, and David Dodwell. *The Hong Kong Advantage.* Hong Kong: Oxford University Press, 1997.

European Bank for Reconstruction and Development. *Transition Report.* London: EBRD, annual.

European Community. *Battling for the Union: Altiero Spinelli 1979-1986.* Luxembourg: European Community Press, 1988.

Evans, Richard. *Deng Xiaoping and the Making of Modern China.* London: Penguin Books, 1993.

Fairbank, John King. *China: A New History.* Cambridge, Mass.: Belknap Press of Harvard University Press, 1992.

Fallows, James. *Looking at the Sun: The Rise of the New East Asian Economic and Political System.* New York: Pantheon, 1994.

Febrero, Ramon, and Pedro S. Schwartz, eds. *The Essence of Becker.* Stanford: Hoover Institution Press, 1995.

Feldstein, Martin, ed. *American Economic Policy in the 1980s.* Chicago:

D.C.: U.S. Government Printing Office, 1997.

Crook, Clive, ed. "The Future of the State: A Survey of the World Economy." *The Economist* (September 20-26, 1997).

Crossman, R. H. S., ed., *The God That Failed*. New York: Harper, 1949.

Dahrendorf, Ralf. *A History of the London School of Economics and Political Science: 1895-1995*. Oxford: Oxford University Press, 1995.

Dam, Kenneth W. *The GATT: Law and International Economic Organization*. Chicago: University of Chicago Press, 1970.

———. *The Rules of the Game: Reform and Evolution in the International Monetary System*. Chicago: University of Chicago Press, 1982.

Darman, Richard. *Who's In Control? Polar Politics and the Sensible Center*. New York: Simon & Schuster, 1996.

Delors, Jacques. *Our Europe: The Community and National Development*. Trans. Brian Pearce. London: Verso, 1992.

———. *L'Unité d'un homme: Entretiens avec Dominique Wolton*. Paris: Éditions Odile Jacob, 1994.

DeMuth, Christopher, and William Kristol, eds. *The Neoconservative Imagination*. Washington, D.C.: AEI Press, 1995.

Deng Mao-mao. *Deng Xiaoping: My Father*. New York: Basic Books, 1995.

Dominguez, Jorge I., ed. *Technopols: Freeing Politics and Markets in Latin America in the 1990s*. University Park: Pennsylvania State University Press, 1997.

Donaldson, David J. *Privatization: Principles and Practice*. Lessons of Experience Series from the International Finance Corporation. Washington, D.C.: World Bank, 1995.

Donoghue, Bernard. *Prime Minister: The Conduct of Policy Under Harold Wilson and James Callaghan*. London: Jonathan Cape, 1987.

Dornbusch, Rudiger, and F. Leslie C. H. Helmers, eds. *The Open Economy: Tools for Policymakers in Developing Countries*. New York: Oxford University Press for the World Bank, 1988.

Macmillan, 1950-53.

Cassen, Robert, and Vijay Joshi, eds. *India: The Future of Economic Reform.* New Delhi: Oxford University Press, 1995.

Chakravarty, Sukhamoy. *Selected Economic Writings.* New Delhi: Oxford University Press, 1993.

———. *Development Planning: The Indian Experience.* Oxford: Clarendon Press, 1987.

Chertow, Martin R., and Daniel Esty. *Thinking Ecologically: The Next Generation on Environmental Policy.* New Haven: Yale University Press, 1997.

Clawson, Marion. *New Deal Planning: The National Resources Planning Board.* Baltimore: Johns Hopkins University Press, 1981.

Cockett, Richard. *Thinking the Unthinkable: Think-tanks and the Economic Counter-Revolution, 1931-1983.* London: Fontana Press, 1995.

Colclough, Christopher, and James Manor, eds. *States or Markets? Neo-liberalism and the Development Policy Debate.* Oxford: Oxford University Press, 1995.

Conaghan, Catherine M., James M. Malloy, and Luis A. Abugattas. "Business and the 'Boys': The Politics of Neoliberalism in the Central Andes." *Latin American Research Review* ns32 (Spring 1990): 3-30.

Congressional Budget Office. *The Economic and Budget Outlook: Fiscal Years 1998-2007.* Washington, D.C.: Congressional Budget Office, 1997.

Congressional Research Service. "Market-based Environmental Management: Issues and Implementation." Washington, D.C.: Congressional Research Service, 1994.

Constable, Pamela, and Arturo Valenzuela. *A Nation of Enemies: Chile Under Pinochet.* New York: W. W. Norton & Company, 1991.

Coopey, Richard, and Nicholas Woodward, eds. *Britain in the 1970s: The Troubled Economy.* London: University College London Press, 1996.

Council of Economic Advisers. *Economic Report of the President.* Washington,

———. *Regulation and Its Reform.* Cambridge: Harvard University Press, 1982.

Brinkley, Alan. *The End of Reform: New Deal Liberalism in Recession and War.* New York: Vintage Books, 1995.

Brittan, Samuel. *Capitalism with a Human Face.* London: Fontana Press, 1995.

Bryan, Lowell, and Diana Farrell. *Market Unbound: Unleashing Global Capitalism.* New York: John Wiley & Sons, 1996.

Burkhardt, Robert. *CAB—The Civil Aeronautics Board.* Dulles International Airport: Green Hills Publishing Company, 1974.

Burki, Shahid Javed, and Sebastian Edwards. *Dismantling the Populist State: The Unfinished Revolution in Latin America and the Caribbean.* Washington, D.C.: The World Bank, 1996.

Cairncross, Alec. *Years of Recovery: British Economic Policy, 1945-1951.* London: Methuen, 1985.

Caldwell, Bruce, ed. *The Collected Works of F. A. Hayek,* vol. 9, *Contra Keynes and Cambridge, Essays, Correspondence.* London: Routledge, 1995.

Cambridge Energy Research Associates. *Former Soviet Union Watch.* Various editions.

Campos, Jose Edgardo, and Hilton L. Root. *The Key to the Asian Miracle: Making Shared Growth Credible.* Washington, D.C.: Brookings Institution, 1996.

Cannon, Lou. *Reagan.* New York: G. P. Putnam's Sons, 1982.

———. *President Reagan: The Role of a Lifetime.* New York: Simon & Schuster, 1991.

Caplan, Lincoln. *Up Against the Law: Affirmative Action and the Supreme Court.* New York: Twentieth Century Fund Press, 1997.

Cardoso, Fernando Henrique, and Enzo Faletto. *Dependency and Development in Latin America.* Berkeley: University of California Press, 1979.

Caron, François. *An Economic History of Modern France.* Trans. Barbara Bray. New York: Columbia University Press, 1979.

Carr, Edward Hallett. *The Bolshevik Revolution, 1917-1923.* 3 vols. London:

Benn, Tony. *Against the Tide: Diaries 1973–76.* London: Hutchinson, 1989.

Berger, Suzanne, and Ronald Dore, eds. *National Diversity and Global Capitalism.* Ithaca, N.Y.: Cornell University Press, 1991.

Berliner, Joseph S. *The Innovation Decision in Soviet Industry.* Cambridge, Mass.: MIT Press, 1976.

Bernstein, Richard, and Ross H. Munro. *The Coming Conflict with China.* New York: Alfred A. Knopf, 1997.

Bhagwati, Jagdish. *India in Transition: Freeing the Economy.* Oxford: Oxford University Press, 1995.

Bishop, Matthew, John Kay, and Colin Mayer, eds. *The Regulatory Challenge.* Oxford: Oxford University Press, 1995.

Blasi, Joseph A., Maya Kroumova, and Douglas Kruse. *Kremlin Capitalism: Privatizing the Russian Economy.* Ithaca, N.Y.: Cornell University Press, 1997.

Booth, Anne, ed. *The Oil Boom and After: Indonesian Economic Policy and Performance in the Soeharto Era.* Shah Alam, Malaysia: Oxford University Press, 1995.

Bosworth, Barry P., Rudiger Dornbusch, and Raúl Labân, eds. *The Chilean Economy: Policy Lessons and Challenges.* Washington, D.C.: Brookings Institution, 1994.

Boycko, Maxim, Andrei Shleifer, and Robert Vishny. *Privatizing Russia.* Cambridge, Mass.: MIT Press, 1995.

Brady, Kathleen. *Ida Tarbell: Portrait of a Muckraker.* New York: SeaviewshPutnam, 1984.

Breit, William, and Roger W. Spencer, eds. *Lives of the Laureates: Seven Nobel Economists.* Cambridge, Mass.: MIT Press, 1986.

Bresnan, John. *Managing Indonesia: The Modern Political Economy.* New York: Columbia University Press, 1993.

Breyer, Stephen. *Breaking the Vicious Circle: Toward Effective Risk Regulation.* Cambridge, Mass.: Harvard University Press, 1994.

1989.

Barnet, Richard. *The Alliance: America, Europe, Japan, Makers of the Postwar World.* New York: Simon & Schuster, 1983.

Barro, Robert J. *Getting It Right: Markets and Choices in a Free Society.* Cambridge, Mass.: MIT Press, 1996.

Bartley, W. W., III, ed. *The Collected Works of Friedrich August Hayek,* vol. 1, *The Fatal Conceit: The Errors of Socialism.* London: Routledge, 1988.

Bastos, Carlos Manuel, and Manuel Angel Abdala. *Reform of the Electric Power Sector in Argentina.* Trans. Inès Drannly and Suzzane Maia. Buenos Aires, 1996. Bauer, P. T. *Dissent on Development.* Cambridge, Mass.: Harvard University Press, 1979.

———. *West African Trade: A Study of Competition, Oligopoly and Monopoly in a Changing Economy.* Cambridge, England: Cambridge University Press, 1954.

Baum, Richard. *Burying Mao: Chinese Politics in the Age of Deng Xiaoping.* Princeton: Princeton University Press, 1996.

Beauman, Christopher. "The Turnaround: British Steel Corporation from the Mid-1970s to the Mid-1980s—And Beyond." Centre for Economic Performance, London School of Economics, April 23, 1996.

Becker, Gary S. *Human Capital and the Personal Distribution of Income.* Ann Arbor, Mich.: Institute of Public Administration, 1967.

———and Guity Nashat Becker. *The Economics of Life: From Baseball to Affirmative Action to Immigration, How Real-World Issues Affect Our Everyday Life.* New York: McGraw-Hill, 1997.

Beckner, Stephen K. *Back from the Brink: The Greenspan Years.* New York: John Wiley & Sons, Inc., 1996.

Beesley, E. M., ed. *Utility Regulation: Challenge and Response.* London: Institute of Economic Affairs, 1995.

Bell, Daniel. *The Cultural Contradictions of Capitalism.* New York: Basic Books, 1976.

参考文献

Aharoni, Yari. *The Evolution and Management of State Owned Enterprises.* Cambridge, Mass.: Ballinger Publishing Company, 1986.

Akbar, M. J. *Nehru: The Making of India.* London: Viking Penguin Group, 1988.

Allen, Frederick Lewis. *Only Yesterday: An Informal History of the Nineteen-Twenties.* New York: Blue Ribbon Books, 1931.

Ambrose, Stephen E. *Nixon.* 3 vols. New York: Simon & Schuster, 1987-91.

Amsden, Alice H. *Asia's Next Giant: South Korea and Late Industrialization.* New York: Oxford University Press, 1989.

Anderson, Martin. *Welfare: The Political Economy of Welfare Reform in the United States.* Stanford: Hoover Institution Press, 1979.

Ash, Timothy Garton. *The Polish Revolution.* London: Granta Books, 1991.

Åslund, Anders. *Gorbachev's Struggle for Economic Reform.* Ithaca, N.Y.: Cornell University Press, 1991.

———. *How Russia Became a Market Economy.* Washington, D.C.: Brookings Institution, 1995.

Balcerowicz, Leszek. *Socialism, Capitalism, Transformation.* London: Central European University Press, 1995.

Balze, Felipe A. M. de la. *Remaking the Argentine Economy.* New York: Council on Foreign Relations Press, 1995.

Barber, William J. *A History of Economic Thought.* London: Penguin, 1967, reprinted 1979.

Bark, Dennis L., and David R. Gress. *A History of West Germany: From Shadow to Substance, 1945-1963.* Vol. 1. Oxford: Basil Blackwell Ltd.,

10. David Hale, "How the Rise of Pension Funds Will Change the Global Economy in the 21st Century," manuscript; Eugene Ludwig, speech to American Bankers Association, October 5, 1997 (mutual funds); International Monetary Fund, Annual Report: 1998 (Washington, DC: IMF, September 1998), pp. 1 - 50; Jeffrey Sachs "Making it Work," *The* Economist September 12 1998, pp. 23-25; Stanley Fischer, "Reforming World Finance: Lessons from a Crisis," *The Economist*, October 3, 1998. pp.23-27.

from Douglas MacDonald (private prisons).

17. Interviews with William Schneider and Rudolph Penner; Thomas J. Duesterberg, "Reforming the Welfare State," Scociety, September/October 1998. pp. 44-53.

第13章　信認の均衡——改革後の世界

1. Jon Sopel, *Tony Blair: The Modernizer* (London: Bantam Books, 1995), pp. 54, 150 ("long game"), 63 ("enormous state guidance"), 13 ("every spare minute"), 35 ("ethical socialism"), 39, 10 ("totally self-made").
2. *New Statesman,* Special Edition, May 1997, p. 42 ("It's simple" and "bungs up"), p. 64 ("presumption"); Sopel, *Tony Blair,* pp. 208 ("too much bureaucracy"), 285 ("common ownership" and "grow up"), 246.
3. *New York Times,* June 7, 1997 (Blair and Jospin); Arthur M. Okun, *Equality and Efficiency: The Big Tradeoff* (Washington, D.C.: Brookings Institution, 1975), p. 119 ("more than two cheers"); Council of Economic Advisers, *Economic Report of the President* (Washington, D.C.: U.S. Government Printing Office, 1997).
4. Interviews with Robert Rubin and Eric Dobkin. On foreign exchange, see McCarthy, Crisanti, and Maffei (MCM).
5. Interview with John Browne. On BP's transformation, see Steven E. Prokesch, "Unleashing the Power of Learning," *Harvard Business Review,* September-October 1997; Vito Tanzi and Ludger Schuknecht, "The Growth of Government and the Reform of the State in Industrial Countries," IMF Working Paper W/95/130, December 1995; Clive Crook, ed., "The Future of the State: A Survey of the World Economy," *The Economist,* September 20-26, 1997.
6. *Financial Times,* September 26, 1997, p. 13 (Nemtsov).
7. Interview with Felix Rohatyn.
8. Lee Kuan Yew, discussion, International Institute for Strategic Studies meeting, Singapore, September 12, 1997.
9. *Forbes,* March 10, 1997, p. 124 (Drucker).

p. 10 ("criminalization"); Stephen Breyer, *Breaking the Vicious Circle: Toward Effective Risk Regulation* (Cambridge, Mass.: Harvard University Press, 1993), p. 51 ("regulatory gridlock"); William J. Novak, *The People's Welfare: Law and Regulation in Nineteenth-Century America* (Chapel Hill: University of North Carolina Press, 1996), pp. 56-57.

13. Interviews with Stephen Breyer and Daniel Esty. Breyer, *Breaking the Vicious Circle,* pp. 39-40, 12 ("The site"); Nivola, *Comparative Disadvantages?,* p. 20; Daniel J. Dudek, "Emissions Trading: Practical Lessons from Experience," testimony before the Joint Economic Committee, U.S. Congress, July 9, 1997, pp. 3-4 (success of emissions trading); American Enterprise Institute, "How Economics Can Inform the Global-Climate Change Debate," conference summary, March 1997; Congressional Research Service, "Market-based Environmental Management: Issues and Implementation," March 1994, Washington, D.C.

14. Lincoln Caplan, *Up Against the Law: Affirmative Action and the Supreme Court* (New York: Twentieth Century Fund Press, 1997); Littler, Mendelson, Fastiff, Tichy, and Mathiason, *The 1996 National Employer,* 1996, p. 153 ("former employee's"); Nivola, *Comparative Disadvantages?,* p. 11 ("personal disagreements" and "levies millions"); Philip Howard, *The Death of Common Sense: How Law Is Suffocating America* (New York: Warner Books, 1996), p. 142 ("sue" and "precious rights"); *Washington Post,* May 12, 1997, pp. A1, A10 (Stanley Sporkin).

15. Al Gore, *Common Sense Government: Works Better and Costs Less* (New York: Random House, 1995), p. 117 ("spinning off"); Moshe Adler, "In City Services, Privatize and Beware," *New York Times,* April 7, 1996; Reason Foundation, *Privatization 1996,* p. 15 (Ed Rendell); *New York Times,* February 12, 1989 (Conrail).

16. *Wall Street Journal,* May 13, 1997; Reason Foundation, *Privatization 1996,* pp. 7, 8; *Atlanta Journal and Constitution,* August 2, 1996, p. 14A; *Economist,* April 19, 1997 (private police); *Security Management,* November 1994; *General Accounting Office Report,* January 1994; information

Unregulated Economist (New York: Basic Books, 1988); Harry M. Trebing, "The Chicago School Versus Public Utility Regulation," in Warren J. Samuels, ed., *The Chicago School of Political Economy* (New Brunswick, N.J.: Transaction Publisher, 1993), pp. 311-340; The Brookings Institution series on regulation was greatly influential. On public choice theory, see James Buchanan and Gordon Tullock, *The Calculus of Consent* (Ann Arbor: University of Michigan Press, 1962); Richard H. K. Vietor, *Contrived Competition: Regulation and Deregulation in America* (Cambridge, Mass.: Harvard University Press, 1996). On Kahn, see Thomas McCraw, *Prophets of Regulation* (Cambridge, Mass.: Harvard University Press, 1984), Chapter 7.

9. Interview with Stephen Breyer. Robert Burkhardt, *CAB—The Civil Aeronautics Board* (Dulles International Airport, Va.: Green Hills Publishing Company, 1974), p. 12 ("near chaos").

10. Interviews with Edward Jordan and Eugene Ludwig. *Business Week,* June 22, 1992, p. 146; *New York Times,* June 9, 1992, p. 1 ("antenna"); Alfred Kahn, *Economics of Regulation* (New York: Wiley, 1970); Vietor, *Contrived Competition,* pp. 168-172 ("annihilating"), 176 ("monopoly"), 197 ("tasteless stew"), 206-207 ("common carrier"), 211 ("history of business"), 231-233 ("technical quality"). Steven A. Morrison and Clifford Winston, "The Fare Skies: Air Transportation and Middle America," *Brookings Review,* Fall 1997, pp. 42-45.

11. Interviews with Elizabeth Moler and Philip Sharp. Cambridge Energy Research Associates, *Electric Power Trends 1996-97,* p. 8; Bruce Humphrey, *Notes on Deregulation* (Cambridge, Mass.: Cambridge Energy Research Associates, 1997); Larry Makovich, *Cost Versus Value: Private Report* (Cambridge, Mass.: Cambridge Energy Research Associates, 1997); Gary Simon et al., *North American Power Watch* (Cambridge, Mass.: Cambridge Energy Research Associates, various editions).

12. Pietro Nivola, *Comparative Disadvantages? Social Regulations and the Global Economy* (Washington, D.C.: Brookings Institution Press, 1997),

August 7, 1979, p. B3 ("I'm boring"); William R. Neikirk, *Volcker, Portrait of the Money Man* (New York: Congdon & Weed, 1987), pp. xx, 28, 78-79.

6 . Interviews with George Shultz and Paul Volcker. Volcker and Gyohten, *Changing Fortunes,* p. 166 ("bet on inflation"); Neikirk, *Volcker,* pp. 137-138, 219 ("compliment"); William Greider, *Secrets of the Temple: How the Federal Reserve Runs the Country* (New York: Simon & Schuster, 1987).

7 . Interviews with Robert Rubin, Lawrence Summers, Benjamin Friedman, Michael Levy, Roger Porter and others. Herbert Stein, *Presidential Economics: The Making of Economic Policy from Roosevelt to Reagan and Beyond* (New York: Touchstone, 1985), pp. 263-307 ("punk" supply-side); Congressional Budget Office, "The Economic and Budget Outlook: Fiscal Years 1998-2005," January 1997, p. 105; David A. Stockman, *The Triumph of Politics: How the Reagan Revolution Failed* (New York: Harper & Row, 1986), p. 14 ("radical ideologue"); Elizabeth Drew, *On the Edge: The Clinton Presidency* (New York: Touchstone, 1995); *Newsweek,* June 23, 1997, p. 16 (Robert Rubin); Martin Feldstein, ed., *American Economic Policy in the 1980s* (Chicago: University of Chicago Press, 1994); William A. Niskanen, *Reaganomics: An Insider's Account of the Policies and the People* (New York: Oxford University Press, 1988); Council of Economic Advisers, *Economic Report of the President* (Washington, D.C.: U.S. Government Printing Office, 1997); Richard Darman, *Who's in Control? Polar Politics and the Sensible Center* (New York: Simon & Schuster, 1996), pp. 113 ("tax increase"), 73 ("prior history"). On "declinism," see Joseph Nye, Jr., *Bound to Lead: The Changing Nature of American Power* (New York: Basic Books, 1990).

8 . Interviews with Stephen Breyer, Dick Cheney, and Rudolph Penner. William Breit and Roger W. Spencer, eds., *Lives of the Laureates: Seven Nobel Economists* (Cambridge, Mass.: MIT Press, 1986), p. 107 ("My findings" and "widows and orphans"); George J. Stigler, *Memoirs of an*

Population Aging in Rich Countries," *The Brookings Review,* Summer 1997, pp. 10-15.

16. Interview with Helmut Schmidt.

第12章　遅れて起こった革命――アメリカの新たな均衡

1. *Dayton Daily News,* December 28, 1995, p. 7; *Arkansas Democrat-Gazette,* November 17, 1995, p. 1; *Sun-Sentinel,* December 29, 1995, p. 1 (BUDGET IMPASSE and "politics with people's lives"); *Seattle Times,* December 29, 1995, p. 1; *New York Times,* December 29, 1995, p. 1; *Bergen* (N.J.) *Record,* December 29, 1995, p. 1.

2. Elizabeth Drew, *Showdown: The Struggle Between the Gingrich Congress and the Clinton White House* (New York: Touchstone, 1997), pp. 305-381; Dick Morris, *Behind the Oval Office: Winning the Presidency in the 1990s* (New York: Random House, 1997), pp. 183-184; George Hagar, "Reconciliation: A Battered GOP Calls Workers Back to Work," *Congressional Quarterly Weekly Review,* January 6, 1996, pp. 53-56.

3. Lou Cannon, *Reagan* (New York: G. P. Putnam's Sons, 1982), pp. 262-268 ("super executive").

4. Interviews with Irving Kristol, William Kristol, and George Shultz (underestimated); Christopher DeMuth and William Kristol, eds., *The Neo-Conservative Imagination: Essays in Honor of Irving Kristol* (Washington, D.C.: American Enterprise Institute Press, 1995), pp. 166 ("mugged by reality"), 180 ("The truth" and "leverage of ideas"), 60 ("besmirched" and "fight to rehabilitate"); *Bangor* (Maine) *Daily News,* March 28, 1996 (McGovern as innkeeper); Irving Kristol, *Neo-Conservativism: The Autobiography of an Idea* (New York: Free Press, 1995), pp. 12-13, 379, 18, 32 ("Though none" and "political landscape").

5. Interview with Paul Volcker. Paul Volcker and Toyoo Gyohten, *Changing Fortunes: The World's Money and the Threat to American Leadership* (New York: Basic Books, 1992), p. 170 ("euphoria" and "inflationary dragon"); Elisabeth Bumiller, "Two for the Money," *Washington Post,*

5 . Milesi, *Delors,* p. 248 ("Helping Creusot-Loire").
6 . Schmidt, *From State to Market?,* p. 111 ("efface itself"); Grant, *Delors,* pp. 56 ("smells"), 54 ("grand vizier"), 59 ("French social democracy and presidential majority").
7 . Spinelli and Rossi, *Il Manifesto de Ventotene,* p. 188 ("European unification"); Grant, *Delors,* p. 66 ("money back").
8 . European Community, *Battling for the Union,* pp. 47-58 ("ridiculous mouse"); Grant, *Delors,* pp. 74-75, 88; Berger and Dore, *National Diversity,* p. 231; *Financial Times,* October 24, 1997 (milk chocolate).
9 . Interview with Margaret Thatcher. Geoffrey Howe, *Conflict of Loyalty* (London: Macmillan, 1994), p. 537 ("European superstate"); Thatcher, *Downing Street Years,* p. 558 ("new breed").
10. David Marsh, *Germany and Europe: The Crisis of Unity* (London: Heinemann, 1994), p. 10.
11. Interview with Karl-Otto Pöhl. Marsh, *Germany and Europe,* pp. 70-77 ("deutschmark"); Horst Tetschik, *329 Tage: Innenansichten der Einigung* (Berlin: Seidler Verlag, 1991), pp. 129-133. See Stent, *Germany and Russia Reborn;* Maier, *Disillusion;* Helmut Kohl, *Ich Wollte Deutschlands Einheit* (Berlin: Propyalaen Verlag, 1996), pp. 259-265.
12. Marsh, *Germany and Europe,* p. 61 ("heart transplants").
13. Interview with Karl-Otto Pöhl. Rudi Dornbusch, "Euro Fortress," *Foreign Affairs,* September-October 1996, pp. 116-124.
14. Interviews with Valéry Giscard d'Estaing, Jens Stoltenberg, Christian Stoffaes, and Alberto Clô.
15. Interviews with Valéry Giscard d'Estaing, Oscar Fanjul, Helmut Schmidt, Herbert Detharding, Jens Stoltenberg, Karl-Otto Pöhl, and Peter Sutherland. Peter Sutherland, speech to Confederation of British Industry Conference, November 12, 1996; International Monetary Fund, *World Economic Outlook: EMU and the World Economy,* part I (Washington, D. C.: IMF, October 1997), pp. 60-61; *International Herald Tribune,* September 16, 1997; Barry Bosworth and Gary Burtless, "Budget Crunch

Watch (Cambridge, Mass.: CERA, 1996, 1997); *Financial Times,* September 20, 1997; *Washington Post,* September 25, 1997; Lilia Shevtsova, *Yeltsin's Russia: Challenges and Constraints* (Moscow: Carnegie Center, 1997); *Financial Times,* May 29, 1997, p. 21 (Nemtsov and Yeltsin).

18. Interview with Grigory Yavlinsky. Alexander Golts, "Primakov's Style," *Intelectual Capital* (September 17, 1998); Gustafson, Capitalism Russian Style.

第11章　苦境——新たな社会契約を模索するヨーロッパ

1. Altiero Spinelli and Ernesto Rossi, *Il Manifesto de Ventotene* (Naples: Guida Editori, 1982); Juliet Lodge, ed., *European Union: The European Community in Search of a Future* (London: Macmillan, 1986), pp. 174-185; European Community, *Battling for the Union: Altiero Spinelli 1979-1986* (Luxembourg: European Community Press, 1988), pp. 47-58 ("Hemingway").
2. Vivien A. Schmidt, *From State to Market? The Transformation of French Business and Government* (New York: Cambridge University Press, 1996), Chapter 4; *Le Monde,* June 25, 1981; Andrea Boltho, "Has France Converged on Germany? Policies and Institutions Since 1958," in Suzanne Berger and Ronald Dore, eds., *National Diversity and Global Capitalism* (Ithaca, N.Y.: Cornell University Press, 1991); Marie-Paule Virard, *Comment Mitterrand a découvert l'économie* (Paris: Albin Michel, 1993), p. 24.
3. Charles Grant, *Delors: Inside the House That Jacques Built* (London: Nicholas Brealey, 1994), pp. 12 ("most successful"), 8, 11 ("good workhorse"), 13 ("never been fascinated"), 15 ("How do you manage it?").
4. Gabriel Milesi, *Delors: L'homme qui dit non* (Paris Edition 1, 1995), pp. 214 ("Jacobins"), 219 ("There is no option" and "Mrs. Thatcher's policies"); Grant, *Delors,* p. 47 ("locomotive"); Schmidt, *From State to Market?,* p. 122 ("cash-flow").

10. Interview with Grigorii Yavlinsky. Balcerowicz, *Socialism,* p. 365 ("Polish path"); Åslund, *How Russia Became a Market Economy,* p. 71 (military-industrial complex); Boris Yeltsin, *The Struggle for Russia* (New York: Times Books, 1994), pp. 125-126 ("get going!").
11. Interview with Yegor Gaidar. Åslund, *How Russia Became a Market Economy,* pp. 64-69 ("small steps" and "political freedom").
12. Interview with Yegor Gaidar. Åslund, *How Russia Became a Market Economy,* pp. 85, 94 ("pink shorts").
13. Interview with Sergei Vassilyev. Åslund, *How Russia Became a Market Economy,* pp. 69, 228 ("For impermissibly long"), 240 ("broad stratum"); Thane Gustafson, *Capitalism Russian Style* (Cambridge, Mass.: Cambridge University Press, forthcoming).
14. Boycko, *Privatising Russia,* pp. 8-14 ("by the power"), 71; Åslund, *How Russia Became a Market Economy,* p. 247.
15. Åslund, *How Russia Became a Market Economy,* p. 235 ("millionaires"); Gustafson, *Capitalism Russian Style* ("carrots or cabbages"); Boycko, *Privatizing Russia,* pp. 63 ("our ideology"), 108.
16. Joseph A. Blasi, Maya Kroumova, and Douglas Kruse, *Kremlin Capitalism: Privatizing the Russian Economy* (Ithaca, N.Y.: Cornell University Press, 1997), pp. 2, 26, 167, 178; *Financial Times,* September 17, 1997; Alessandra Stanley, "The Power Broker," *New York Times Sunday Magazine,* August 31, 1997.
17. Interviews with Yegor Gaidar and Sergei Vassilyev. Peter Boone and Boris Federov, "The Ups and Downs of Russian Economic Reforms," in Wing Thye Woo, Stephen Parker, and Jeffrey Sachs, eds., *Economies in Transition: Comparing Asia and East Europe* (Cambridge, Mass.: MIT Press, 1997), pp. 186-188. Nemtsov in *Financial Times,* March 18, 1997. On crime, see Stephen Handelman, *Comrade Criminal: The Theft of the Second Russian Revolution* (London: Michael Joseph, 1994). On a possible Russian economic miracle, see Yergin and Gustafson, *Russia 2010,* Chapter 12; Cambridge Energy Research Associates, *Former Soviet Union*

6 . Otto Ulč, Otto., "Czechoslovakia's Velvet Divorce," *East European Quarterly,* vol. 30, Fall 1996, pp. 331-352; *Wall Street Journal,* May 30, 1996 ("choice"); European Bank, *Transition Report,* pp. 146-148; Václav Klaus, *Renaissance: The Rebirth of Liberty in the Heart of Europe* (Washington, D.C.: Cato Institute, 1997), pp. 28, 151-153.

7 . Interview with Yegor Gaidar. Daniel Yergin and Thane Gustafson, *Russia 2010—And What It Means for the World* (New York: Vintage, 1995), Chapter 4; Yegor Gaidar and Karl-Otto Pöhl, *Russian Reform: International Money* (Cambridge, Mass.: MIT Press, 1995), pp. 48, 7 ("For twenty years"); Maxim Boycko, Andrei Shleifer, and Robert Vishny, *Privatizing Russia* (Cambridge, Mass.: MIT Press, 1995), p. 119. The classic work on the failure of innovation is Joseph Berliner, *The Innovation Decision in Soviet Industry* (Cambridge, Mass.: MIT Press, 1976), and the classic work on the development of the Soviet oil and gas industry is Thane Gustafson, *Crisis amid Plenty: The Politics of Soviet Energy under Brezhnev and Gorbachev* (Princeton: Princeton University Press, 1989).

8 . Anders Åslund, *How Russia Became a Market Economy* (Washington, D.C.: Brookings Institution, 1995), pp. 28-30, 42-46; Boris Yeltsin, "We Are Taking Over" (interview, *Newsweek,* January 6, 1992), pp. 11-12 ("hedgehog"). Gorbachev's characterization of himself as a child of the secret speech is in Angela Stent, *Russia and Germany Reborn: Unification, the Collapse of the Soviet Union, and the Future of Europe* (Princeton: Princeton University Press, forthcoming). On the devastating impact of the unearthing of Soviet history, see David Remnick, *Lenin's Tomb: The Last Days of the Soviet Union* (New York: Random House, 1993).

9 . Interviews with Yegor Gaidar and Andrei Konoplyanik. Boris Pankin, *The Last Hundred Days of the Soviet Union* (London: I. B. Tauris, 1996), p. 25; János Kornai summed up three decades of work dissecting communist economics in Kornai, *The Socialist System: The Political Economy of Communism* (Princeton: Princeton University Press, 1992).

William Orme, "Fire in the Pan," *New Republic,* May 6, 1985, pp. 20-21; Banco de México, *The Mexican Economy,* pp. 6-7; *The Economist,* December 14, 1991, p. 19, cited in Dominguez, *Technopols,* p. 98 ("economically literate").

15. Dominguez, *Technopols,* pp. 145 ("radical tradition"), 171 ("regulated free market"), 166-167 ("In the whole world"), 175 ("smaller the state"); *Wall Street Journal,* August 1, 1994; James P. Hoge, Jr., "Fulfilling Brazil's Promise: A Conversation with President Cardoso," *Foreign Affairs,* August 1995, p. 64 ("rule of law" and "Reforms are needed").
16. Moises Naim, *Latin America's Journey to the Market: From Macro-economic Shocks to Institutional Therapy* (San Francisco: ICS Press, 1995), pp. 17-26, 2 ("The discovery"); Moises Naim, "Latin America—The Morning After," *Foreign Affairs* July-August 1995, pp. 45-62; Shahid Javed Burki and Sebastian Edwards, *Dismantling the Populist State: The Unfinished Revolution in Latin America and The Caribbean* (Washington, D.C.: World Bank, 1997).

第10章　市場行きの切符——共産主義後の旅路

1. Timothy Garton Ash, *The Polish Revolution: Solidarity* (London: Granta Books, 1991), p. 34 ("self-defense").
2. Interview with Jeffrey Sachs. Jeffrey Sachs, *Poland's Jump to the Market Economy* (Cambridge, Mass.: MIT Press, 1993), p. 44.
3. Sachs, *Poland's Jump,* p. 44 (searching for his Ludwig Erhard); Leszek Balcerowicz, *Socialism, Capitalism, Transformation* (Budapest: Central European Press, 1995), pp. 341-342 ("change their attitudes").
4. Balcerowicz, *Socialism,* pp. 366 (*shock therapy* and *market revolution*), 344, 354; Sachs, *Poland's Jump,* pp. 64-65.
5. Balcerowicz, *Socialism,* pp. 356 ("old habits"), 362 ("just market"), 349, 343 ("chaos"), 182 ("key part"); Sachs, *Poland's Jump,* pp. 63-65; European Bank for Reconstruction and Development, *Transition Report 1996* (London: EBRD, 1996), pp. 17, 112, 165-167.

the 1990s (University Park, Pa.: Pennsylvania State University Press, 1997), pp. 232 ("the competent state"), 258 ("progressive"); *Wall Street Journal,* August 1, 1994 (winners).

8. William C. Smith, *Authoritarianism and the Crisis of the Argentine Political Economy* (Palo Alto, Calif.: Stanford University Press, 1991), pp. 257-258, 267; Dominguez, *Technopols,* p. 255; *The Economist,* November 26, 1994 ("nightmare" and "movie").

9. Interviews with Domingo Cavallo and Carlos Bastos. Dominguez, *Technopols,* pp. 54-56 ("It is in the provinces" and "socialism without plans"), 67.

10. Interviews with Domingo Cavallo and Carlos Bastos. Edwards, *Crisis and Reform in Latin America,* p. 196; José Estenssoro, "The New Competitive Frontiers: Argentina," in William Durbin and Penny Janeway, eds., *Transforming Latin America's Energy Future: Cambridge Energy Forum* (Cambridge, Mass.: CERA, December 1995), pp. 7-24.

11. Mario Vargas Llosa, *A Fish in the Water* (London: Faber & Faber, 1994), pp. 31 ("barbarism"), 34 ("Totalitarian Peru"), 214, 224; Edwards, *Crisis and Reform in Latin America,* p. 33; Kenneth M. Roberts, "Neoliberalism and the Transformation of Populism in Latin America: The Peruvian Case," *World Politics,* vol. 48, October 1995, p93; Mario Vargas Llosa, "In Defense of the Black Market," *New York Times Sunday Magazine,* February 22, 1987, p. 46 ("register the workshop"); Gustavo Gorriti, "The Fox and the Hedgehog," *New Republic,* February 12, 1990, pp. 20-25.

12. Gorriti, "Fox," *New Republic,* February 12, 1990, p. 25 ("cut-rate" and "modern man"); Vargas Llosa, *A Fish in the Water,* pp. 216 ("lack of economic knowledge"), 41 ("I see it"), 261 ("economic freedom"), 264 ("a semicolonial factory"); Alvaro Vargas Llosa, "The Press Officer," *Granta,* vol. 36, Summer 1991, p. 80 ("loneliness").

13. Interview with Alberto Fujimori. Roberts, "Neoliberalism," pp. 107, 82-116 (tiger and puma).

14. Interviews with Carlos Salinas, Jesás Silva Herzog, and Pedro Aspe.

ed., *Latin American Oil Companies and the Politics of Energy* (Lincoln: University of Nebraska Press, 1985).

3. Sebastian Edwards, *Crisis and Reform in Latin America: From Despair to Hope* (New York: Oxford University Press, 1995), p. 17.
4. Interview with Enrique Iglesias. Edwards, *Crisis and Reform in Latin America,* pp. 70, 49, 48 ("outward oriented"); John Williamson, "The Washington Consensus Revisited," paper prepared for Development Thinking and Practice Conference, September 3-5, 1996, Washington, D.C., pp. 2 (Washington Consensus and "diplomatic label"), 3 (distorting markets); Frances Stewart, "John Williamson and the Washington Consensus," paper for Development Thinking and Practice Conference, September 3-5, 1996, Washington, D.C., p. 1 ("shadowy master"); David Hojman, "The Political Economy of Recent Conversions to Market Economics in Latin America," *Journal of Latin American Studies,* vol. 26, pp. 191-219.
5. Interviews with Domingo Cavallo and Benjamin Friedman. Matt Moffett, "Key Finance Ministers in Latin America Are Old Harvard and MIT Pals," *Wall Street Journal,* August 1, 1994; "Latin America Within the World Economy" (Foxley interview), *Challenge,* January-February 1993, pp. 18-23 ("persuade antagonists").
6. Arnold C. Harberger, "Secrets of Success: A Handful of Heroes (Political Economy of Policy Reform: Is There a Second Best?)," *American Economic Review,* May 1993, pp. 343-351; Pamela Constable and Arturo Valenzuela, *A Nation of Enemies: Chile Under Pinochet* (New York: W. W. Norton, 1991), pp. 167 ("kind of therapy"), 169 ("trying to explain"), 173 ("pot by the handle"); Juan Gabriel Valdez, *Pinochet's Economists: The Chicago School in Chile* (New York: Cambridge University Press, 1995).
7. Interviews with Alejandro Jadresic and Dani Kauffmann. Juan Gabriel Valdez, *Pinochet's Economists,* p. 263 ("road to socialism"); Jorge I. Dominguez, *Technopols: Freeing Politics and Markets in Latin America in*

8 . Interviews with P. Chidambaram and Vijay Kelkar.

9 . Interviews with Jairam Ramesh and G. V. Ramakrishna. Kelkar and Rao, *India,* p. 40 (“way of socialism”); *Business India,* July 8-12, 1992, p. 49; Bhagwati, *India in Transition,* pp. 58-59.

10. Manmohan Singh, budget speech, July 24, 1991, paragraphs 4, 5; *Business World,* March 6-9, 1996, pp. 32 (“position was bad”), 33 (“For 20 or 30 years”), 40 (“technocrats?”), 33 (“cobwebs”); *Business India,* July 8-12, 1991, p. 49 (“functionless capitalism”); *India Today,* July 31, 1991, pp. 12, 13 (“old methods”).

11. Singh, budget speech, July 24, 1991, paragraphs 2, 7, 50, 126; *Business World,* March 6-9, 1996, pp. 38-39 (“We're in the business” and “trade and not aid”).

12. Kelkar and Rao, *India,* p. 19 (“vastly different role”); James Manor, “How Steady? India's New Course: Economic Liberalization and Energy Investment” (Cambridge, Mass.: CERA Private Report, November 1995).

13. Interviews with P. Chidambaram, Vijay Kelkar, and Kenneth Lay. Larry Ellison, speech at CERA Executive Conference, Houston, February 10-13, 1997; Manor, “Political Sustainability,” in Cassen and Joshi, *India;* Singh, budget speech (“No power” and “The emergence”).

第9章　ルールにのっとったゲーム――中南米の新しい潮流

1 . Interviews with Gonzalo Sánchez de Lozada and Jeffrey Sachs. Robert Skidelsky, *The World After Communism* (New York: Penguin Press, 1996), pp. 139-140.

2 . Raúl Prebisch, “Five Stages of My Thinking,” in Gerald M. Meier and Dudley Seers, eds., *Pioneers in Development* (New York: Oxford University Press, 1984), pp. 175 (“neoclassical theories” and “great crisis”), 179; Gert Rosenthal, “Development Thinking and Policies in Latin America and the Caribbean: The Way Ahead,” paper prepared for Development Thinking and Practice Conference, September 3-5, 1996, Washington, D.C., p. 5. On the national-security rationale, see John Wirth,

原　注

第8章　許認可支配の後に——インドの覚醒

1．Interviews with P. Chidambaram and Jairam Ramesh. *India Today,* July 31, 1991, p. 10（"Sudden work"）.

2．Jagdish Bhagwati, *India in Transition: Freeing the Economy*（New York: Oxford University Press, 1995）, pp. 54（"not entirely wrong"）, 51, 11, 14; Vijay Joshi and I. M. D. Little, *India's Economic Reform, 1991-2001*（New York: Oxford University Press, 1996）.

3．Vijay L. Kelkar and V. V. Bhanoji Rao, *India: Development Policy Imperatives*（New Delhi: Tata McGraw-Hill Publishing Company, 1996）, pp. 165, 200, 193（"rewards"）; Bhagwati, *India in Transition,* pp. 18, 53（"corruption"）, 63（"up the Marxist mountain"）; Steven R. Weisman, "India Budget Recalls Reagan Plan for Stimulus," *New York Times,* March 25, 1985.

4．*Far Eastern Economic Review,* August 8, 1991, p. 48.

5．Bhagwati, *India in Transition,* p. 79（"honest work"）; Weisman, "India Budget," *New York Times,* March 25, 1985（"common man"）.

6．*India Today,* July 15, 1991, p. 10（"old wine"）.

7．James Manor, "The Political Sustainability of Economic Liberalization in India," in Robert Cassen and Vijay Joshi, eds., *India: The Future of Economic Reform*（New Delhi: Oxford University Press, 1995）, pp. 346（"trickle down economics"）, 351（"a railway platform"）; *Financial Times,* September 2, 1991, p. 30（"no head"）.

口絵写真提供

Archive Photos: 35, 36, 39, 41, 47, 50

Corbis-Bettmann: 32, 33, 34, 37, 38, 40, 42, 44, 45, 46, 48, 49, 55, 56, 57, 58, 59, 60, 66, 68

DPA（Deutsche Presse Agentur）: 67

HIID Archive, Tony Loret: 43

Hulton-Getty/Tony Stone Images: 31, 53, 54, 62

Reuters/Corbis-Bettmann: 65

SYGMA: 51, 52, 61, 63, 64

[訳者紹介]

山岡洋一（やまおか・よういち）

1949年神奈川県生まれ。翻訳家。
主要著書：『ビジネスマンのための経済・金融英和実用辞典』（日経ＢＰ社）
主要訳書：B・ウッドワード『大統領執務室』（文藝春秋社）、K・カーディス『見えざる富の帝国』（講談社）、G・パスカル・ザカリー『闘うプログラマー』（日経ＢＰ社）、Ｊ・アベグレン『巨大アジア市場』（ＴＢＳブリタニカ）、Ａ・サンプソン『カンパニーマンの終焉』（同）、L・サロー『資本主義の未来』（共訳、同）、P・クルーグマン『クルーグマンの良い経済学 悪い経済学』（日本経済新聞社）など。

市場対国家〈下巻〉

一九九八年十一月十八日　第一刷
一九九八年十二月　一日　第二刷

著　者　ダニエル・ヤーギン
　　　　ジョゼフ・スタニスロー
訳　者　山岡洋一
発行者　上田克己
発行所　日本経済新聞社
東京都千代田区大手町一—九—五
郵便番号一〇〇—八〇六六
電話　（〇三）三二七〇—〇二五一
振替　〇〇一三〇—七—五五五

印刷・製本　凸版印刷

ISBN4-532-16279-3
Printed in Japan